15.00

DE DOOD VAN EEN KROONPRINS

DE DOOD VAN EEN KROONPRINS

Henk Apotheker • René Appel • Ina Bouman,
Rinus Ferdinandusse • Maarten 't Hart
Roel Janssen • Lydia Rood • Tomas Ross
Felix Thijssen • Peter de Zwaan

2002
DE BEZIGE BIJ
AMSTERDAM

Omslag Studio Jan de Boer
Omslagillustratie Photonica/Imagestore
Foto's auteurs Harry Cock (Maarten 't Hart), Roeland Fossen
(Tomas Ross en Rinus Ferdiandusse), Vincent Mentzel (René Appel
en Roel Janssen), E.H.M. Krijnen (Peter de Zwaan), Cees
Verhoeven (Lydia Rood), Robert Knoth (Henk Apotheker)
Zetwerk A/Z grafisch serviceburo b.v., Den Haag
Druk Wöhrmann, Zutphen
ISBN 90 234 0131 X
NUR 332

HET WAAROM, HET HOE EN HET WIE

SLECHTS ZELDEN IN de Nederlandse literatuur bezondigden twee of meer auteurs zich tezamen aan een roman. Betje Wolff en Aagje Deken. Vestdijk en Marsman. Vestdijk en Henriëtte van Eyck. Meer namen borrelen niet op. Dat verbaast ook niet. Schrijven is per slot een allerindividueelste bezigheid. Mulisch met Claus? Bomans met Carmiggelt? Reve met Hermans? Noordervliet met Haasse? Ondenkbaar.

Daarentegen komt in de misdaadliteratuur het duoschrijverschap relatief wel veel – en succesvol – voor. Ellery Queen (Frederic Dannay en Manfred B. Lee), Boileau & Narjeac, Sjöwall & Wahlöö en Nicci French (Sean French en Nicci Gerrard) zijn beroemde schrijverskoppels. In eigen land kennen we onder anderen de twee gezusters Monsma, die onder de naam Martin Mons publiceerden; West & Waterman; Kleyn en Mensen; Willy Corsari met respetievelijk H.W. Cedee en Jan Campert; Tomas Ross met Maj Sjöwall.

De reden waarom 'misdaad schrijven' zich kennelijk beter leent tot samenwerking dan 'literair schrijven' heeft vanzelfsprekend alles met de genres van doen: het is per slot makkelijker samen een moord te doen plegen dan hand in hand de zielenroerselen van de gekwelde puber in vogelperspectief neer te pennen.

Zeldzamer zijn de collectieve misdaadromans, dat wil zeggen bedacht en geschreven door drie of meer auteurs. In het Nederlands taalgebied zijn drie voorbeelden te noemen: *De Vrouw van ons Achten* (1956), *Brief uit Kansas* (1958) en *Schandaal in de Kaasstad* (1985). Geen van drieën is overigens om over naar huis te schrijven en dat is de makke van zo'n collectief: 'Ieder woelt hier om verandring,' om het bijbelwoord aan te halen. Datzelfde geldt de misdaadfeuilletons die de afgelopen jaren van de hand van verschillende schrijvers in de dagbladen verschenen: wisselende smaak, stijl en literaire kwaliteiten resulteerden hooguit in een aardig en/of curieus ratjetoe.

Grote aarzeling bekroop ondergetekenden dan ook aanvankelijk toen uitgeverij De Bezige Bij hun het initiatief voorlegde om met tien (!) auteurs gezamenlijk een misdaadroman te schrijven. 'De crème de la crime, s.v.p.,' verzocht de uitgever.

Waarom dan toch gedaan?

Vergeef ons het woord, maar een van de twee doorslaggevende argumenten was de 'uitdaging'. De uitdaging om nu collectief wel een (dus) unieke, spannende en meeslepende misdaadroman te wrochten. Een ander argument was dat De Bezige Bij de roman wilde publiceren ter gelegenheid van de Maand van het Spannende Boek. Zoals bekend wordt voor die maand steeds een bekend buitenlands thrillerauteur uitgenodigd een speciaal boekje bij wijze van 'extraatje' te schrijven. Zijn/haar Nederlandse collegae verzetten zich daar al jaren tegen. De Maand is immers ook en vooral bedoeld om de vaderlandse misdaadliteratuur te stimuleren en ook het Boekenweekgeschenk is, op een (veel bekritiseerde) uitzondering na, van de hand van Nederlandse auteurs. Dat verzet resulteerde in 2001 weliswaar in het geschenkboekje *Dovemansoren* van Rinus Ferdinandusse, maar het aanbod van De Bezige Bij om de zaken nu groter en grootser aan te pakken, was overtuigend genoeg om onze aarzelingen opzij te zetten.

Een goed misdaadverhaal veronderstelt, meer nog dan andere literaire producties, een strakke, uitgebalanceerde compositie. Reden waarom we eisten dat er sprake zou zijn van een strikte eindredactie waaraan door geen van de meewerkende auteurs getwijfeld of getornd zou worden. Zelden schoof een inschikkelijker ploeg mensen rond de tafel nadat wij gedrieën vele uren lang plot, karakters en een uitgebreide verhaallijn hadden bedacht. Maar even vanzelfsprekend eisten de zeven anderen, geselecteerd op naam en faam (en dus niet op sekse of huidskleur) het recht op de eigen stijl, uitwerking, humor en aanpak. Binnen het raamwerk van de plot gold derhalve terecht het adagium 'Blijf met je vingers van mijn tekst af!'

Het idee om aan de roman een prijsvraag te verbinden werd overigens niet daardoor veroorzaakt, zoals men wellicht zou denken. Dat onstond daarentegen pas later toen, niet eens tot verrassing van de eindredactie, de tien separaat maar gelijktijdig (sic!) geschreven hoofdstukken niet alleen een spannend, maar vooral ook het sluitend en gestroomlijnd geheel bleken op te leveren dat u op dit moment in uw handen houdt.

En is niet, hoezeer de misdaadroman zich ook heeft ontwikkeld, steeds de basale vraag in het genre: 'Wie heeft het gedaan?' Des te aardiger, des te moeilijker, des te meer wat je noemt 'een uitdaging' om niet alleen te raden wie de 'Kroonprins' vermoordde, hoe en waarom, maar ook wie van ons tienen er medeplichtig aan is, en in welke mate.

René Appel, Rinus Ferdinandusse en Tomas Ross

I

BUURVROUW BROERE WAS een kenau. Een krankzinnige klepmuts. Een kreatuur. Een krapuul. Een kolossale kwab kinnebakkenkookspek. Een karonje. Een katijf... Nee, katijf hoorde niet in het rijtje thuis. Zou hij nog een keer op de bel durven drukken? Ze wás thuis... een halfuur geleden had hij hevig gebonk in haar keuken gehoord. Karrenpaard ramt kakstoel, had hij nog gedacht. Hij legde zijn oor tegen haar brievenbus. Ver weg werd doorgetrokken, daarna suizend stromend water, direct daarop vermengd met de gang-echo van een doorgetrokken wc en een stortbak die zich vulde. Ook dát nog – hij verwierp meteen minachtend het idee dat hij zich zou kunnen hebben voorstellen hoeveel van haar kranige krummy kantkoekkont over de bril heen had gehangen.

Toen buurvrouw Broere haar voordeur opende, gleed over het gezicht van Joop Meijer een brede, innemende glimlach. Hij straalde zelfs blijheid uit, als een gemotiveerd heilsoldaat. Het was de vrucht van zijn anticiperend klierkwalkankeren: als hij zijn gezonde hekel aan haar maar even lekker kon luchten, dan was hij daarna weer geheel gereed voor de normale omgangsefficiëntie die zijn beroep meebracht; dan kon buurvrouw Broere desnoods wel weer even een knalpotje bij hem breken.

Ze opende de deur, maar bleef niet afwachtend staan. Ze deed onmiddellijk een forse stap naar voren, en maakte daarna nog een serie kleine passen om haar voeten dertig centimeter uit elkaar te krijgen, zodat ze stevig op de mat stond. Toen ze geheel tot stilstand was gekomen balde ze haar handen tot vuisten en liet die langzaam omhoog komen tot ze op haar heupen rustten. Een grote, zeer goedgevulde vrouw. Met in haar verweerd en bergachtig gezicht een heel klein mondje – en daaromheen speelde een heel klein, spottend glimlachje.

'Buurman Meijer op de stoep!' zei ze, gemaakt verrast. 'Zo! Dan moet er wel weer iets héél ergs aan de hand zijn. Zeker weer een crisis! Vast een kabinetscrisis! Welke minister is het deze keer?'

Zijn glimlach bleef breed. 'Mevrouw Broere,' zei hij, zo hoffelijk als hij kon, 'de laatste keer dat ik uw hulp vroeg ging het over de minister van Defensie. Die zou zijn vriendin hebben ingelicht over personeelsproblemen bij de Generale Staf. Dat was wáár. En daardoor dreigde een crisis in het kabinet. Dat was óók waar: ik heb er een groot artikel over geschreven. Het was *nieuws*.'

'Ik heb het in uw krantje gelezen,' zei ze, niet zonder snibbigheid in haar stem. 'Bij de sigarenman. Maar in de andere krantjes bij de sigarenman stond er niks over. En ook de volgende dag niet.'

'Mevrouw Broere,' zei hij, verbaasd over de uitvoerige manier waarop zij dit keer haar afkeer van hem documenteerde, maar toch zo beminnelijk mogelijk, 'u heeft gelijk en ik heb u daarna al een keer geprobeerd uit te leggen...'

Ze sprak er dwars doorheen: 'En de keer dáárvoor, toen met Sociale Zaken was het precies hetzelfde. Dat die staatssecretaris gezegd zou hebben...'

'Mevrouw Broere...' Hij verhief zijn stem en zei krachtig: 'Het is deze keer anders.'

Maar ze luisterde niet, veranderde alleen van thema: 'En u heeft zelf gezegd dat u de regeling met Max en Milan wilde afbouwen. Dat u mij niet meer nodig had. Terwijl die kinderen zelf het liefst bij mij...'

'Mevrouw Broere,' riep hij. Lichaamstaal gebruiken, flitste het door zijn hoofd – en meteen hief hij zijn twee handen in overgave tot boven de schouders. Wanhoop nam bezit van zijn gelaatsspieren. 'Help mij,' zei hij. 'Alstublieft. U moet me vanavond nog helpen. Er is iets vreselijks gebeurd. Minister Zoutkamp – die kent u vast wel – nou, díe minister, díe Zoutkamp is dood. Hij is, voorzover bekend, opgeblazen. Dat is geen geheim. Ik denk dat u het nu al wel op de radio kunt horen. En u zult zien dat straks het Journaal ermee begint. Als er op dit moment al niet een extra-Journaal is. Daarom moet ik nú naar Rotterdam. Daarom vraag ik of Max en Milan nú bij u mogen komen.'

Het uitdagende lachje verliet haar mondje. 'Zoutkamp opgeblazen,' herhaalde ze. 'Ja, dán zal er nu wel een kabinetscrisis komen. Hebben ze al gegeten?'

Koe, dacht Joop. Klepmuts. Kneeddarm. Natuurlijk kwam er geen kabinetscrisis. Daarvoor moesten er wel vijf ministers tegelijk opgeblazen worden. 'Ze zullen op dit moment wel klaar zijn met eten. Ik kom ze morgenochtend weer bij u halen en dan breng ik ze naar school.'

Ze glimlachte en wreef de binnenkant van haar handen stevig over haar heupen, alsof er veel zweet vanaf moest. 'Hun bed staat al klaar,' zei ze. 'Want dat staat altíjd voor ze klaar. En ik heb genoeg in huis voor een ontbijt morgenochtend. Ze hoeven dus niet met een lege maag naar school. Zoals laatst, toen ú weer niks in huis had.'

Voordat hij bij haar aanbelde, had hij zijn zoontjes al met toorn en vaderlijk onbehagen bedreigd als ze zouden gaan zeuren en saboteren omdat ze weer een nacht bij buurvrouw Broere moesten doorbrengen. Ze hadden hem alleen maar uiterst koel aangekeken. Dus herhaalde hij het nu nog eens, eraan toevoegend dat ze juist bij haar – wee hun gebeente – absoluut geen k-woorden mochten gebruiken.

Het probleem was dat Max en Milan, die zich altijd gedwee naar buurvrouw Broere hadden laten sturen, er zélf mee begonnen waren. Els had hem er een paar maanden geleden speciaal over gebeld. Els – hun moeder, de vrouw dewelke hij twee keer, twaalf en tien jaar geleden, had bevrucht – hoorde op een gegeven moment Max en Milan joelen en proesten, en toen bleek dat hun lol voortkwam uit de kreet: 'Ans Broere is een kilokraakster.' Het had, werd duidelijk toen ze de jongetjes ernaar vroeg, te maken met een tekenfilmpje op de tv van een dikgebilde berin die door een stoel was gezakt en dus belde Els hem op om te vragen of hij misschien wist of mevrouw Broere toevallig, waar de jongetjes bij waren, door een stoel was gezakt. Maar een latere analyse bracht aan het licht dat de dikgebilde berin ook nog eens sprak met een klein pruimenmondje. Door de ouderlijke aandacht hadden de twee jongetjes hun repertoire snel uitgebreid. 'Ans Broere is een krotekookster.' 'Ans Broere is een kuttenkrammer.'

Het werkte aanstekelijk, want al gauw had hij zich tegen Els laten ontvallen dat ze niet zo moest kamkéveren, waarop zij weer klootkozak zei – en binnen de kortste keren was het hun beiden weer uitermate *krisp en klier* waarom ze niet meer getrouwd waren.

Het was, bovendien, ook één van de redenen dat er, zowel bij zijn hoofdredactie als bij de directie van zijn krant, een verzoek lag om een paar maanden 'opfrisverlof'. Dan zou hij eindelijk de tijd en de rust hebben om het kanon Broere voorgoed af te schieten. En om het gesleep met die jongetjes voor eens en altijd te regelen. Want Els zelf hield zich ook aan geen enkele afspraak.

Hij verlangde ineens hevig naar dat opfrisverlof, officieel zelfs 'educatief bijtankverlof' genoemd. Hij had er ook om gevraagd omdat hij langzaamaan een beetje moe aan het worden was van de parlementaire journalistiek. Het enige vak waar je zeven keer vierentwintig uur per week nauwkeurig moest nagaan dat er eigenlijk nooit iets gebeurde dat niet iedereen allang en met open ogen had zien aankomen.

Zelfs toen de eindredacteur belde met de mededeling dat Zoutkamp dood was en dat hij als de donder naar Rotterdam moest (om het 'In Memoriam' bij te punten) was zijn eerste reactie geweest dat iemand anders dat net zo goed kon doen: 'Vraag Joris Veraart – die loopt al een half jaar mee. Juist voor zó'n jongen is dat heel leerzaam, zo'n IM.'

Nog geen vijf minuten later ging de telefoon weer: 'Ja, met Ronald'. Een zachte stem, die Joop soms zelfs in zijn slaap hoorde. De stem van zijn hoofdredacteur. Ronald was, ondanks die zachte stem, kort, hard en zakelijk. 'De laatste versie van ons 'In Memoriam' is van jouw hand. Dus *jij* komt dat nog even reviseren. En ik heb je *hier* nodig omdat jij onze Zoutkamp-specialist bent – althans wat de politiek betreft. En ik wil ook dat we ons onderscheiden van het grote gejammer dat morgen uit alle bladen opstijgt. Ik wil morgen – op de voorpagina – van jouw hand, een korte analyse: waarom de keuze voor Zoutkamp-als-minister toen verkeerd was. Dat heb jíj toen bedacht. Dus ben jij nu de man om – juist met alle respect voor de dode – even zijn ministerschap te wegen.'

Joop had onmiddellijk bezwaar aangetekend: 'Dat kan toch beter over een week? Nu wil iedereen alleen maar weten wie hem heeft opgeblazen.'

'Joo-oop,' had de hoofdredacteur, nog zachter, gezegd, 'het lijkt erop dat je inderdaad begint het contact met de journalistiek te verliezen. Want het irriteert me dat we je nog thuis moesten bellen. Dat je niet allang hier was. En het irriteert me dat je nauwelijks weet wat er aan de hand is. Dus, komma, geheel te jouwer informatie: Zoutkamp ís niet opgeblazen. We weten zelfs nog niet of Zoutkamp dood is. Het lijkt er wel sterk op, want hij heeft, zoveel is wel duidelijk, zijn motorjacht zo ontzettend afgebeuld dat het in brand is gevlogen. Maar Zoutkamp of stukjes Zoutkamp zijn nog niet gevonden. Dus alle sensatie die te bedenken valt, moeten wij, mannen en vrouwen van media en pers, inderdaad nog helemaal zèlf maken. Gebruik je gaspedaal en zorg dat je over een half uur hier bent. Want dan coördineren we.'

Hij haalde uit zijn archiefkast zijn eigen map-Zoutkamp en stapte de motregen in. Hij moest niet ver, hij had zich vandaag getrakteerd op de parkeergarage. Zijn appartement in de Torenstraat was zo dicht bij het Binnenhof dat hij eigenlijk geen auto nodig had, en die stond dus altijd ver weg. Behalve als Max en Milan er waren en naar school moesten. Kort samengevat: als Els de kinderen bij hem parkeerde, moest hij maar zien hoe te parkeren.

Hij reed al ter hoogte van Delft toen hij eraan dacht om de radio aan te zetten. Op alle publieke Hilversumse zenders hoorde hij dezelfde treurige, plechtige orgelmuziek. Nationaal Programma dus. Hij zag het brede, gulzige gezicht van de politicus voor zich. En de uiterst brede, tevreden lach die nu in het hiernamaals dat gezicht zou sieren. Want middelpunt zijn van een aan hem gewijd Nationaal Programma – daar zou Zoutkamp bourgondisch van schuddebuiken.

In Rotterdam merkte hij snel dat er iets bijzonders was: een te stille stad, te weinig mensen op de stoepen, te weinig rijdende auto's op straat. In sommige zijstraten die hij passeerde leek het al voorbij middernacht. Door de geheimzinnige tam tam van het volksgevoelen had iedereen al begrepen dat iedereen voor de televisie moest zitten om zekerheid te krijgen over het feit dat iedereen natuurlijk nationaal voor de televisie zat. 'Iets met Zoutkamp', dat was zeker in deze stad, waar hij vele jaren én burgemeester én een begrip was geweest, voldoende voor lege straten en volle bankstellen.

Joop zette nog even zijn radio aan. '...u heeft geluisterd naar een korte toespraak van minister-president Hendrikse vanuit 't Torentje in Den Haag. Omdat er geen reclameboodschappen zijn, schakelen we nu al over naar Schiermonnikoog, waar onze verslaggeefster ter plekke, Bettina Reims, de gebeurtenissen volgt. Is er nog nader nieuws, Bettina?'

Het bleef stil. 'Bettina, hoor je me? Nog nader nieuws? Je kan erin komen.'

Kort gekraak. 'Dit is Ewoud Bomen, KRO. Bettina kan elk moment arriveren. Ze is even naar het haventje gelopen, omdat er geruchten waren dat ten tijde van het ongeluk een vissersboot, die op zee was, gemeld zou hebben dat er een grote steekvlam was waargenomen. Dat bericht hebben we inderdaad bevestigd gekregen, luisteraars. Een vissersboot heeft toen, ongeveer kwart over vijf, via zijn radio laten weten aan de havenmeester dat er ten noorden van het eiland, op zee, een gigantische steekvlam te zien was. En op weer een ander schip zou ook een soort explosie gehoord zijn. Dat hebben wij u al in een vorige achtergrondflits kunnen melden. Bettina is nu even naar het haventje om te zien of er daar met die boot, of die twee boten, opnieuw contact kan worden gezocht – zodat wij straks met onze microfoon daarnaartoe kunnen gaan om via een boordradio te kunnen laten horen hoe zij dat aan de havenmeester hebben doorgegeven. En aan de bemanning te vragen hoe zij het ervaren hebben dat zij dus de laatsten zijn die getuige waren van eh... ja, het einde van het verblijf van minister Zoutkamp hier op Schiermonnikoog. Ik geloof dat ik, ik sta hier op de dijk niet ver van de strekdam, zodat we makkelijk contact kunnen hebben met de helikopters die nu voor politie en pers een tijdelijke luchtdienst van het vasteland naar hier onderhouden. En terug ook natuurlijk. Vice versa. Ja, ik zie...'

Geërgerd drukte Joop de uitknop in: hoe kun je nou op een dijk staan en toch zo oeverloos lullen? Hij reed de polder in waar het gebouw, waarin zijn krant gemaakt en gedrukt werd, zich groot en donker aftekende tegen de licht-schimmige regenwolken. Hij zag tot zijn genoegen dat op één etage alle ramen verlicht waren. Zichtbaar bewijs dat de vrije pers de hoer van de actualiteit was: als het maar even opwindend werd kon je aan de ramen al zien hoe heet het er toeging.

Fredje Pollen, chef verslaggeving, de enige die eens per jaar werkpantoffels mocht declareren, haalde twee bekers zwarte koffie en lichtte hem kort en zakelijk in over de stand van zaken.

'Het blijkt nu dat Bert Zoutkamp, minister van Binnenlandse Zaken, met zijn vrouw – hoe heet dat mens ook alweer, Suzan, dacht ik, in ieder geval zijn tweede vrouw – regelmatig het weekend doorbrengt op Schiermonnikoog. Ze doen dat altijd in dezelfde bungalow. Al heet dat daar een buitenhuis of zo. Ter beschikking gesteld – *om niet* wordt erbij gezegd – door een vriend, die... even spieken... Karel Swart heet, Swart met een S. Deze Swart is een soort projectontwikkelaar. Dat zal je niet verbazen, want toen Zoutkamp hier burgemeester was had zijn beste vriendenkring ook een hoog projectontwikkelaarsgehalte.'

Fredje Pollen schraapte zijn keel. 'Dit weekend schijnt Zoutkamp besloten te hebben nog een paar dagen langer op Schiermonnikoog te blijven, om op zijn gemak en in alle rust stukken te bestuderen. Het *schijnt* – maar we zijn nog bezig dat te checken – dat er een ambtenaar van het departement óf op zondag óf op maandagochtend op het eiland is geweest om een volle aktetas te brengen. Maar nu heeft Zoutkamp daar op dat eiland een prachtig en zeewaardig motorjacht. En, je zult het niet geloven, dat heet Uyltje. Nou, wat zeg je dan?'

'Joop den Uyl.'

'O ja, zoiets moet ik jou natuurlijk niet vragen. Maar het klopt. Den Uyl was zijn grote roerganger. Volgende feit. Vanmiddag is Bert Zoutkamp in zijn eentje met dat jacht uitgevaren. Hij ging, en dat schijnt een letterlijk citaat te zijn, "even een rondje om het eiland maken". Zijn vrouw ging niet mee. Ze was, naar Zoutkamp met nadruk tegen de havenmeester heeft gezegd, *niet lekker* – maagkramp, buikgriep, niet golven-bestendig, je zoekt maar uit. Zoutkamp zou in ieder geval om vijf uur terug zijn. Dat is een belangrijk gegeven. Want bij ieder ander die langer wegbleef, zou de havenmeester zijn schouders hebben opgehaald. Maar in dit geval ging het om een minister van de Kroon. Dus die man heeft vrij snel alarm geslagen. Dus al vóór er over de radio een bericht kwam van een visser die op zee was en die zei dat hij een gigantische steekvlam had waargenomen. Ten noorden van het eiland.'

'Dat verhaal hoorde ik daarnet op de radio.'

'Al vóór half zes is er via de politie contact gezocht met de Marineluchtvaartdienst,' ging Pollen door. 'Het bleek daarna allemaal heel snel en eenvoudig: die helikopter uit Den Helder vond aan de noordkant van het eiland, zonder veel moeite, brokstukken van wat – zal ik maar zeggen – eens het Uyltje is geweest. Ik heb uit voorzorg aan de eindredactietafel het maken van woordspelingen verboden.'

'Het Uyltje is geknapt,' mompelde Joop.

'De slechtste van die tien die ik inmiddels gehoord heb. God, wat is de dood een moordende inspiratie voor een goeie grap. We gaan verder. De politie te water is met twee boten naar de plaats van het ongeluk gevaren. Mét ook een paar ervaren technische rechercheurs, die per helikopter ingevlogen en aan boord gezet zijn. Resultaat: het jacht dat in brand vloog is het jacht van Zoutkamp. Er is bij die rechercheurs geen spoor van twijfel – al moet dat allemaal in de komende dagen nog bewezen worden –, maar alles stikte van de petrolieresten, dus de oorzaak móet een zwaar lekkende brandstoftank geweest zijn.

Er is ook geen twijfel aan dat Zoutkamp dood is. En dat er van Zoutkamp op zichzelf niet zo heel veel over is, maar dat wàt je nog kunt zien niet tot twijfel aanleiding geeft. Dat zijn allemaal opmerkingen van rechercheurs, en dus allemaal nog *off the record*.

Het schijnt dat er nu al resten van Zoutkamp onderweg zijn. Ze zeggen ook, maar dat weet jij beter dan ik, dat van een dooie minister – die in dit geval ook nog eens baas van de politie en van de BVD is, of was – de lijkschouwing op militair vliegveld Valkenburg hoort te gebeuren. Zodat op het hoogste niveau kan worden vastgesteld of hij op natuurlijke of op onnatuurlijke wijze uit elkaar is geklapt.'

'Ik hoorde,' zei Joop, 'op de radio dat Hendrikse al gesproken heeft. Althans, ik hoorde de afkondiging. Betekent dat dat de minister-president er allang van op de hoogte is dat Zoutkamp dood is?'

'Heel goed, Joop. Zoals altijd heb je een perfect politiek gevoel. Daarom was Ronald ook zo razend dat je hier nog niet was. Want wij hebben het idee dat ze in Den Haag bezig zijn de regie over te nemen. Dat de politie die nu op Schiermonnikoog opereert aan Den Haag rapporteert, en niet aan de burgemeester. Wij horen van onze jongens op Schiermonnikoog dat er daar géén persconferentie zal zijn. Ook dat: orders uit Den Haag. Als er een persconferentie is, is die in Den Haag. Is dat normaal?'

'Ja,' zei Joop, 'het gezag zit in Den Haag. Dat is de regel en zelfs dooie ministers horen nog steeds bij het gezag. En ik zou er ook maar van uitgaan dat alle adviseurs van Hendrikse tegen hem gezegd hebben: "Toespraak! Zo snel mogelijk! Met zo'n toespraak – zelfs al is het maar een toespraak*je* – demp je paniek. Als mensen feiten geruststellend krijgen toegediend, dan wórden ze gerustgesteld." En met zo'n advies ben je bij Hendrikse aan het juiste adres. Die man komt klaar op rust en kalmte.'

'Hé, daar heb je Ronald – hij wil kort vergaderen. Heel kort, want de krant zakt morgenochtend veel vroeger. Vanwege de lossenummerverkoop wil de directie al om tien uur met de eerste editie de straat op. Mooi toch, voor een deftig avondblad als wij nu eenmaal zijn?'

Maar Joop schudde het hoofd. 'Als we dan maar niet te vroeg zijn voor de overlijdensadvertenties. Want als alle havenbaronnen en partijbonzen mee gaan doen hebben we dankzij Zoutkamp deze week minstens vijf pagina's extra. Als een ex-burgemeester doodgaat moet er veel zand over. Of zout.'

ᔐ

Joop Meijer zat achter zijn bureau en klikte de *crypte* aan. De vergadering, door Ronald steeds 'de coördinatie' genoemd, was inderdaad heel kort geweest: discussie was bijna overbodig. Op de voorpagina vanzelf het nieuwsverhaal. Kop over alle kolommen. Het even geopperde idee om als stunt de voorpagina helemaal te gebruiken voor één gigantische portretfoto van Bert Zoutkamp, mét dikke rouwrand, verdween na dertig seconden stilte vanzelf van tafel. Het nieuwsverhaal moest doorlezen naar pagina twee, want 'de mensen', zelfs intellectuelen van vandaag, wilden bij zulke gebeurtenissen alles wat ze al op televisie hadden gezien plus nog eens veel van die mooie details tot ver achter de komma, iets waar de visuele media geen tijd voor hadden. Ronald liet het verder aan Fred Pollen over hoe hij de zaak illustreerde. Waarop Pollen zei dat hij al een bak met leuke kiekjes uit het rijke Zoutkamp-archief had laten aanrukken. 'Om te beginnen natuurlijk die aap. Hij was op dienstreis in Afrika, zag een gorilla en kocht die –

uit eigen zak en "een beetje uit de zak van de dienstdoende wethouder", zo zei hij dat toch altijd? – als een geschenk aan Blijdorp. Dus stond hij tot ieders verrassing ineens met een aap in een kooi op Zestienhoven. Het beest had hij al *Bert* gedoopt. In Blijdorp aangekomen bleek eerst dat het geen gorilla maar een sterk ondervoede chimpansee was. En toen ze ook nog eens goed onder zijn beharing keken bleek het ook geen mannetje en werd het Bertientje. Typisch van die grote, mislukte Zoutkampgebaren, waarom Rotterdam zich een aap heeft gelachen.'

'Van die dingen dus,' had Ronald met een vies gezicht gezegd – en daarna nog eens gesteld dat hij onderaan de voorpagina, drie koloms, een *analyse* van Joop Meijer wou. Die had indertijd, toen Zoutkamp aantrad, geschreven dat hij de verkeerde keus was. Een opmerkelijk (en omstreden) artikel en het leek Ronald wel zo eerlijk (en ook weer opmerkelijk, natuurlijk, dacht Joop), om nu, bij Zoutkamps dood, juist niet te doen alsof het nooit geschreven was. Joop zei niets, hij zou het toch tegen Ronald afleggen.

Daarom zat hij nu al weer achter zijn bureau, en haalde op zijn scherm, uit de *crypte*, het 'In Memoriam Bert Zoutkamp'. Want dat kwam op pagina zes, en die pagina had haast. Hij keek op de teller: 386 krantenregels. Veel, en dat was logisch. Want eerst had de stadsredactie tekst geleverd, en daarna had Joop, toen Zoutkamp minister werd, er nog eens de politiek ingebracht. Hij hoefde er waarschijnlijk niets aan te veranderen, behalve het sarcastische slot. Want hij had er vorig jaar nog een alinea aan toegevoegd, met Zoutkamps laatste wapenfeit: zijn grote rede – die vriend en vijand had verbaasd – over 'Moraal, Ethiek en Politiek'. Het was een breed opgezet filosofisch betoog met veel diepzinnig jargon dat allerwegen indruk had gemaakt, maar niet bij Joop Meijer, die het vooral erg ouderwets vond. Volgens Joop bedoelde Zoutkamp alleen maar dat 'regeren en besturen, in een sterk verloederde maatschappij als tegenwoordig, voor de politicus vuile handen betekent, en dan is toegeven dat je vuile handen hebt een functionelere attitude dan terug te treden binnen je verantwoordelijkheden, ofwel, kort gezegd, doen alsof het aan de maatschappij ligt dat je handen niet schoon lijken.'

Joop had vorig jaar de publicatie van het essay aan het In Memoriam toegevoegd, met als slotzin: *'Bert Zoutkamp, formidabel politicus, is nu overleden. Met schone of vuile handen? De tijd zal, we spreken nu in zijn geest, het leren.'*

Joop begon – ook om zijn geheugen op te frissen – de levensschets te lezen. Zoon van een sigarendraaier uit 's-Hertogenbosch, die – 1942 – bijna zonder werk zat omdat (ja, de oorlog) de tabak opraakte. Briljant breintje, dus de klassieke onderwijzer greep in en zorgde ervoor dat de jonge Bertje Zoutkamp geen handarbeider hoefde te worden, maar de middelbare school kon bezoeken. Na zijn eindexamen moest hij versneld in militaire dienst, omdat er oorlog om Nieuw Guinea dreigde. Daarna ging Zoutkamp – omdat die Bossche nestgeur er blijkbaar nog steeds was – studeren in Nijmegen. Hij koos het vak dat destijds grote opgang maakte: sociologie. Hij werd er, in 1967, doctorandus in. En, waarschijnlijk, want het feit berust alleen op zijn eigen verklaring, lid van de PvdA. Hij trad in dienst bij de Nijmeegse universiteit, waar hij colleges gaf over de leer van de massacommunicatie.

'In 1971...' hier hield Joop op met lezen. Want hij herinnerde zich plotseling dat hij vorig jaar, toen hij het stuk aanvulde, hier óók opgehouden was met lezen. Bij alle biografieën die hij kende van sociaal-democraten van de leeftijd van Zoutkamp stond op dit meestal cruciale punt, aan het begin van hun carrière, altijd vermeld dat ze zich hadden aangesloten bij Nieuw Links. Of dat ze Tien over Rood-aanhanger waren. Of dat ze een keer gearresteerd waren bij een provo-happening die een beetje uit de hand gelopen was. Dat laatste gold zeker voor studentensteden als Amsterdam, Tilburg, Groningen en natuurlijk voor Nijmegen waar het aan het eind van de jaren zestig juist vaak roerig was geweest.

Maar van Bert Zoutkamp hoorde – constateerde Joop opnieuw – de geschiedenis pas weer in 1971. Toen publiceerde de socioloog zijn beroemde boekje over het veroveren van de macht. Dat moeten wij, schreef hij daarin, afkijken en leren van de christenen, die overal in de maatschappij de beste plekjes hebben veroverd. Die zitten in alle raden en besturen en comités. Wij van de PvdA moeten ons niet in eerste instantie richten op de Tweede Kamer, maar ons duidelijk strijdbaar laten horen in de buurtvereniging, in de wijk- en de gemeenteraad, in de voetbal- en ja, óók in de hockeyclub, want dáár ligt de werkelijke macht. De socialisten moesten die flauwe christenen uit het maatschappelijk middenveld verdrijven en zorgen voor pit in het politieke gebeuren. Het (toen beroemd geworden) boekje had door de titel al veel succes: *Peper in de raad*.

Zoutkamp was een half jaar later in het bestuur van de PvdA gekozen. Twee jaar later, toen Joop den Uyl na een lange tijd weer links in de regering bracht, werd Zoutkamp gezien als een ziener, als een man die de weg naar de macht wist – en dus werd hij door veel ministers ingehuurd als beleidsadviseur. Iedereen drong erop aan dat hij Kamerlid zou worden, maar, getrouw aan de opvatting uit zijn boekje, weigerde hij dat – wat hem opnieuw aan landelijke bekendheid hielp. Zoutkamp werd met veel voorkeurstemmen gekozen in de gemeenteraad van Nijmegen en dus al meteen wethouder, en zo plaveide hij de weg naar zijn latere burgemeesterschap. Maar hij bleef, als buitengewoon hoogleraar, les geven in massacommunicatie.

Dat deed hij bij vlagen uiterst briljant. Joop was daar zelf eenmaal getuige van geweest: hij had ooit – in 1982? 1983? – in Zoutkamps gehoor gezeten bij een gastcollege in Amsterdam. Een onstuimig betoog met veel lachsalvo's. Met als hoogtepunt de uitwerking van een (met excuus aan de aanwezige dames) op een scherm geprojecteerde stelling: 'Is het laten van een scheet COMMUNICATIE? Nee! Behalve als het iets adequaat naar buiten brengt dat je niet hebt bedoeld.'

Joop schoof zijn stoel achteruit en stond op. Hij ging eerst een nieuwe slotzin bedenken (want van hem mocht Zoutkamp in alle vrede rusten met schone handen) en daarna nog wat mensen bellen, voor hij aan zijn *analyse* begon. Hij liep, handen in de zakken, over de redactie. Op de televisie was veel zwart te zien, hier en daar een enkele lantaarn. Een vrouwenstem, buiten beeld, zei: 'Dit is de nacht. Dit is de nacht die valt over Schiermonnikoog. Een dramatische dag is ten einde... maar misschien liggen velen hier, en in het land aan de overkant, nog wakker en... denken nog eens aan minister Bert Zoutkamp. *Nog eens denken is... herdenken.* Met deze beelden besluiten we onze verslaggeving.'

~

'Hoor je dat? Hoor je dat? Ik moet hem verdomme herdenken. De klootzak. Mijn leven kon hem geen zak schelen. Het zou hem geen fuck interesseren dat ik een kind krijg.' De vrouw op het bed graaide van een bordje op haar nachtkastje een handvol partjes van een mandarijntje – en slingerde die allemaal naar het televisiescherm, waarop Schiermonnikoog langzaam in het zwart verdween. De vrouw had een zware, hoogbolle, dikke buik, zo zwaar en dik dat ze niet genoeg overeind kon komen om richting aan haar werpende arm te geven. Acht mandarijn-partjes zwiepten alle kanten op, slechts één belandde op het bedoelde televisiescherm, bleef even plakken en gleed daarna langzaam naar beneden.

Mieke Verwey stond op, zette de televisie uit, pakte het stukje mandarijn en stak het in haar mond. 'Lekker,' zei ze. 'Maar het was voor jou bedoeld. Zal ik er nog een voor je pellen?'

Anneke Zoutkamp hoorde dat niet meer – ze was uitgebarsten in een hartverscheurend gesnik, dat na een minuut overging in klagend gejank, met tussendoor grote grienuithalen. Toen ze weer naar een hysterische huilbui toe leek te groeien, ging Mieke op de rand van het bed zitten en greep Anneke bij beide schouders. 'Hou op! Hou verdomme *nu* op! Anders geef ik je een dreun! *Hou op!*'

Het werd onmiddellijk stil in de kamer. Anneke voelde verontrust en verbaasd aan haar gloeiende wang. Mieke Verwey, haar beste, liefste, geniale vriendin, Mieke Verwey die de Nobelprijs voor Consequent Gedrag zou krijgen als die bestond, had haar ongetwijfeld, dat voelde ze, een klap gegeven.

'Dat huilen is niet goed voor je weeën,' zei Mieke. 'Dat gekrijs is hetzelfde als persen. Nog één keer krijsen en ik kan mevrouw Buizebaas bellen, of hoe heet ze ook alweer? Natuurlijk is het treurig dat je vader niet eens heeft geweten dat je zwanger bent. Maar ook áls hij het had geweten, was hij ook in die stomme boot gestapt. Je hoeft jezelf niks te verwijten. Jij bent die ruzie toch niet begonnen? Wees kalm en concentreer je op wat er in je buik zit. Je weet wat ze op zelfhulp leerden: ga mee met je wee.'

Even was het stil. 'Ja, maar,' barste Anneke los, weer half snikkend, 'ik had Chris nog zó beloofd dat ik met de baby naar mijn vader zou gaan… en Chris is er nu ook niet. Ik ben de enige vrouw in dit land die… het alleen moet doen.' Ze kreunde lang en hard. 'En weet je hoe Chris het kind wil noemen?'

'Ja,' zei Mieke, 'dat heb je verteld. Justus. Naar zijn vader. Vieze ouwe man die een rollator heeft met een kotsbakje, dan is het niet erg als hij steeds te laat bij de plee komt. Anneke, je bent lief maar ook een beetje in de war. Dat van Justus heb je me al minstens vier keer verteld.'

'Ik wil dat Chris hier... aaauw... waarom is Chris er niet?' Anneke wist het verdomd goed. De baby kwam drie weken eerder dan uitgerekend. 'Ooooh... aaauw... Wrom Chris niet?'

'Hier kindje,' zei Mieke, 'ik heb nog een mandarijntje voor je uitgekleed. Vroeger toen Nederland nog een hardwerkend land was, kregen vrouwen zoals jij elf kinderen. Alleen maar om te zorgen dat de man tenminste één keertje bij een geboorte kon zijn.'

'Verdomme,' schreeuwde Anneke, alsof ze over haar adem heen geluid wilde maken, 'nou zit-ie daar in dat stomme Kosovo de vrede te bewaren, terwijl ik...' Ze begon luid te kreunen.

'Dit klinkt verontrustend,' zei Mieke Verwey. Ze sloeg het laken waaronder de kraamvrouw lag terug. 'Ja,' zei ze. 'je had niet zo vaak Justus moeten roepen. Hij wil er nu uit. Hoe heette die mevrouw Buizebaas precies?'

'Het staat vóór op de klapper. Mevrouw Duis-den Daas. O, Mieke het doet zo'n pijn.'

Toen Mieke de telefoon neerlegde, zei ze: 'Binnen vijf minuten is ze hier. Ik ga nu je moeder bellen, goed?' Ze sloeg de bladen van de klapper om. 'Waar vind ik het nummer? Onder de M van Mama staat ze niet, en ook niet onder de J van Josien.'

'Zoutkamp,' kermde Anneke. 'Ik moest toch wát onder de Z zetten?'

Vier dagen later, vrijdag, nam Joop Meijer vroeg een taxi naar de begraafplaats. Een taxi omdat het daar natuurlijk razend druk zou worden. En vroeg omdat hij eerst een afspraak had met Melle Hamer. De uitgever had hem de avond ervoor gemaild – of Joop op het kerkhof zou zijn? En of hij dan tijd had om een vraag te beantwoorden. Over Zoutkamp?

Hamer, van uitgeverij Hamer had ooit naam gemaakt door zijn 'literaire MOKER' serie: hemelbestormende ram rimdesignromans, waarvan de experimentele onleesbaarheid geheel werd verguld door polemiek en publiciteit. Maar omdat Hamers gezin op den duur ook moest leven, had hij het roer omgeworpen en legde zich nu naast fictie ook toe op actuele non-fictie en biografieën. Daarom voelde Joop wel aan welke kant het gesprek op zou gaan. Hamer had erbij geschreven dat hij ter herkenning een rode roos in de vuist zou houden.

Ze liepen nu langs de zerken. Hamer, lang en nonchalant, Joop een beetje gespannen, want de krant ging uit van een flinke foto met eventueel uitvoerig bijschrift – maar als het meer moest worden, moest Joop dat zelf ter plekke, maar wél op goede gronden beslissen.

'Je had toen Zoutkamp dood was een intrigerend stukje op jullie voorpagina,' zei Hamer. 'Ik zal je – vóór ik mijn vraag stel – zeggen hoe ík dat gelezen heb. Er is een gortdroge minister-president, Wout Hendrikse geheten, die ook zijn partij, de PvdA, de gortdroge kant opdrijft door het socialisme zoveel mogelijk te ontdoen van de vroegere ideologische verenpracht. Hij wint – ondanks de gortdroogte bloeit de economie – opnieuw de verkiezingen. Er is dan een nieuwe minister van Binnenlandse Zaken nodig en hij kiest Zoutkamp. Volgens iedereen zijn natuurlijke opvolger, de gedroomde kroonprins. Maar volgens jou een verkeerde keus. Omdat Zoutkamp een rasbestuurder is... wás: een man van het grote ik-ben-ik-gebaar, voor wie het zitvlees nooit breed en het pluche nooit zacht en fluwelig genoeg was. En die dus, omdat hij ook nog eens minister werd op een benoemingsdepartement, er op uit zou zijn om de gortdroge apparatsjik-kant van Hendrikse op te sieren. Dus de PvdA als patserige machtspartij, terwijl – zeg het me als ik het niet goed gelezen heb – het juist voor die PvdA van levensbelang is om herkenbaar te blijven als sociaal-democratische partij met oog voor de kleine man. Volgens jou zat Hendrikse ook niet op die bejubelde kroonprins te wachten, maar – nog steeds jouw analyse – Hendrikse *moest* Zoutkamp wel nemen door druk vanuit Rotterdam. Een kongsi van PvdA-wethouders, geholpen door een lobby van PvdA-ambtenaren die in Zuid-Holland (Rotterdam én Den Haag) heel machtig is. Omdat zij in Zoutkamp de man zien... zagen, die voorgoed de macht van de christenen gaat breken en die totale macht gaat dan, op alle samenlevingsniveaus in de maatschappij, over op de sociaal-democraten van het soort Zoutkamp. Klopt dat met jouw analyse?'

'Zeker,' zei Joop. 'Je ziet hoe duidelijk ik schrijf. En tegen jou kan ik het nog scherper zeggen. Hendrikse is geen man die de hete adem van een gedoodverfde opvolger in zijn nek wil hebben. Dat soort irriteert hem. Dus een man als Zoutkamp ligt hem niet echt. Hij zou hem nooit uit zichzelf hebben gevraagd. Die keus is hem opgedrongen.'

'Grappig dat je dat zegt,' zei Hamer. 'Ik neem aan dat ook jij geen Gauloise rookt?' Terwijl hij er zelf eentje opstak zei hij: 'Ik heb gister twee van je collega's gebeld en één van hen zei het nog sterker. Die vertelde me dat hij bezig was geweest uit te zoeken of het klopte dat Hendrikse en Zoutkamp, kort geleden, zelfs bijna slaande ruzie hebben gehad. Maar toen kwam de fatale boottocht en toen is je collega ermee opgehouden, omdat verder gaan geen zin meer had. Maar hij is ervan overtuigd dat Zoutkamp in de week vóór zijn dood razend, met de deuren slaand, uit 't Torentje is vertrokken.'

Mooi, dacht Joop – niet zonder een kleine, blij-jaloerse steek in het hart, want hij hoorde zich al bezig met een uitleg aan zijn hoofdredacteur waarom hij, Joop Meijer, Zoutkamp-specialist bij uitstek, die ruzie gemist had.

'Wat ik je eerst wilde vragen – dit is dus niet de aangekondigde hoofdvraag, maar een voorwaardelijke subvraag – dat van die Rotterdamse lobby, is dat aan te tonen? Zijn daar substantiële voorbeelden van?'

Joop zweeg. Hij dacht aan de verhalen over die Rotterdamse wethouders, die het breed lieten hangen. Het ging om bedragen die bij elkaar opgeteld elk jaar twee Rotterdamse achterstandsstraten geheel nieuw in de verf en vol met jonge groene iepjes zouden kunnen zetten. Maar hij had het niet opgeschreven, omdat veel bronnen – en ook zijn hoofdredactie – zeiden: 'Ja, maar het is wel Rotterdam. Zo moet dat daar. Check dat eerst maar eens in Antwerpen, Hamburg, Genua en Le Havre.'

'Wat wil je precies?' vroeg Joop.

Melle Hamer stond stil. 'Zoutkamp was een mooie figuur. Barst van de anekdotes. Je kent dat beroemde interview, 19x-entachtig, waarin hij vertelde dat, in het begin van zijn burgemeesterschap, zijn vrouw Josien hem elke ochtend bij het ontbijt toeriep dat hij schijt aan de wereld moest hebben. En dat daarom, elke ochtend, zodra hij achter zijn bureau zat, zijn ambtenaren en publiciteitsmensen binnenrenden om zijn agenda voor die dag zó op te stellen dat hij zelfs geen twee minuten tijd over had om te bedenken waaraan hij van Josien ook alweer schijt moest hebben.

Dat is leuk materiaal voor een biografie – dat hele stukgelopen huwelijk met die Josien trouwens ook. Ik hoorde van diezelfde collega van je dat Zoutkamp en Josien op een of andere dienstreis zo'n ruzie hadden dat hij door het hele hotel schreeuwde dat hij háár aan Blijdorp cadeau zou doen. Dat was na die affaire met die zieke chimpansee – je weet wel?'

Joop knikte.

'Er zit dus een leuke biografie in Zoutkamp, op voorwaarde dat jouw analyse valt wáár te maken. Dat er echt voldoende drama in het laatste stuk, dus in die verkeerde keus, zit; dat er genoeg zegslieden te vinden die dat kunnen bevestigen. En, dat is dan meteen dé vraag die ik je wilde stellen: zou jij dan die biografie kunnen en willen schrijven – snel, binnen een klein jaar gedrukt en klaar?'

Over de zerken, door de struiken, was te zien hoe een stoet lange, zwarte auto's over het grindpad in de richting van de aula knerpte.

'Ik heb toevallig net om opfrisverlof gevraagd. Maar dat is hoogstens drie maanden. En die krijg ik niet als ik in hoog tempo een biografie ga schrijven. Dus ik zal onbetaald verlof moeten nemen.'

'Dat begrijp ik,' zei Hamer. 'Maar je weet: er is een biografenpot bij het Bernhardfonds. Daar doe ik wel meer een beroep op en toen ik gisteren even wat adviseurs belde werd er bij de naam Zoutkamp niet afwerend gedaan. Integendeel. Dus: wil je het doen als ik een redelijke financiering rond kan krijgen?'

Joop begon al in de richting van de aula te lopen. 'Ik zal erover nadenken, terwijl we horen welk een groot staatsman ons is ontvallen.'

Een staatsbegrafenis was het niet, maar het leek er wel op. De hoofdcommissarissen van Nederland hadden de marssectie van de Politiekapel gestuurd, met donker omfloerste trommels en trompetten met rouwwimpels. Dus werd er stram en donker geroffeld en helder maar tragisch geblazen toen de kist uit de aula werd gedragen. Joop keek toe, want door de gigantische belangstelling was er binnen voor hem geen plaats geweest. Hij had buiten, via een batterij luidsprekers, de toespraken gehoord. Eerst minister-president Hendrikse. Daarna Jeroen Peeters, die als wethouder van Financiën namens Rotterdam sprak, en die 'een artikel in een zogeheten kwaliteitskrant met die zogenaamde analyse' aanhaalde, juist omdat het in z'n oerdomme onbegrip de grootheid en de visie van Zoutkamp onderstreepte: niet alleen had hij als burgemeester de stad met zijn socialisme doordesemd, omgekeerd had de stad op de toppen van de golven van de haven Zoutkamp hoog naar de toppen van het gemeenschapsgevoel gedragen – of zoiets. En ten slotte Jorrigje Zoutkamp, een zuster van de overledene, die met een hoge, dunne bibberstem zei dat haar broer dood was en dat de familie dat heel erg vond en dat tranen niet zo gauw opdroogden als mensen dachten. Daarna werden twee daverende nummers gespeeld van de Alan Judd Phillips Big Band, want ooit had Zoutkamp in een interview gezegd dat hij die wel op zijn begrafenis zou willen horen, als hij ze voor die tijd niet allang stuk had gedraaid. Twee nummers: *As the Clouds Roll By* en *Yonder, When the Sacks Crack*. Felle, massale, bonkende, opzwepende muziek, die de marechaussee zo vrolijk maakte dat ze Joop, na een weinig waakzame blik op zijn perskaart, door lieten lopen naar de door hen afgegrendelde achterzijde van de aula. De Big Band had de trommelaars ook geïnspireerd: het dodenmars-ritme was vervangen door een lustig roffelen toen de kist naar buiten werd gereden. De weduwe, zwarte hoed met dikke voile, volgde als eerste, aan de arm van een man met veel grijze krullen. Karel Swart, de onroerend-goedkoning van Schiermonnikoog. Joop herkende hem van foto's uit de kranten bij vele Waddenberichten. Dat was dus de vriend in wiens huis Zoutkamp *om niet* altijd onderdak vond. Daarop volgden de ministers. Hij werd alleen Hendrikse niet gewaar, maar verder leek het erop dat kabinet voltallig was – Zoutkamp in de kist meegerekend. Veel ministers hadden hun echtgenotes bij zich, die massaal de gelegenheid hadden gegrepen hun grootste zwarte hoeden eens te luchten.

Joop stond onder een treureik met te veel te witte blaadjes, naast het grintpad dat de langzaam voortgaande stoet naar het open graf leidde. Hij zag de officiële delegatie van het ministerie van Binnenlandse Zaken aan zich voorbij trekken, een stoet van minstens twintig meter lang. De stemming leek geanimeerd; er werd opgewekt gefluisterd. Hij hoorde dat heel wat meelopers luchtig bezig waren te gissen hoeveel Zoutkamp er nog in de kist lag die ze met z'n allen volgden. 'Stel dat ze hem herkend hebben aan zijn trouwring en we lopen nu achter zijn linkerhand aan.'

Toen hij zag dat de Rotterdammers eraan kwamen, schoof Joop de stoet in. Hij liet zich langzaam terugvallen en zei: 'Wethouder Peeters, mag ik me even voorstellen. Ik ben Joop Meijer. Ik begreep uit uw toespraak dat ik er in mijn analyse totaal naast zat. Zou ik daar een keer met u over mogen praten? Mag ik volgende week maandag of dinsdag even naar Rotterdam komen?'

Jeroen Peeters had een hoog voorhoofd en prachtige, volle wenkbrauwen waar, zag Joop van dichtbij kijkend, flink wat gel in was gesmeerd, alsof hij zijn image van vooruitstrevend politicus ook visueel wilde uitdragen. De wethouder begon verrukt te kijken, pakte met twee handen Joops rechterhand beet en begon er met al zijn vingers hartelijk in te kneden, ondertussen met gelijke pas meedrentelend met de stoet. 'Ja, uw analyse, die was natuurlijk niet helemaal adequaat, maar het is duidelijk dat juist wíj de erfenis van Zoutkamp het best in ere houden. Goed, daarover praten kan, zoiets vraagt voorrang... dinsdag, tegen twaalven – belt u maandagochtend mijn secretaresse. Maar dat gesprek, wel, het kan niet zo zijn dat het zomaar is, zo'n beetje voor de kat z'n veren. Een publicitair doel lijkt me noodzakelijk.'

Mooi, dacht Joop, hij zou zelfs *ja* zeggen als ik voorstelde hem naast de zerk van Zoutkamp te fotograferen. 'Precies wat ik in gedachten had,' zei hij. 'Meneer Peeters, laten we dan ook hier en nu afspreken dat ik dinsdag níet, *niet*, na een kwartiertje afgedankt wordt. Zo van: er is iets tussengekomen dus een andere keer en tot ziens. Ik wil een behoorlijk gesprek waarin ik wil vastleggen wat u en Zoutkamp gemeen hadden. En ook – en dat is zeker bedoeld voor publicatie – nagaan wie, nu Zoutkamp dood is, zijn mantel om de schouders draagt.'

Dat leek Peeters een goed idee. Hij straalde en begon opnieuw Joops hand te bevingeren. Hij bewoog, dacht Joop even, zijn schouders alsof hij de mantel voelde. Dus herhaalde hij het nog maar eens: 'Ja, wie nu de Rotterdammer is die de mantel van Zoutkamp draagt.' Peeters liet hem los, en stond ineens stil. 'Ja. Ja, maar het is natuurlijk ook teamwork. Dat is helemaal in de geest van Bert.' Hij draaide zich om, wenkte, riep luid: 'Job! Klaas!'

Ssst,' siste een kleine dame met een grijs rattenkopje. 'Meneer, wij zijn hier om te begraven. De dood loopt mee, gelieve u zich te gedragen voor anderen die wél eerbied hebben.'

Peeters maakte een halve buiging en liet het pittige broekpakje passeren. Daarna stapte hij van het pad af en wachtte, op het met dennenaalden overdekte mosdekenbermpje, tot de stoet hem twee mannen bracht. Ze vielen op door hun veel gedragen, ooit chic gesneden, donkerblauwe pakken, met zo te zien vaak geknoopte zwarte dassen. 'Dit zijn de pilaren van de gemeente,' zei hij. 'Sta me toe dat ik u fluisterend introduceer. Job van der Peelen. Klaas Lokhof. Dit is Joop Meijer, die een stuk wil schrijven over wat er van de erfenis van Zoutkamp in onze stad voortleeft. Daarvoor wil hij graag met een aantal mensen in het stadhuis praten die Bert goed gekend hebben, die met hem hebben samengewerkt.'

Onder hem hebben gewerkt, bedacht Joop. Hij schudde snel twee handen. Die van Van der Peelen was slap. De hand die Lokhof gaf, was stevig. Hij had een scherp en intelligent gezicht, harde ogen en een vaag nerveuze tic onderlangs zijn krachtige kaken.

'Ik praat alleen met u als meneer Peeters mij dat expliciet opdraagt,' zei Lokhof, 'anders niet. Mijn opvatting over mijn vak en mijn opvatting over de pers raken elkaar uit principe niet.' Hij zei het sonoor en overtuigend, maar tegelijk zag Joop dat zijn ogen steeds opzij keken, een beetje schichtig, ongemakkelijk, om niets van Peeters oogopslag of aanwezigheid te missen.

De wethouder gebaarde dat ze hun plaats in de stoet weer moesten innemen; ze liepen met z'n vieren naast elkaar. Aan het eind van het pad was de menigte al zichtbaar die zich in steeds wijdere kring rond de kuil schaarde. Heggetjes werden vertrapt, grafhekjes omgeduwd. Iedereen wilde met eigen ogen zien dat de kist met de resten Zoutkamp wel degelijk aan de aarde werd toevertrouwd.

'Meneer Van der Peelen, Job, managet de personeelszaken,' zei Peeters. 'En Klaas, meneer Lokhof dus, is het financiële brein. Niet alleen van onze dienst, maar van de hele stad. Andere steden hebben een rekenmachine, wij hebben Klaas Lokhof. Klaas met de Knip, zo noemen ze je toch?'

Lokhof knikte. Zo te zien niet van harte.

Joop benadrukte nog eens dat het van groot belang was als hij met de beide heren een gesprek zou kunnen hebben.

De adamsappel van Lokhof bewoog. 'Sorry,' zei hij na twee keer slikken. 'Ik geloof niet dat ik verplichtingen heb tegenover de pers, zeker niet wat betreft meneer Zoutkamp. Het is voorbij. Híj is voorbij.'

'Ik begin waarschijnlijk binnenkort aan een biografie over Zoutkamp, een echte biografie.' Joop zag het boek al voor zich: kloek en gebonden, een typerende foto van Zoutkamp op de cover. 'En of die volledig is, rust voor een belangrijk deel in uw handen.'

'Kijk daar! Marechaussees! Met geweren!' zei Van der Peelen verlekkerd. 'Je zal zien dat we saluutschoten krijgen.'

Het condoleance-samenzijn was in een zijzaal van de Eerste Kamer. Hendrikse had via de microfoon, waarin eerder een predikant met een krakende stem het Onze Vader had gebeden, iedereen gevraagd naar het Binnenhof te komen. Op Oud Eik en Duinen was 'het beschikbare uur' al bijna te kort gebleken voor de toespraken die 'onze vriend Bert Zoutkamp' op zijn laatste reis zouden vergezellen. Daarom had het kabinet in het regeringscentrum ruimte gecreëerd om te herdenken en de nabestaanden te troosten en te sterken.

Het werd, Joop merkte dat meteen, door iedereen buitengewoon gewaardeerd dat Hendrikse de rol van uitvaart-gastheer op zich had genomen. Hij was als laatste bij het graf gekomen, dwars door de menigte, voorafgegaan door vier gorilla's met rouwbanden om hun biceps. Achter Hendrikse stapte een kleine Indische man mee, die opviel door een zwarte snor en een grijs hoedje. Misschien een beleidsadviseur, maar Joop had hem nooit eerder gezien. Hendrikse had, hoewel de kist zakte, toch aan velen nog een grimlach ontlokt toen hij met een snelle tik het hoedje van de man met de zwarte snor van diens hoofd wipte. De minister-president had een prachtige toespraak gehouden. Met een snik in zijn keel weidde hij uit over de vriendschap in hun studententijd en over de vele verdiensten van 'ons aller goede vriend' Bert Zoutkamp. Natuurlijk eindigde hij met woorden van Zoutkamps lievelingsauteur: 'Het is gezien, het is niet onopgemerkt gebleven.' Verschillende ministers hadden nadrukkelijk geknikt bij die woorden.

In de zijzaal van de Eerste Kamer was cake en koffie en witte wijn. Achter een pilaar stond ook een bode met kleine glaasjes en een fles ouwe klare. Dat was voor leden van de Eerste Kamer, want de oudere helft daarvan liep nog op jenever. Maar Joop wist dat, waar eerste-kamerleden zijn, altijd zo'n pilaar is. Hij liep even rond, ontdekte hem, en kreeg ook een glaasje, want september kan al fris zijn.

Aan de ene kant van de zaal, onder de hoge glas-in-lood ramen, stond de weduwe Zoutkamp met haar zwarte sluier. Naast haar de tante met de bibberstem, twee mannen met dezelfde brede gezichten als wijlen de minister en tussen hen in een sterk ingekorte dame met zwarte tulband.

De eersten die condoleerden waren de kabinetsleden, daarna kwam een reeks ambtenaren, toen de delegatie van Zoutkamps departement. Vervolgens de Rotterdammers – het was dezelfde volgorde als in de rouwstoet. Zou er een protocol voor zijn? vroeg Joop zich af. Hij drentelde wat rond, hij wou Monica gaan zoeken. Tot hij, schuin achter de tafel waar de cake gesneden en de wijn geschonken werd, Klaas Lokhof zag staan.

De man stond rechtop, zijn armen hingen langs zijn lichaam omlaag, in zijn rechterhand een leeg wijnglas met de voet tussen zijn vingers. Tegenover hem stond de kleine, donkere, zwart-besnorde man, in regenjas. Hij praatte heftig op Lokhof in; prikte af en toe bijna nijdig met zijn wijsvinger in diens richting. Lichaamstaal die Joop niet beviel. Hij hield een bode aan die met een kist sigaren langskwam. 'Meneer Van Maurik, mag ik u wat vragen? Wie is die kleine man daar, die zo opgewonden staat te praten? Die kleine met die zwarte snor.'

Van Maurik haalde zijn schouders op. 'Ik ken hem niet. Hier nooit geweest. Maar wat hij doet kán natuurlijk niet. Erg ongemanierd.'

'U bedoelt...?'

'... dat hij zijn overjas aanhoudt, natuurlijk. Die hoort in de garderobe. De Eerste Kamer is geen bioscoop.'

Joop besloot Lokhof te hulp te komen, maar toen hij door de menigte heen was geworsteld, zag hij de kleine, donkere man met opvallend grote, harde stappen weglopen. Al halverwege de zaal zette hij zijn grijze hoed weer op.

'Meneer Lokhof,' zei Joop. Hij zag dat het financiële brein van de wereldhavenstad alweer kleur op de wangen kreeg. Lokhof leek te merken dat hij een leeg glas in zijn hand had, keek rond waar hij het neer kon zetten, liet het toen maar vallen. Terwijl het glas rinkelde liep hij zo rakelings langs Joop weg, dat die een stap naar achteren moest doen. Hij keek Lokhof na en bedacht dat het een man van opwellingen was.

Voor hij Monica ging zoeken, liep hij achter de pilaar langs. Met zijn tweede glaasje in de hand moest hij even pas op de plaats maken, omdat, onder grote belangstelling van toesnellende aanwezigen, Wout Hendrikse aanstalten maakte de bijeenkomst te verlaten. Hij zag er, vond Joop, zeer vergenoegd uit. Meestal keek hij afstandelijk, onaangedaan, maar nu lag er een rose gloed over zijn gezicht: de premier was in een goede bui. Een paar glazen wijn? Goede gesprekken? Goede berichten? Wie weet wat er allemaal achter zat. Als hij al die vragen wist te beantwoorden, dan werd het schrijven van die biografie een feest.

Joop slenterde, kleine slokjes drinkend, in de richting van het buffet, want Monica van Veenendaal werkte meestal met de diensters. Die stuurde ze dan naar de gasten met vragen die ze zelf niet kon stellen, omdat ze te bekend was: Monica van *Oui met wie*. Hij kende haar omdat ze lang geleden samen als leerling-journalisten waren begonnen. Maar Monica was al gauw gezwicht voor het gemak én de glitter van het *make believe*. Ze was sterreporter geworden van *Oui met wie*, 'het magazine dat elke vrouw feilloos op de hoogte houdt van wie met wie'.

Monica leunde achter het buffet tegen een muur en dronk witte wijn. 'O God!' Ze riep het als een slechte actrice die nog nooit van God gehoord had. 'O God, daar heb je Joop Meijer ook nog 's een keer. Nu komt het vanmiddag nooit meer goed.'

'Geen geluk, vandaag? Geen foto van mooie, volle waterlanders, parelend van verdriet?'

'Nee,' zei Monica, 'het is absoluut niks. Die weduwe, Suzan Venema, die wil niets zeggen. Het kan best dat ze zich ooit ontpopt als de meeste hete en lustvolle achterkant van een edelhinde die je ooit hebt besprongen – maar hier doet ze of ze zo kleurloos is als de pest.' Ze vouwde een blocnote open. 'Hier: Zoutkamp heeft haar ooit opgepikt op een receptie. Dat ze wederzijds op het eerste gezicht verliefd werden, bleek duidelijk toen ze diezelfde avond en nacht van Scheveningen over het strand naar IJmuiden zijn gelopen. Godallemachtig. Ze runde een consultancybureautje, met Amerikaans geld. Daar heeft ze dat vak ook gestudeerd. Als het al een vak is, natuurlijk. Verder zag je haar nooit. Er is zelfs haast geen foto waar ze samen op staan.'

'Ik zocht je omdat ik nieuwsgierig ben naar die dochter. Die zul jij toch wel gevonden hebben? Hij heeft toch een dochter uit zijn eerste huwelijk?'

'Die is hier niet. Ook weer zoiets stoms. Maar in dit geval van mij. Die dochter heet Anneke. Ze is... ' ze keek opnieuw in haar blocnote 'Tweeëndertig. En getrouwd met een officier van de K-FOR. Dat hebben we indertijd in *Oui* gehad. Bruiloft van dochter van minister Zoutkamp met majoor... ' Ze spiekte weer: 'Chris Geerlings. Grote foto, erewacht, je kent het wel. Maar dat meisje van ons dat met de fotograaf meeging, hoorde pas later dat Bert Zoutkamp niet op dat huwelijk was. Allemaal conflicten. Zwaar gebrouilleerd. Scheidingsgezeik met veel klein lettertjes. Niet door één deur. Dus dat hebben we laten lopen. Hoewel "Minister komt niet op huwelijk dochter met majoor" prachtkopij geweest zou zijn. Als we er op tijd achter gekomen waren. En nu, stom, stom, stom, heb ik me niet voorbereid op: "Dochter niet op begrafenis minister". Dat wordt werk voor dit weekend. Maar goed, hier is ze dus niet. Had je iets met haar willen doen?'

'Nee,' zei Joop, 'ik was alleen nieuwsgierig.' En, dacht hij erbij: als ze zo de schurft aan haar vader heeft dat ze hem niet wil begraven, dan zal ze ook wel geen zin hebben om aan een biografie mee te werken. Of juist wel – maar dan moest hij Zoutkamp natuurlijk bewust het graf in schrijven. 'Trouwens,' vroeg hij, 'die eerste vrouw, Josien, die zou ik ook wel eens willen zien.'

'Ik zei je toch al dat het hier – met recht – een dooie boel is. Als je die Josien had willen zien had je op het kerkhof naast het graf moeten staan. Ben je daar geweest?'

'Ja, maar ik kwam helemaal achteraan. Toen ik het graf bereikte riep Hendrikse al dat we hierheen moesten.'

'Die Josien, dat lijkt me een hele harde,' zei Monica. 'Ze stond in het rijtje om zand in de kuil te scheppen. Zwarte mantel. Dikke doek om d'r kop. En toen ze aan de beurt was klom ze op de zandhoop, trok die doek van haar hoofd en begon, terwijl ze zand schepte in die kuil, te schreeuwen. Ik stond er niet dicht genoeg bij, maar ik heb 't aan een aantal mensen gevraagd. En volgens de meesten riep ze...' Monica raadpleegde opnieuw haar aantekeningen. 'Iets als: "Lul, elke ochtend van ons leven heb ik al tegen je gezegd dat je afscheid van de wereld moet nemen." Of zoiets, dus. Nou, daar heb ik ook geen reet aan. Ik kan haar hoogstens dit weekend bellen wat ze ermee bedoelde. Maar dan wil ik ook een foto waar ze schreeuwend op staat.'

Joop betreurde het dat hij de scène niet had gezien. 'Hé, Moniek, ik moet nog naar Rotterdam om een kerkhoffoto uit te zoeken. Tot ziens. En bedankt.'

'Hé Jopie,' zei ze en legde een arm om zijn nek. 'Ik wil je even lang en zacht en teer kussen. Dan krijg je weer meer eerbied voor mijn vak.' Ze smaakte naar witte wijn, maar misschien smaakte ze wel altijd zo. Ze verstond haar vak, zoveel voelde Joop met zijn onderbuik wel aan.

Toen hij voor de derde keer vanachter de pilaar te voorschijn kwam zei een harde stem: 'U bent Joop Meijer van *NRC Handelsblad*. Ik begreep vandaag pas dat u als persoon bij die naam hoort – maar die naam ken ik goed want ik lees u altijd.' Een man met veel grijswitte krullen rond een enigszins verweerd gezicht.

'Ik ken u ook,' zei hij. 'En óók uit de krant: u bent toch Karel Swart van Schiermonnikoog?'

'Klopt, en ik ben op weg om een glas wijn te halen voor mevrouw Zoutkamp. Mevrouw Venema, moet ik eigenlijk zeggen.'

'U kent haar goed,' zei Joop. 'Als ik ooit, in de komende tijd nog eens iets over Zoutkamp wil schrijven' – hij drukte zich bewust zo bescheiden mogelijk uit, nu maar niet dat ronkende woord 'biografie' – 'denkt u dat zij mij dan te woord wil staan?'

Swart keek bedenkelijk. 'Ik weet het niet. Ze is totaal kapot. Zó onverwacht. Maar weet u wat – u belt mij binnenkort. Misschien kan ik dan zeggen of ze al weer aanspreekbaar is.'

Nu Joop de gastheer van Zoutkamp eenmaal te pakken had, stelde hij meteen nog een paar vragen, over Zoutkamps relatie met Schiermonnikoog, over het ongeluk, de ontploffing.

'Ja, het is onverklaarbaar. Die boot werd elk jaar in juni bout voor bout nagekeken. U begrijpt – het is op mijn eiland gebeurd, dus ik vind dat het tot op de bodem moet worden uitgezocht, hoewel bodem misschien niet de beste beeldspraak is.'

Swart wilde zich verwijderen, maar Joop hield hem beschaafd tegen. 'Wat zou er dan gebeurd kunnen zijn?'

Swart legde zijn vrije hand op Joops schouder en fluisterde in zijn oor: 'Ik weet 't niet en Suzan ook niet.' Hij bewoog het volle wijnglas even in haar richting. 'Schier was zo veilig als ik weet niet hoe. Het werd regelmatig gecheckt. Want Bert werd redelijk goed bewaakt. Het was die boot, zeggen ze. Dus: een lekkende brandstoftank schijnt de hypothese te zijn. Ja. Zo is indertijd die Concorde ook uit de lucht gevallen. Niks aan te doen. Het gebeurt.'

Joop ging die zaterdag met Max en Milan naar Artis. Zij vonden het leuk – het beste bewijs dat hij goede, gelukkige kinderen had. Hijzelf haatte elke dierentuin, maar liet het niet merken. Het beste bewijs dat hij een goede gescheiden vader was. Hij keek nooit naar de beesten, omdat al zijn aandacht uitging naar al die andere mannen die met kinderen langs die kooien sjouwden. Wraak van Darwin. De evolutie wrocht eerst de dieren: het begon met de rugloze zeeëtter en eindigde met de staartloze, loopse roodbilmandril. En daaruit evolueerde de mens. En toen was er weer een dierentuin nodig, omdat de mens niet zonder familiealbum kon.

Soms keek hij in Artis ook naar die allenige wijven die met kinders door de dierentuin sjokten. Omdat hij dan kon denken: van jóu was ik ook afgegaan. En dan haatte hij zichzelf weer omdat hij die term, afgegaan, in zijn gedachten had toegelaten.

Op de terugweg haalde hij bij de slijter voor de jongetjes een gezinsfles cola. En voor zichzelf een literfles whisky.

Om tien uur 's avonds dronk hij de eerste op Zoutkamp, de tweede op de twijfel over de biografie, en het beviel hem zo goed dat hij om vijf uur in de ochtend wakker werd. Hij hing op de grond nog geheel gekleed tegen de bank aan en Milan, angstig uit bed gekropen, had hem wakker geschud omdat de televisie zulke harde kraakmuziek maakte. Ik kan het straks beter zelf aan Els vertellen, dacht hij door zijn knersende koppijn heen, dan dat zij het doen. Een biografie schrijven betekent in het begin vaak op pad zijn. Maar ook veel lezen. Dus was de biografie een mooie uitkomst voor Max en Milan.

Zondagavond, toen de jongens sliepen, ging hij oudergewoonte aan de telefoon zitten. Zondagavond... dé avond dat politiek Nederland aan de telefoon zat. Het was nu al meer dan tien jaar zijn manier van bestaan. Hij legde, net als anders, het lijstje met de nummers van zijn contacten voor zich neer... en begon te bellen. Al die zondagavonden had hij gevraagd: is er nog wat? Nu, voor het eerst, stelde hij een andere vraag. Had het zin dat iemand een biografie van Zoutkamp schreef? *Ja*, zei de meerderheid. Leuke man, veel anekdotes. En iedereen zou naar het laatste hoofdstuk toe lezen in de hoop op toch nog nieuwe feitjes.

Dus reed Joop maandagochtend vroeg naar Rotterdam en legde zijn hoofdredacteur het idee van de biografie voor. Geen opfrisverlof, maar gewoon, onbetaald, een jaar aan een boek werken. Maar wel met garantie voor terugkeer.

'Maar ik wil wél,' zei Ronald met nadruk, 'dat wij het in de krant als eerste hebben, als je iets moois oppikt. Zolang het onderzoek naar die boot van Zoutkamp niet is afgesloten ben je – voor Zoutkampiana – in dienst.'

'Waarom? Wat zegt je intuïtie?' Want Ronald had een perfecte, anticiperende, journalistieke intuïtie.

'Omdat ik geloof in jouw theorie van die verkeerde

keus. En het zou me niks verbazen als je daar bewijzen voor vond. En die wil ik, als ik ze morgen in mijn krant kan hebben, niet pas over een jaar in een boek lezen. Aan het eind van het jaar betaal ik alles in een dertiende maand. Als je morgenochtend langskomt heb ik de afspraak op papier, dan hoef je maar te tekenen.'

Joop ging vrolijk naar huis, al besefte hij dat hij voorlopig aan Zoutkamp vastzat. En dat de journalist in hem niet zou rusten voor hij wist wie die kleine Indo met die zwarte snor was. Zo denkend liep hij naar Het Stengelparadijs op de hoek en kocht dertig rode rozen. Met die bloemen onder de arm belde hij aan bij buurvrouw Broere. Om nogmaals zijn excuses aan te bieden voor vrijdag – toen moest hij naar de begrafenis – en had Ans Broere gemerkt dat een moeder van school op de stoep stond met Max en Milan. Die had ze dus binnengehaald... en toen Joop thuiskwam had hij niet eens gemerkt dat zijn zoontjes al bij buurvrouw Broere sliepen. Maar de dertig rozen vond ze wel leuk. Zo ging het nu eenmaal. Op het moment dat Joop weg wilde gaan, vroeg ze nog, met haar pruimenmondje: 'Wist u dat Max en Milan vrijdagavond nog zulke leuke dingen over u zeiden...!' Ze wachtte niet eens tot hij vroeg welke dan wel. Ze zei: 'Pappa Joop is een koeienkont kroket.' En: 'Pappa Joop is een krentekak kanon.' En: 'Leuk, hè?'

Nadat Joop Meijer dinsdagochtend twee keer zijn handtekening had gezet – eerst thuis onder het contract met Melle Hamer, daarna op de krant onder het contract met de directie – liep hij de stad in. Hij had zijn cassette-recorder van nieuwe batterijen voorzien, en had zelfs geoefend in het snel aanzetten. Hij nam op het stadhuis de lift naar de derde en liep regelrecht door naar de achterste balie. 'Ik heb een afspraak met wethouder Peeters.'

'Mevrouw Vriens, de secretaresse van de wethouder, komt naar u toe.'

'Bent u meneer Meijer? Ik ben mevrouw Vriens. Het is vreselijk vervelend, maar meneer Peeters...'

'O nee,' zei hij. 'Dit kan niet. Ik heb met Peeters de duidelijke afspraak dat ik níet zou worden afgescheept. Níet: meneer Peeters heeft plotseling iets dat spoed heeft. Ik ga nu met u mee naar Peeters.'

'Nee, dat kan écht niet, want...'

'Dan ga ik wel alleen.' Hij draaide zich om en liep in de richting van waaruit mevrouw Vriens was gekomen. Een korte gang – een open deur, een kleine kamer met bureau. Hier resideerde ongetwijfeld mevrouw Vriens. Hij hoorde haar al aankomen: korte kittige stappen, haar stem die luid iets riep met veel 'niet' erin. Hij liep door naar de grote kamer ernaast. Dubbele deur. Daarachter ongetwijfeld Peeters. Hij hoorde nu ook stemmen. Harde stemmen die tegen elkaar in schreeuwden.

De deur werd opengeworpen. Een man stapte woedend de gang in. Lokhof. Hij draaide zich om en schreeuwde de kamer in: 'Daar zal je nog spijt van krijgen.' Toen zag hij Joop staan, spoog op de grond – een fractie later zou Joop beseffen dat hij deed alsóf hij op de grond spoog – en zei: 'En met jou wil ook niks te maken hebben. Pers-zwijn, verdwijn!'.

Joop keek Lokhof na. Hij merkte dat de verbaasd kijkende mevrouw Vriens hetzelfde deed. Daarna stapte hij over de drempel. Voor hem stond een rode, bezwete Peeters. Zijn ogen probeerden te vlammen, maar werden gehinderd omdat zijn wenkbrauwen vermoeid terneer hingen.

'Sorry,' zei hij. 'Ga weg. Kan je nu niet zien. Er is hier iets aan de gang dat... Ik móet dit uitzoeken. Ga weg. Bel morgen. Kom overmorgen, als dit hellehuis er dan nog staat. Klotezooi. Ga weg. Excuus. Mevrouw Vriens. Zeg al mijn afspraken voor vandaag af. En voor het hele kwartaal. Ga weg, jij. Bel morgen!'

Joop ging terug naar de krant. Dat was fout, maar hij dacht er niet bij na. Hij ging naar het archief en begon aan te kruisen wat hij allemaal voor zijn biografie moest hebben. Dat was meer dan hij dacht – Zoutkamp was zelf al tot de ontdekking gekomen dat hij meer publiciteit nodig had dan een burgemeester in Nederland normaal gesproken kreeg. Hij was dus zelf – al dan niet opgejuind door Josiens schijt aan de wereld – zijn eigen publiciteit gaan creëren. En hij had dat zo meesterlijk gedaan dat Joop nu al vreesde dat dit een biografie in twee delen zou worden.

Hij verliet tegen halfvier de redactie, pakte de nieuwe krant mee en liep naar het station. Zijn auto stond voor een doorsmeerbeurt in de garage. Zo'n beurt zou hij zelf ook wel kunnen gebruiken. De trein ging om 15.49 en nog steeds besefte hij zijn fout niet.

Hij las snel door de krant heen. Keek natuurlijk naar de overlijdensberichten, want een parlementair journalist moest altijd bijhouden welke oude strijdrossen van het politieke palet verdwenen, welke bronnen plots opdroogden, wie met wie gehuwd was en wie er nu dus achterbleef met wie weet welk dossier. Bovenaan de pagina een paar geboorteberichten. Zijn oog bleef haken aan een naam die hij kende.

'Geven met blijdschap kennis…
geboorte van een zoon…
in nagedachtenis aan zijn bijzondere grootvader…
BERT
Chris Geerlings / Anneke Zoutkamp.'

Een adres in Leiden, aan de Oude Vest. Een zoon, dus een kleinzoon van de net overleden minister.

Daarom was de dochter er niet geweest. Lag te hijgen in het kraambed. Wie weet was die brouille ook maar verzonnen. Hij zou haar straks een geluks-mail sturen en om een gesprek vragen voor de biografie van haar vader.

Thuis luisterde hij de voicemail af. Het eerste woord dat hij hoorde was een keihard *Klootzak*. Toen besefte hij zijn fout. Els stond er trouwens acht keer op, ze had constant klootzak geroepen – alleen zeven keer tussendoor neergelegd. Aan het slot hoorde hij bij welke moeder Max en Milan ('nu wéér, verdomde lul, eikel, kunstkloot') op hem zaten te wachten.

Om het goed te maken wilde hij zijn zoons meenemen naar de Chinees, maar Milan zei dat Els had gezegd dat dat niet mocht. Die Chinees doet overal een spiegeleitje op 'en dat zit vol klozèstorol'.

'Maar bij buurvrouw Broere mogen jullie wel eitjes eten,' zei hij somber.

'Dat zijn gescharrelde eieren,' zei Milan.

'Van kale klotenkippen,' zei Max.

~

Toen ze eindelijk sliepen ging Joop achter zijn bureau zitten. Hij voelde zich moe. En dat terwijl hij fris en vrolijk aan de arbeid moest. Hij zocht blanco papier en haalde ten slotte een vel uit zijn printer. Hij moest een schema gaan maken: alle perioden uit Zoutkamps leven, met daarnaast alle informanten die hij daarvoor nodig had. Maar misschien moest hij op korte termijn naar Schiermonnikoog. Iedereen spreken die Zoutkamp kende, te beginnen bij Karel Swart, intimus en huisvriend. Hij moest ook de ambtenaar zien op te sporen die de stukken was komen brengen. Achterhalen over welke stukken het ging. Voor het boek zou het mooi zijn als het belangrijke of geheime stukken waren. BVD-rapporten over terroristen die Amsterdam hebben verkend. Zoiets. Dan zou hij eerst, voor hij aan de verdere research begon, de proloog kunnen schrijven.

Hij stond op en haalde van de schoorsteenmantel de post, bovenop de brief die op de vloermat lag toen hij thuiskwam en die hij – door acht keer klootzak – ongeopend had gelaten. 'Meijer' stond op de envelop.

De brief was kort: zeven regels computerprint. Times Roman 12 punts – hij gebruikte die letter zelf ook altijd. Geen aanhef, geen afzender.

'Ik acht het mijn plicht als burger van de gemeente Rotterdam u op de hoogte te stellen van het feit dat de recent omgekomen minister van Binnenlandse Zaken, Bert Zoutkamp, gedurende de periode dat hij burgemeester van Rotterdam was op omvangrijke wijze met declaraties heeft geknoeid, waarbij gemeenschapsgeld voor privé-doeleinden werden aangewend. In feite was hier sprake van fraude, waarvoor de heer Zoutkamp nooit ter verantwoording is geroepen. Het lijkt me dat dit nuttige informatie is voor iemand die een boek over Zoutkamp aan het schrijven is.'

2

BERTJE LAG IN zijn wiegje te slapen alsof hij nooit anders had gedaan. Eén en al tevredenheid. Bij haarzelf was dat wel anders, maar daar wilde ze liefst zo weinig mogelijk aan denken. Ze zat nog steeds met het flesje in haar hand, het restje melk was bijna afgekoeld. Wel jammer dat Bertje allergisch was voor haar eigen moedermelk. Het kwam een enkele keer voor, had dokter Hulstijn gezegd. Haar borsten leken nu nutteloze uitgroeisels, die zwaar in de speciaal aangeschafte beha hingen. Straks moest ze weer een beetje afkolven. Het leek zo'n zinloze daad van verspilling, om dat vocht vervolgens weg te gooien, maar het kon niet anders. Een paar dagen steeds minder afkolven, en daarna stond haar eigen melkproductie weer op nul. Makkelijk was het natuurlijk wel, die flesvoeding.

Ze ruimde wat spullen op, stond nadenkend met kleertjes in haar handen en zette een pak luiers in de kast. Pampers. Ze dacht meteen weer aan dat bericht dat ooit de kranten had gehaald en voor aardig wat onrust had gezorgd, vooral in huize Zoutkamp. Het was een paar maanden na de geboorte van haar zusje Loret. Arme, lieve Loret. Haar vader zou naar Oslo gaan vanwege de mammoetkerstboom die vanuit Noorwegen elk jaar weer werd geschonken aan de stad Rotterdam voor de Coolsingel. Waarom was onduidelijk, maar als burgemeester wilde haar vader de boom officieel in ontvangst nemen. Dat leek wel netjes tegenover de gulle gevers, goed voor het image van Rotterdam. 'Ik moet de stad verkopen,' zei haar vader wel eens. En later: 'Ik moet de stad *sellen*, en dan moet je eerst investeren voor je wat terugkrijgt.'

Haar moeder wilde het tripje graag meemaken, maar dan moest er natuurlijk een kindermeisje mee die bij officiële momenten de zorg voor kleine Loret op zich kon nemen. De hoofdcommissaris van politie, die om protocollaire redenen het hele gezelschap uitgeleide deed op Zestienhoven, stond volgens de krant op een gegeven moment met een doos pampers in zijn armen. 'Pampers' was daarna lange tijd een verboden woord geweest in huize Zoutkamp, zoals er overigens wel meer verboden was. Anneke was zelf destijds gewoon naar school geweest. Ze had een paar dagen bij Mieke gelogeerd.

Ze pakte de foto van Chris van het bureau. Hij keek stralend de lens in. Wie weet straalde hij nu ook, lekker in de Zuid-Europese zon. Een dag na de geboorte was Chris naar Nederland gevlogen, maar nu was hij alweer terug naar Kosovo. Onmisbaar, scheen het. Een uurtje geleden had ze de foto nog opgehouden voor Bertje. 'Papa,' had ze gezegd, 'papa komt gauw weer.' Toen stonden de tranen al bijna in haar ogen. Bertjes handen graaiden wat in het wilde weg, maar toch leek het of hij de foto wilde pakken. Anneke wist dat hij alleen nog maar wat grauwe vlekken kon zien. Zij was ook een grauwe vlek voor hem, maar hij rook haar, hij hoorde haar. Even had ze de neiging om hem uit zijn wieg te halen en tegen zich aan te drukken. Het leek wel of tegenwoordig alles kapot ging, verdween, verdampte, maar met Bertje mocht dat niet gebeuren.

Met een beker koffie in haar hand ging ze voor het raam staan. Er waren wat kinderen onderweg naar school, rugzakken op hun rug. Een klein mager vrouwtje liep met een grote harige hond, die zo ongeveer om de twee meter zijn achterpoot ophief. Het vrouwtje stond er geduldig bij. Nu kwam er een vrouw met een peuter aan. Het jongetje wilde kennelijk de hond aaien, maar zijn moeder dwong hem door te lopen. Zij hadden ook een hond gehad, Boris. Die was nu al een jaar of tien dood. Als het regende en haar vader kwam thuis, gaf hij de chauffeur wel eens de opdracht om Boris uit te laten. 'Dat vindt Onno niet erg, daar heeft hij helemaal geen problemen mee,' had haar vader wel eens gezegd als Josien opmerkte dat dat toch eigenlijk niet kon, dat de hond een privé-zaak was, en de chauffeur bij de functie hoorde. Privé en functie liepen onvermijdelijk door elkaar, volgens haar vader. 'Als ik hier thuis op de wc zit en een prachtig plan voor de haven bedenk, dan zeg ik toch ook niet: het is privé, dus het heeft niets met Rotterdam, met mijn functie hier te maken? Nou dan.' En dan stak hij weer een pijp op, terwijl Onno zich samen met Boris liet natregenen.

Ze dacht weer aan haar vader. Het leek of alles onbedwingbare associaties aan hem opriep. Maar misschien was het ook niet zo gek na dat krankzinnige ongeluk, de begrafenis, de stukken in de krant. Het was wel makkelijk voor vanmiddag, voor die afspraak met Joop Meijer. Ze hoefde haar ogen maar te sluiten en ze zag haar vader al voor zich. Trouwens wel spannend, die journalist. Natuurlijk kende ze hem van zijn stukken in de krant, want ze volgde de Nederlandse politiek nog steeds, al was het alleen maar omdat veel van de hoofdrolspelers en figuranten vroeger nog wel eens bij haar thuis over de vloer kwamen. Wie had ze niet allemaal de hand geschud, terwijl ze zich netjes voorstelde? 'Anneke Zoutkamp, hoe maakt u het?' Zelfs Hendrikse had ze verschillende keren ontmoet en natuurlijk haar vaders voorganger als burgemeester, de zwaar besnorde René Verschoot, die van die mooie berendansen kon dansen en nu een mooie baan had als commissaris van de koningin. In het noorden van het land, waar het wel hard kon waaien, maar hij zelf altijd in de luwte zat.

Terwijl ze dromerig naar buiten staarde en zichzelf weer als meisje van een jaar of zestien zag staan tegenover

Hendrikse, vroeg ze zich af wat ze allemaal kon of mocht vertellen. Dingen als het Pamper-incident hadden in de krant gestaan, en die Meijer zou heus wel zijn research hebben gedaan. Maar bijvoorbeeld zoiets kleins als de chauffeur Onno die met regenachtig weer Boris moest uitlaten, kon ze ook met dat soort verhalen op de proppen komen, die misschien de nagedachtenis van haar vader zouden besmeuren? Onno had heel lange bakkebaarden gehad, kon ze zich nog herinneren. 'Weinig representatief,' had haar vader gezegd. 'Ik denk dat ik hem maar eens vraag om ze af te scheren, want het is geen gezicht. Als de burgemeester van – pak hem beet – Tokio bij me in de auto stapt, en die ziet dat! Dat kan toch niet!' Josien had weer geprobeerd tegenwicht te bieden (geen bemoeizucht, eigen verantwoordelijkheid van Onno), maar een paar weken later bleken Onno's bakkebaarden inderdaad te zijn weggeschoren.

Ze dronk van haar lauw geworden koffie. Gek, die man daar aan de overkant op de Oude Singel, die had ze een paar minuten geleden ook al zien staan. Hij liep met korte, trage passen heen en weer, het leek of hij op iemand wachtte. Er klonk een geluidje uit Bertjes kamer. Zo stil mogelijk liep ze ernaar toe. Hij sliep gelukkig nog. Dit slaapje had hij hard nodig. Dan was hij straks lekker uitgerust als Josien kwam. Ze bleef even kijken, kon zichzelf niet losmaken van dat jongetje dat daar lag. Inderdaad, het liefste op deze wereld, het belangrijkste in haar leven. Dat het gevoel zo sterk zou zijn, had ze niet verwacht. Onbegrijpelijk dat Chris zonder er al te veel problemen over te maken, weer vertrokken was. De plicht riep! Wat haar betrof had hij zich Oost-Indisch doof moeten houden. Laat maar roepen!

Het begon te regenen met dunne spatjes tegen het raam. Ze keek nog even naar buiten en zag de man weer die haar eerder ook al was opgevallen. Wat moest hij? Nu liep hij in de richting van het parkje aan het eind van de straat. Ze wist dat het belachelijk sentimenteel was, maar om een of andere reden riep die man toch herinneringen aan haar vader naar boven, zoals alles dat deed. De afgelopen jaren, na de scheiding met Josien, had ze veel weten buiten te sluiten, maar het was net of zijn onverwachte en schokkende dood alles weer opriep. De man zag er trouwens heel anders uit dan haar vader. Hij had kort grijs haar en een dito baard en droeg een bril met enigszins donkere glazen. Hij verdween nu uit haar blikveld.

Half twee. Ze had zeker nog een uur voor Bertje wakker werd. Ze ging achter de computer zitten. Het moederschap was mooi, maar geen volledige levensvervulling. Dat had ze zich voorgehouden vanaf het moment dat ze eindelijk hadden besloten een kind te nemen. Gelukkig kon zij, in flagrante tegenstelling tot Chris, haar werk vrijwel volledig thuis doen. De manuscripten of boeken werden haar per post toegezonden en haar vertalingen kon ze als attachment met e-mails meesturen. De laatste vertaling had ze ongeveer vier maanden geleden ingeleverd. Het werd tijd om de draad weer op te pakken. Ze bekeek haar e-mail. Veel felicitaties van mensen die niet direct langs zouden komen, een herbevestiging van de afspraak met Joop Meijer, vanmiddag om vier uur en een bericht van Melle Hamer. Vlak na de geboorte had hij haar al gebeld, en het was des te interessanter dat hij nu zelf mailde en het niet had overgelaten aan een van de redacteuren van de uitgeverij.

'Lieve Anneke,' schreef Melle, 'Nogmaals gefelicieterd (had zeker de tekst van de e-mail niet op spelling gecontroleerd; vergat ze zelf ook vaak) met de geboorte van je fantastische zoon Bert. Voor het geval je weer aan werk mocht denken: wij hadden je op het oog voor de vertaling van de nieuwe Schnellendorf, die het bij de Buren Rechts heel goed schijnt te doen. Voel je daar wat voor? We zijn nog in onderhandeling met Hauser, maar komen er vast en zeker uit. Ik hoor wel van je. Groeten, Melle.'

Werk. Aan de ene kant verlangde ze ernaar, maar aan de andere kant... als ze dacht aan dat jongetje dat daar lag te slapen, dat beginnende leven, dat ze elke minuut wilde koesteren en verwennen, dan leek het haar bijna onmogelijk om zich te concentreren op een nieuw boek.

Ze drukte op de reply-knop. 'Beste Mele,' typte ze, maar in het laatste woord voegde ze nog een l in. 'Schnellendorf lijkt me interessant om te doen. Dus ja, ik voel er veel voor. Laat me weten wanneer jullie een tekst hebben. Groeten, Anneke.'

'O God, schat, wat heb ik naar je verlangd.' Ze wierp zich in zijn armen.

Hij zei niets. Drukte haar alleen maar tegen zich aan.

'Ik zit daar maar alleen in dat huis en ik speel het spel. Ik weet dat ik er goed in ben, in dat spel. Misschien had ik actrice moeten worden. Maar ik wil alleen bij jou zijn.'

'We moeten geduld hebben. Ik weet dat je het kunt. Het is voor mij net zo moeilijk als voor jou, zeker nu, nu ik weet dat hij hier is.'

'Misschien had ik hem tegen moet houden,' zei ze, 'maar hij was gewoon niet te stoppen. Hij moest en zou komen. Het leek wel of het de belangrijkste gebeurtenis in zijn leven was.' Er klonk boosheid door in haar stem.

'Hij is toch echt niet bij je langs geweest?'

'Nee, natuurlijk niet.'

Ze zoenden elkaar. Stap voor stap schoven ze in de richting van de slaapkamer.

Hij gleed met zijn hand langs de welving van haar heup, klom naar de aanzet van haar nog steeds stevige borsten, omcirkelde met zijn wijsvinger de bruine tepel, maar ook haar lichaam reageerde niet. 'Is er iets?' vroeg hij.

'Natuurlijk is er iets. Dat weet je best. Er is ontzettend veel. Maar goed, morgen gaat hij weer terug, en dan is dat gevaar tenminste weer voorlopig achter de horizon verdwenen.' Ze kwam leunend op een elleboog overeind. 'Dat is tenminste de afspraak.'

Plotseling kreeg hij een ingeving. 'Waarom zouden we het niet hier in Nederland doen?'

'Hier? Wanneer? Waarom?' Een verbaasde glimlach kleurde haar gezicht.

Hij legde uit wat zijn bedoeling was, waarom deze oplossing hun nu veel beter uitkwam. 'Jij kunt hem toch bellen, zogenaamd voor een afspraak? Vanuit een cel is het niet te traceren.'

'En moet ik daar dan ook naartoe gaan?'

'Nee, natuurlijk niet. Dan handel ik het verder af.'

~

Terwijl Joop midden op het Hofplein reed, ging zijn mobiel. Hij pakte het toestel, waardoor hij een kleine slinger maakte en bijna een naast hem rijdende taxi schampte. De taxichauffeur claxonneerde en stak zijn middelvinger op.

Joop bracht het toestel naar zijn oor terwijl hij richting Schiekade reed. 'Hallo, met Meijer.'

'Met mevrouw Vriens. Ik bel u op om...'

Een motorrijder sneed vlak voor hem langs. 'Klootzak!'

'Pardon?'

'Nee, niks. Ik zit midden in het verkeer.'

'Goed, ik bel namens meneer Peeters, dat die nieuwe afspraak die u voor morgen met u heeft gemaakt helaas niet door kan gaan. Het spijt hem bijzonder.'

'Shit.' Het leek erop of die Peeters hem wilde ontlopen. Als er stront aan de knikker was vanwege Zoutkamps Rotterdamse avonturen dan was Peeters er gegarandeerd van op de hoogte. Joop stond nu te wachten voor het rode licht.

'Ja, dat verkeer, hè.'

Inderdaad, dat verkeer. De straten leken weer volkomen dichtgeslibd. De gedachte dat hij daar ook zelf een bijdrage aan leverde, probeerde hij uit zijn hoofd te bannen. Een nieuwe afspraak, daar ging het nu om. 'En wanneer kan ik dan...?'

'U kunt morgen aan het eind van de ochtend bellen voor een nieuwe afspraak,' zei mevrouw Vriens. 'Dan heb ik meer zicht op de afspraken en verplichtingen van meneer Peeters. U begrijpt dat de begrafenis van meneer Zoutkamp en alles eromheen de agenda helemaal door elkaar heeft gegooid. Misschien dat meneer Peeters morgen tijdens de lunchpauze een gaatje heeft, maar het begrotingsoverleg zou ook uit kunnen lopen.'

Joop keek naast zich. In een klein autootje waren zo te zien vier tamelijk voluptueuze, donkere vrouwen gepropt. Een van de vrouwen lachte haar stralend witte gebit bloot. Ze had grote, goudkleurige oorhangers in. Het leek of ze naar hem knipoogde. Even zag hij die vier zwarte vrouwen stomend naakt in het autootje, maar toen probeerde hij zijn aandacht weer bij het verkeer te houden. Het was nu kwart over drie. Als het meezat, was hij op tijd bij Anneke Zoutkamp. Ze was belangrijk voor de human interest uit het verleden, vooral nu Zoutkamps ex, Josien, geweigerd had om mee te werken. 'Ik wil niets meer met die man te maken hebben,' had ze pinnig gezegd, terwijl hij nog zo gehoopt had dat zij, als rancuneuze aan de kant geschoven echtgenote, hem van een paar pikante roddels kon voorzien.

Hij reed in de richting van de grote weg. Zijn gsm liet weer zijn liedje horen. Hugo de Vries belde om te zeggen dat hij hun afspraak van vanavond wilde vervroegen naar zeven uur.

'*Different time, same place*,' zei Joop.

Anneke stak haar hand uit. 'Anneke Zoutkamp.'

'Joop Meijer.'

Ze had wel eens een fotootje van hem in de krant gezien: een serieuze journalist bij een serieuze krant. In werkelijkheid zag hij er aardiger uit dan op die krantenportretjes. Een beetje onwennig stonden ze tegenover elkaar.

Anneke ging hem voor naar de kamer. 'Wilt u iets drinken?'

'Zullen we elkaar tutoyeren?'

'Ja, natuurlijk. Zal ik koffie of thee maken? Of iets alcoholisch misschien? Een flesje bier?'

'Nee, dank je. Laten we meteen maar beginnen. Is het goed dat ik het opneem?'

'Natuurlijk.'

'Laten we bij het begin beginnen,' zei Joop, 'wat jou betreft tenminste. Je jeugd dus, wat kan je daarover vertellen? Wat voor soort vader was je vader?'

Anneke vertelde terwijl de band doorliep en Joop af en toe een paar aantekeningen maakte. Over haar vader als indrukwekkende man, eerst geleerde en later politicus, ontzettend belezen, veel belangrijke relaties. 'Dat zette natuurlijk een behoorlijke druk op ons leven. Je had altijd het gevoel dat je beter dan anderen moest zijn, dat je moest presteren, want dat had hij ten slotte zelf ook gedaan. En m'n moeder kon er ook niet goed tegen. Altijd moest ze klaarstaan als vrouw-van, je kent dat wel.' Anneke ging door over Josiens frustraties, over de problemen thuis, over de torenhoge ambities van haar vader waar alles en iedereen aan ondergeschikt was. 'U... eh, je weet misschien nog wel, dat politieke portret dat de VARA een paar jaar geleden van hem uitzond, toen hij pas minister was. Nou, daarin leek hij echt een soort *family man*, helemaal toen hij met verstikte stem kon vertellen over de dood van Loret...'

'De dood van Loret?'

'Ja, m'n kleine zusje. Ze was nog maar drie en toen is ze een keer met haar driewielertje door het openstaande tuinhek gereden, de straat op, onder een auto.' Anneke zweeg, na een tijdje keek ze weer naar Joop, die voorzichtig knikte, alsof hij er iets van begreep.

'Waar waren we ook alweer. O ja, die documentaire en de rol die je vader daarin speelde, als ik het zo mag noemen.'

Anneke vertelde dat haar ouders toen net gescheiden waren en dat haar moeder barstensvol wraakgevoelens zat.

'Gaat pas over als ze iemand anders vindt.'

'Maar die vindt ze niet,' zei Anneke. 'In feite is ze nog steeds bezig met Bert... en met die Suzan natuurlijk. Verschrikkelijk, dat mens.'

'Wel charmant, heb ik horen zeggen.' Hij probeerde zijn stem een ironische toets mee te geven.

'Charmant? Het is gewoon een eng secreet, een... maar laat ik erover ophouden.'

Er klonk helder en hoog babygehuil.

'Dat is Bertje.' Anneke liep naar de babykamer.

Joop keek eens om zich heen. Een aardig huis, mooi ingericht, beter dan zijn vrijgezellenappartement in de Torenstraat. De telefoon ging over. Hij liet de bel een paar keer rinkelen, en nam toen toch maar op. 'Met het huis van Anneke Zoutkamp, met Joop Meijer.'

Van de andere kant klonk eerst veel geruis en gekraak en daarna plotseling een verrassend heldere stem. 'Met Chris Geerlings. Is Anneke daar ook?' Chris Geerlings, de jonge vader was dus aan de telefoon.

'Anneke!' riep hij in de richting van de babykamer, met zijn hand over het spreekgedeelte van de hoorn.

Ze kwam aangelopen met Bertje in haar armen en nam meteen de telefoon over. 'Ja... hij was net wakker geworden en ik heb hem hier bij me.' Ze hield de hoorn even tegen het gezichtje van de baby. 'Ja, het gaat prima... Vannacht maar één keer wakker geweest... Dat begrijp ik... Nee, gewoon op bezoek vanwege m'n vader... Ja... Zal ik doen... Maar als jij nu...' Haar stem klonk een beetje bozig of misschien eerder verongelijkt. 'Goed... Ja, liefs... Ja, ik ook van jou, dat weet je.' Ze legde de hoorn neer en keek Joop een beetje excuserend aan. 'Mijn man, Chris, die zit in Kosovo, bij K-FOR. Hij moest al weer snel terug naar de basis. Volgens mij had-ie... nou ja.' Ze haalde haar schouders op. 'Nog even een schone luier omdoen.'

Zonder erbij na te denken liep hij mee naar de kinderkamer en keek toe hoe ze Bertje verschoonde.

'Heb je zelf kinderen?' vroeg ze.

'Ja, twee, Max en Milan, tien en twaalf jaar. Ze wonen meestal bij hun moeder.'

'Gescheiden?'

'Hoe raad je het? Ja, helaas wel.'

Ze gingen weer naar de kamer.

'Heb je misschien nog interessant fotomateriaal?' Joop dacht dat hij bij Anneke wel een schotje kon wagen.

Ze zei dat het meeste bij haar moeder lag, en dat ze het haar zou vragen.

'Dat is aardig van je,' zei Joop. 'Zelf wil ze absoluut niet met me praten.'

'Zeker oude wonden die opengereten worden?'

'Ja, zoiets.'

'Maar ze ging wel naar de begrafenis,' zei Anneke. 'Ze is dus heel inconsequent.'

'Volgens mij zijn mensen dat altijd na een scheiding, vooral de verliezende partij. Wat ik niet van Els... nou ja...'

Kleine Bertje begon een keel op te zetten.

'Hij heeft honger,' zei Anneke.

'Dan ga ik maar 's. Alvast bedankt voor alle informatie.

Misschien kun je nog eens nadenken of je nog meer weet over vroeger en of je die foto's van je moeder kunt krijgen.'

Ze liepen naar de deur, Anneke met Bertje op haar arm. Ze leek te schrikken.

'Kijk, daar,' zei ze, 'die man... zie je wel?'

Joop zag aan de andere kant van de gracht een man met kort krijs haar, een grijze baard en een bril met donkere glazen. Hij stopte net een fototoestel in de zak van zijn bruinige regenjas.

'Die zie ik hier steeds. Ik heb het idee dat-ie foto's maakt van mij en Bertje. Een soort stalker of zo. Ik begrijp er niks van.' Er klonk enige radeloosheid in haar stem.

'Misschien iemand van de roddelpers,' zei Joop. '*Privé* of *Story* of zo. Misschien zijn ze bezig met een stuk over je vader. De man die zijn kleinzoon nooit heeft kunnen zien. Zoiets.'

'Ja, denk je?'

''t Zou kunnen. Probeer je er niks van aan te trekken. Tot ziens.'

Ze stak hem haar hand toe, die hij iets langer vasthield dan strikt nodig was.

Verderop zag hij een man in regenjas lopen. Even twijfelde hij, maar toen besloot hij hem te volgen. Er was iets aan die man dat hem intrigeerde, probeerde hij zichzelf wijs te maken.

~

De journalist was nog geen tien minuten weg toen Josien kwam.

'Zo, mijn lieve jongetje.'

Anneke had het idee dat haar moeder Bertje bijna uit haar handen griste. Hij was haar eerste kleinkind. Dat verklaarde misschien haar ongegeneerde gretigheid.

'Zo, kom maar lekker bij oma.'

Het was nu al duidelijk dat het voor Josien absoluut geen corvee was om als oppas te dienen. Hoe meer Bertje, hoe liever. Misschien had ze nu, na de pijnlijke scheiding van haar eigen Bert, eindelijk weer een doel in haar leven: oma zijn, liefst zo fulltime mogelijk. Dat etiket 'oma' had ze zichzelf ook onmiddellijk opgeplakt. Terwijl ze allerlei lievige onzinwoordjes fluisterde, legde ze Bertje op zijn wipstoeltje dat op het lage tafeltje stond. 'Alles goed?' vroeg Josien.

'Fantastisch. Hij is vannacht maar één keer wakker geweest. Dus ik hoop dat-ie zich vanavond ook goed gedraagt.'

'Natuurlijk, dat doet-ie wel, hè, lieve...' Het was of Josien even twijfelde bij de naam. 'Hè, lieve Bertje? Ik kan nog maar moeilijk wennen aan zijn naam. Misschien dat ik een bijnaam moet verzinnen of zo.'

'Chris vond het ook niks. Die wilde dat hij Justus ging heten, naar zijn grootvader, Justus.' Ze sprak de naam uit met een lichte ondertoon van walging.

'Maar Bert, waarom moest het dan juist Bert zijn?' Er stond een wrange trek rond Josiens mond.

'Dat heb ik je nou al een paar keer uitgelegd, mam. Het is toch een soort eerbewijs aan papa. Ik weet dat-ie je schandalig behandeld heeft. Maar dat je je met zo'n flutalimentatie hebt laten afschepen, dat heb je...'

'Suzan,' lispelde Josien.

'Dat is allemaal heel vervelend voor je, dat weet ik. En die Suzan mag ik ook helemaal niet, dat is echt een mantelpakjes- en parelkettinkjestrut, en natuurlijk heeft dat enge mens hem helemaal gemanipuleerd, maar hij is nu eenmaal voor haar gevallen.'

'Met een rotsmak,' zei Josien. 'Wat mij betreft was het een doodsmak geweest. Nou ja uiteindelijk is-ie nu toch...'

Anneke gaf er de voorkeur aan om net te doen of ze de

laatste zinnen niet had gehoord. 'Ja, met een rotsmak, maar daarmee is zijn naam toch niet besmet of zo. Vooral vanwege dat ongeluk, wilde ik dat mijn zoon Bert zou heten. Het liefst zou ik nog gehad hebben dat het Bert Zoutkamp werd, Bert Zoutkamp junior...'

Josien snoof minachtend. 'Walgelijk sentimenteel. Alsof één Bert Zoutkamp niet meer dan genoeg is geweest! Je vader zou het fantastisch hebben gevonden, zo ijdel was-ie wel.'

'En dat gun je hem zelfs postuum niet?'

Josien schudde haar hoofd.

'Papa heeft toch ontzettend veel...' Anneke maakte haar zin niet af.

Josien liet haar hand even over Berts bolletje gaan. Hij had zijn ogen wijd open en Anneke wist dat het onmogelijk was, maar toch kon ze zich niet aan de indruk onttrekken dat hij de conversatie over de man die zijn opa had moeten zijn, met grote belangstelling volgde. Met zijn armpjes maakte hij weer onwillekeurige, stoterige beweginkjes, alsof hij ook iets in het midden wilde brengen, maar niet op de juiste woorden kon komen.

Zwijgend dronken ze van hun glaasje prikwater. Zoals altijd werd de stemming tussen hen tweeën alleen al bedorven als de naam Bert Zoutkamp viel. Ze slaagden er niet in om open en eerlijk over hem te praten. Josien zei alleen maar agressieve, wraakzuchtige dingen en daardoor kreeg Anneke meestal de neiging om haar vader te gaan verdedigen, wat ze ook weer niet wilde, want zoveel viel er niet te verdedigen. Een objectieve analyse leek onmogelijk. Anneke wist dat haar moeder wel naar de begrafenis was geweest, vermoedelijk om te genieten van het idee dat zijn stoffelijke resten daar onder de grond werden gestopt. Stoffelijke resten, misschien was dat een mooie boektitel. Wat was eigenlijk de titel van dat boek van Schnellendorf? Josien zou ook Suzan hebben gezien. Eigenlijk droeg die ook schuld. Door haar was hij gaan varen, had hij een motorjacht aangeschaft, terwijl hij voordien nooit een voet op een schip had gezet, behalve natuurlijk in de haven, hier in Rotterdam, maar bij voorkeur in allerlei havensteden in de wereld, hoe verder weg, des te beter.

'Ik voel me wel een beetje een slechte moeder,' zei Anneke. 'Vind je het echt niet erg, mam, dat ik nu al een avondje wegga?' Het was natuurlijk een zegen dat haar moeder zo dichtbij woonde. Aan de ouders van Chris, weggestopt in Kollumerzwaag, ergens tussen Groningen en Leeuwarden, had ze in dit verband niet veel.

'Natuurlijk niet. Ik vind het juist fantastisch. Geniet er maar van.'

'Ja, want Chris...'

'Nou niet meteen beginnen te mopperen op Chris,' onderbrak Josien haar. 'Hij doet daar in Kosovo fantastisch werk.'

'Hij had heus nog een paar dagen kunnen blijven, zeker weten. Maar ja, de commandant die had gezegd dat zijn aanwezigheid daar dringend gewenst was en z'n commandant is kennelijk belangrijker dan Bertje en ik bij elkaar. Ik heb nog tegen Chris gezegd: "Als je zoveel strepen hebt, moet je daar ook 's op gaan staan."'

'Nou, niet zo rancuneus doen, dat is nergens goed voor.'

'Moet jij nodig zeggen... Sorry, mam, zo bedoel ik het niet. O ja, wat ik nog vragen wilde. Je hebt natuurlijk allemaal foto's van vroeger, van papa en van ons.'

Josien knikte stug.

'Kan je die 's voor me opzoeken?'

'Ik zal kijken,' klonk het weinig toeschietelijk. 'Waarom wil je dat?'

'Zomaar, uit nieuwsgierigheid.' Anneke voelde hoe haar hals rood kleurde. 'Misschien omdat ik nu zelf een kind heb.'

De man met de bruine regenjas was een fotozaak binnengegaan ('One hour service'). Joop zag door het raam hoe hij een rolletje afgaf en een bonnetje incasseerde. Waarschijnlijk dus geen vertegenwoordiger van het ranzige slag der paparazzi. Die maakten geen gebruik van de diensten van fotowinkels. Joop begon er nu enig plezier in te krijgen. Eindelijk echt in de rol van onderzoeksjournalist! Dit was nog eens wat anders dan met een bleke CDA-er in Nieuwspoort doorpraten over de gezinspolitiek van zijn partij of de tegenstellingen tussen de fractie en het partijbestuur.

Gek: Bruine Regenjas wandelde nu weer in de richting van het huis van Anneke Zoutkamp, bleef even staan, keek daadwerkelijk naar het huis en liep toen weer door. Hij vroeg zich af of de man misschien een soort privé-detective was, door echtgenoot Chris ingehuurd om zijn vrouw in de gaten te houden tijdens zijn afwezigheid. Maar waarom was hij dan tussendoor naar die fotowinkel geweest en ging hij nu bij het huis van Anneke langs om vervolgens door te lopen?

Joop keek op zijn horloge. Half zes. Hij had nog wel even tijd. Dit was te spannend om zomaar te laten schieten. Hij bleef zo'n meter of vijftig achter Bruine Regenjas aan de andere kant van de straat. De man, die gelukkig geen enkele keer omkeek, had zo te zien geen haast. Bij hotel De Doelen leek hij eerst even te talmen, zodat Joop wat dichterbij kwam. Toen ging hij naar binnen. Joop kon zijn nieuwsgierigheid niet bedwingen en volgde hem, de receptie in, waar hij zich verdiepte in een draaimolen met VVV-folders.

De vrouw achter de balie sprak de man aan. 'O, meneer Leeuwenstein? Er heeft iemand voor u gebeld, een vrouw. Ze zei dat u haar wel kende. Hier heb ik een notitie.' Ze schoof hem een papiertje toe. 'Alstublieft, uw sleutel. Het was toch kamer 124?'

Vanuit zijn nog altijd vlak bij Annekes huis geparkeerde auto belde Joop haar op. Ze was in gesprek. Hij zou zo bij haar langs kunnen gaan om zijn bevindingen te vertellen, maar dat zou misschien een beetje te opdringerig lijken. Eigenlijk belachelijk dat hij die man gevolgd was. Gewoon een geschifte figuur die van alles en nog wat fotografeerde, en Anneke leefde natuurlijk op de toppen van haar zenuwen: eerst de dood van haar vader, toen de geboorte van Bert junior, daarna het snelle vertrek van Chris naar Kosovo, en nu zo'n rare knakker die steeds maar bij haar voor de deur stond. Nou ja, steeds... Hij had hem zelf maar één keer gezien en moest haar op haar woord geloven. Misschien was het allemaal fantasie, een postnatale waanvoorstelling.

Hij toetste nog eens haar nummer in.

Het toestel ging nu wel over. 'Met Anneke Zoutkamp.'

Hij vertelde haar dat hij de man was gevolgd, via de fotozaak naar hotel De Doelen. 'Dus waarschijnlijk gewoon een toerist. Niks aan de hand.'

~

Anneke pakte de fles en hield die Mieke voor. 'Zal ik nog een keer bijschenken?'

'Ja, lekker.'

Ze dronken en praatten meer dan dat ze aten. Mieke vertelde allerlei verhalen over Costa Rica waar ze voor de NOVIB twee jaar lang ontwikkelingsprojecten had gecoördineerd. Sinds twee maanden had ze nu een baan aan de universiteit, toevallig ook in Leiden, een promotieplaats bij sociologie. Ze hadden het over de bevalling, over de vroedvrouw en over Josien, die Mieke enkele uren nadat

Bertje ter wereld was gekomen, had gebeld. Mieke vroeg hoe het nu voelde om moeder te zijn.

'Geweldig. Zo'n kind, dat is dan echt alles voor je. Als ik af en toe even wegdroom, moet je ook niet boos worden, want dan denk ik aan hem.'

Mieke knikte begrijpend. Ze was zelf lesbisch, maar had al enige tijd geen vriendin, in ieder geval geen vaste, zoals ze al eerder lachend had gezegd. 'Behalve jij, natuurlijk.'

Het was voor hun tweeën nooit een probleem geweest dat Mieke de damesliefde toegenegen was. Rond haar twintigste was ze uit de kast gekomen, en Anneke had het meteen heel gewoon gevonden. Miekes ouders niet.

Ze namen nog een paar muizenhapjes. Anneke vertelde over de man bij haar aan de overkant van de gracht. 'Een beetje eng, *creepy*. Maar gelukkig heeft die Joop Meijer...'

'Welke Joop Meijer?'

'Die van *NRC Handelsblad*.' Ze schonk de fles leeg en nam een slokje wijn. 'Ik heb met hem over mijn vader gepraat omdat-ie een biografie gaat schrijven, je weet wel, een kleurrijke figuur uit de politiek, kroonprins voor de Partij van de Arbeid, gedoodverfd opvolger van Wouter Hendrikse, en die man komt op een dramatische manier om het leven! Sensatie! Komt dat zien!'

'En wat was er dan met die man die bij jou voor de deur stond, die stalker zeg maar?'

'O, hij is hem gevolgd. Net een film, vind je niet?'

~

Zoals zo vaak woelde Hugo met een paar vingers door zijn omvangrijke bos haar, waarvan de pieken alle kanten uitstaken, terwijl hij de anonieme brief bekeek die Joop uit zijn binnenzak had gehaald. Zorgvuldig articulerend las hij nog eens de korte, droge tekst. 'Ik acht het mijn plicht als burger van de gemeente Rotterdam u op de hoogte te stellen van het feit dat de recent omgekomen minister van Binnenlandse Zaken, Bert Zoutkamp, gedurende de periode dat hij burgemeester van Rotterdam was op omvangrijke wijze met declaraties heeft geknoeid, waarbij gemeenschapsgeld voor privé-doeleinden werd aangewend. In feite was hier sprake van fraude, waarvoor de heer Zoutkamp nooit ter verantwoording is geroepen. Het lijkt me dat dit nuttige informatie is voor iemand die een boek over Zoutkamp aan het schrijven is.' Hugo keek Joop met fonkelende oogjes over zijn leesbril aan. 'Dat kan nog een mooie biografie worden. Zeker geen hagiografie.'

Joop nam een voorzichtig slokje Calvados. 'Wat denk je? Onzin? Een jaloerse ambtenaar of zo, die de zon niet in het water kan zien schijnen?'

Hugo lachte even. 'Misschien wel een jaloerse ambtenaar, en niet ten onrechte. Je kent misschien de verhalen die hier over Zoutkamp de ronde deden?'

Toby, de hond van Hugo, kwam onder de tafel vandaan. Hugo gooide één van de stukjes vlees die hij had bewaard onder de tafel, zodat Toby daar ook weer onder verdween. Als het even kon, had Hugo zijn hond bij zich. Daarom hadden ze ook gegeten in een simpel eetcafé.

'Die verhalen ken ik nauwelijks. Dat Rotterdamse circuit, daarvan ben ik maar matig op de hoogte. Opgesloten in Den Haag, weet je wel. Het Binnenhof als mijn biotoop. Maar vertel, wat weet je allemaal?'

Hugo had niet zo veel te melden. Tenminste, er was weinig zeker, maar er waren wel veel verhalen, over alle wethouders, over een levensstijl die niet helemaal paste bij het ambt en natuurlijk was er het schandaal van die woning: een pand dat bijna twee miljoen waard was en dat Zoutkamp voor nog geen acht ton had mogen kopen van de Gemeentelijke Woningdienst, zogenaamd omdat er zoveel aan moest worden opgeknapt. 'In hun reacties deden ze of Rotterdam blij mocht zijn dat Zoutkamp dat pand überhaupt wilde kopen, dat het bijna een ruïne was. Nou, vergeet het maar. Keurig huis, ja, uit de jaren dertig, dus er moest wel het een en ander aan worden verspijkerd, maar acht ton was echt een weggeefprijs.'

'En daar heb je toch ook over geschreven?' vroeg Joop.

Hugo knikte.

'En over andere dingen niet?'

'Te vaag, te onduidelijk. We zijn ook een Rotterdamse krant, hè, en het is link om dat soort dingen te schrijven als je geen echte bewijzen hebt. We hebben die mensen op het stadhuis ook weer nodig voor onze eigen informatie. Trouwens, op dat stadhuis was ook niet iedereen even blij met Zoutkamp. Hij regeerde daar als een soort dictator. Wie niet voor hem was, was tegen hem, dat soort dingen.' Hugo bestelde nog een cognac. 'Voor jou een calvados?'

'Ik moet nog rijden.' Joop stak een sigaret op.

'Ik ook, met een taxi. Maar vertel 's. Hoe kom je hieraan?' Hugo hield de anonieme brief weer omhoog.

'Hij lag vanochtend op mijn deurmat.'

'En je hebt geen idee van wie?'

'Nee,' zei Joop, 'ik zou 't niet weten.'

'Ik zei het net al, er waren nogal wat mensen op de Coolsingel die niet zo gelukkig waren met Zoutkamp.'

'Wie dan?'

'Nou,' zei Hugo, 'bijvoorbeeld Klaas Lokhof. Loyale ambtenaar, maar met Zoutkamp had hij niet veel op, volgens mij.'

'Lokhof, die heb ik ontmoet op de begrafenis. En laatst heb ik hem nog op het stadhuis gezien. Hij ging helemaal door het lint. Totaal niet aanspreekbaar. Zou die meer weten?'

'Als er iemand van dit soort dingen weet, dan is het Klaas met de Knip wel.'

Joop nam een laatste slokje Calvados. 'En Peeters? Ik had

een afspraak met hem, maar die heeft-ie afgezegd, al twee keer.'

'Verbaast me niks. Jeroen Peeters, echt een paladijn van Zoutkamp. Zal ook nooit iets zeggen of doen dat zijn eigen loopbaan in gevaar zou kunnen brengen. Dus ik vrees dat die z'n mond dicht zal houden, afgezien natuurlijk van allerlei positieve, mooie lulverhalen over Zoutkamp en zijn grote betekenis voor de stad Rotterdam, met name voor de haven, blablabla.'

'En die Lokhof?'

'Ik weet niet. Ik wil wel proberen om contact met hem te leggen. 't Is een beetje een droge, een echte ambtenaar, maar ik ken hem wel. Heb wel 's wat met hem gedronken.'

'Het zou me goed uitkomen als je wat kan regelen. Ik zit niet vast aan die Rotterdamse clan. Voorlopig kan ik nog schrijven wat ik wil. Maar goed, ik moet weer richting Den Haag. Laat mij maar betalen. Melle Hamer tracteert.'

'Als ik dat had geweten, dan had ik de duurste cognac genomen.'

Hugo gooide een stukje vlees onder tafel. Er klonk een goedkeurend gegrom.

~

Hij reed eerst een keer langs de plek van de afspraak, maar er stond niemand op het parkeerterrein. Een paar kilometer verder keerde hij en ging terug. Nu zag hij hem al van een afstand staan. Er was verder geen levende ziel te bekennen. De taxi was weer verdwenen, maar dat was ook afgesproken. Hij kwam langzaam het parkeerterrein oprijden. De man liep naar hem toe, herkende waarschijnlijk de auto. Toen gaf hij vol gas en draaide aan het stuur.

Het was net of hij over een grote steen reed. Hij remde en reed voor de zekerheid nog een keer achteruit over dezelfde steen, nu langzamer.

Het grootste stuk hadden ze samen opgelopen. Op de hoek met de Oude Vest ging Mieke een andere kant uit. Anneke voelde hoe de drank haar meenam. Ze liep licht, zweefde een beetje. Dat was in ieder geval ook een voordeel van die flessenvoeding: ze hoefde zichzelf niet in acht te nemen met drank. Voor het eerst in maanden had ze de fles weer eens goed geraakt. Vannacht zou Josien voor de voeding zorgen. Half vier begon Bertje te krijsen. Je kon de klok erop gelijk zetten. Terwijl ze aan hem dacht, stroomde er een warm moedergevoel door haar heen, dat zich concentreerde in haar borsten. Straks thuis meteen weer afkolven.

Hotel De Doelen. Ze bleef even staan. Dit was het hotel waarin die man met bruine regenjas, die dus Leeuwenstein bleek te heten, was verdwenen, volgens Joop Meijer. Ze zou naar binnen kunnen gaan. Het was al twaalf uur geweest, maar wat maakte dat uit? Ze voelde zich krijgslustig. Desnoods zou ze die man uit bed laten bellen. Nu moest hij maar eens vertellen waarom hij bij haar voor de deur rondscharrelde, waarom hij foto's maakte. Waarvoor was dat?

Ze liep de lounge van het hotel binnen. Er stond een man met een koffer voor de balie.

'Zo, dat is dan dertig gulden voor u.' De receptionist legde kennelijk geld neer op de balie. 'Jammer dat u zo onverwacht weg moet, meneer Leeuwenstein. Er is hopelijk niets ergs gebeurd?'

'Valt wel mee,' bromde de man.

Annekes hart bonkte in haar keel. Dit was Leeuwenstein, de man die bij haar voor de deur had gestaan. Maar nee, dat kon niet. Hij had heel ander haar. Blond en langer. Hij draaide zich nu om, pakte een koffer en liep naar de uitgang, passeerde haar en liep de straat op. Ze had iets willen zeggen, maar het lukte haar niet om een woord uit te brengen. Met wankele stappen liep ze achter hem aan, terwijl ze bedacht dat deze Leeuwenstein wel een beetje leek op die ander. Misschien was het zijn zoon. Nee, daarvoor was hij weer een beetje te oud. Maar ze zou zich in de leeftijden kunnen vergissen. De man ging naar een parkeerplaats, deed de koffer in de achterbak van een auto, stapte in en reed weg. Pas toen de auto al uit het zicht verdwenen was, bedacht ze dat ze misschien het kenteken op had moeten schrijven. In haar verwarring kon ze zich zelfs merk en kleur van de auto niet meer herinneren.

Even twijfelde ze, maar nu ze eenmaal de eerste stap had gezet, moest ze niet terugschrikken voor de volgende. Ze ging het hotel weer binnen. De receptionist, een jonge man – waarschijnlijk een werkstudent voor de nachtelijke uren – zat over een boek gebogen. Anneke zag tussen de tekst schema's en figuren. Ze schraapte haar keel.

Hij keek op, enigszins verward.

Ze glimlachte. 'Ik kom voor meneer Leeuwenstein. Ik weet dat het wel een beetje gek is, zo laat, maar...'

'Dan heeft u pech. Hij is net weggegaan, misschien een minuut geleden.'

'Meneer Leeuwenstein,' zei ze nadrukkelijk. 'Ongeveer een jaar of vijftig, grijs, een korte baard.'

'De meneer Leeuwenstein die hier logeerde die zag er heel anders uit. Als u geluk heeft, kunt u hem misschien nog net te pakken krijgen.'

'Logeert hier misschien toevallig een andere Leeuwenstein?'

De receptionist keek op de monitor van zijn computer, sloeg een paar toetsen aan. 'Nee, maar ééntje, en hij is dus net uitgecheckt. Moest plotseling weg. Spijt me dat ik u niet kan helpen.' Hij knikte even en boog zich weer over zijn boek. Morgen misschien tentamen.

Terwijl hij met gezonde tegenzin een glas melk leegdronk, stond Joop voor het raam naar buiten te staren. Hij zag niets, behalve in de verte, voorbij het eind van de straat, voorbij de wijk waarin hij woonde, voorbij Den Haag een in neonletters oplichtende naam: Zoutkamp. De dag was niet slecht geweest. Hugo de Vries en Anneke Zoutkamp, die hem mogelijk aan foto's zou helpen. Toevallig dat zij ook voor Hamer werkte. Nou ja, misschien ook niet zo toevallig. Die Melle Hamer was zich aan het ontwikkelen tot een grote Nederlandse uitgeverstycoon. Misschien een aardig idee voor een volgend boek: machinaties in de wereld van de Nederlandse uitgeverijen. Hamer was een mooi voorbeeld. Remmerstraat, de directeur van zijn grote concurrent, uitgeverij PP, was ook niet mis.

Joop schoof achter zijn werktafel en las zijn aantekeningen door. Die alcoholperiode met die ontwenningskuur in Noorwegen, daar had hij al flink wat materiaal over. De schandaalpers was er destijds diep ingedoken. De jeugd van Zoutkamp was voor hem nog grotendeels onbekend. Ja, natuurlijk wel stukjes uit interviews, maar dat waren Zoutkamps eigen woorden. Dat verhaal over dat jongetje uit een eenvoudig arbeidersmilieu, dat zich via de HBS en een studie sociologie omhoog had geworsteld, was al ruimschoots bekend. Net zoals eerder vroeg hij zich af wat Zoutkamp dan bijvoorbeeld verder in zijn studententijd had gedaan. Joop pakte er een paar kopieën bij en las iets over jeugdige onbezonnenheid en 'politieke activiteiten in de geest van die tijd.' Jaren zestig en zeventig. Een intressante vraag was wat het precies was geweest. Zoutkamp onbezonnen? Die man was zo berekenend als het maar kon. Jammer dat die journalist niet had doorgevraagd. Wie had het geschreven? John Polak van *Het Parool*. Joop kende hem vaag. Polak gold in journalistiek Nederland als een kenner van 'de linkse beweging' en vooral de radicale varianten daarvan. Hij zou hem nog eens kunnen bellen. Het stuk was van drie jaar geleden. Misschien wist hij inmiddels meer.

Rechts op de werktafel lag een stapeltje met een geel plakbriefje waarop 'Schiermonnikoog' stond. Eigenlijk was stapeltje een te groot woord voor de paar stukjes en de losse aantekeningen. Merendeels waren het krantenartikelen over het ongeluk. Het dramatische ongeluk, zoals de meeste journalisten hadden geschreven. Een paar waren er daadwerkelijk naar Schier gegaan. Hij las enkele quotes van mensen die daar woonden. Ja, ook op Schiermonnikoog was Bert Zoutkamp bijzonder geliefd geweest. Bij Van der Werff had hij regelmatig rondjes gegeven als hij daar een avondje met zijn Suzan wat zat te drinken. Joop stak een sigaret op. Karel Swart was natuurlijk ook geïnterviewd. Morgen zou hij hem bellen voor een afspraak. Dan zou hij op een paar punten wat dieper in kunnen gaan, want bij de begrafenis waren ze wel erg aan de oppervlakte gebleven. Over de relatie met Suzan bijvoorbeeld. Of over de laatste uren van Zoutkamp. Maar hij bleek Josien ook te kennen. Dus misschien wist hij meer over zijn eerste huwelijk en de echtscheiding. Via de vrouw achter de politicus kwam je tenslotte vaak terecht bij de mens achter de politicus. Wat was Zoutkamp eigenlijk voor man? Misschien kon hij een afspraak maken voor het weekend. Dan waren Max en Milan toch bij Els. Die dagen geen kolerig kindergekanker over krankjorume klotenklappers en zeker niet bij buurvrouw Broere.

Hij rekte zich uit en gaapte. Half twee, tijd om naar bed te gaan. Hij stond op en liep naar het raam. Daar verderop stond een man, schuin tegenover zijn appartement. Joop bleef enkele minuten kijken, maar de man bewoog niet. Shit, was hij nu ook al besmet door het Anneke-Zoutkamp-virus en zag hij mannen die hem bespioneerden of stalkten?

De man liep verder.

‘Ja, alles goed gegaan, maar die dochter van Zoutkamp, Anneke, stond verdomme in de lobby van het hotel, net toen ik wegging.’

‘Weet je ’t zeker?’

‘Ja, natuurlijk.’ Hij zuchtte diep. Aan de andere kant van de lijn was het ook stil. ‘Hoe kwam ze daar terecht? Wat moest ze daar?’

‘Hoe kan ik dat nou weten?’ Ze klonk geïrriteerd, gespannen.

‘Zou hij toch een afspraak met haar hebben gemaakt?’

‘Dat geloof ik niet.’

‘Oké, misschien was het puur toeval.’

‘Maar je hebt wel alles meegenomen?’ vroeg ze.

‘Ja, natuurlijk. Ik zal het morgen verbranden, hier achter het huis.’

‘Maar toch niet…’

‘Nee, natuurlijk niet het paspoort. Dat kan zijn diensten nog heel goed bewijzen.’ Hij probeerde wat ironie in zijn stem te leggen. ‘En trouwens, ik heb ook een reçuutje van een fotowinkel gevonden. Ik wist niet dat-ie…’

‘Staat er een naam op?’

‘Ja, Leeuwenstein.’

‘Verdomme.’

‘Wat is er dan met die foto’s?’ Hij begreep niet waar ze zich druk om maakte.

‘Dat weet ik niet,’ zei ze korzelig. ‘Maar je moet morgen met dat reçuutje naar die winkel gaan en die foto’s ophalen. Het kan belangrijk zijn.’

‘Morgen om half negen is de makelaar hier.’

3

BIJ HET KRIEKEN van de nazomerdag was één der leden van The Dutch Birding Association per trein op weg naar Schiphol. Kort voor de intercity over de Kaagbrug ratelde, meende hij twee vale gieren te ontwaren in een sleedoornbosje langs de rails. Liefst was hij meteen uitgestapt. Aan zijn DBA-lijst met in Nederland waargenomen vogels zou hij, mits hij meer zekerheid had, de vale gier kunnen toevoegen. Zo'n vluchtige trein-waarneming zou door het beoordelingscomité van de lijst niet geaccepteerd worden. Hij greep z'n DBA-pieper en meldde onder voorbehoud zijn waarneming aan alle andere leden van The Dutch Birding Association.

Twintig minuten later waren de DBA-leden Jan Sprang en Koen Rijken al onderweg naar de spoorbrug over de Kaag. Ze ontmoetten elkaar op de parkeerplaats van motel Sassenheim. Daar laadden ze hun vouwfietsen uit hun auto's en even later reden ze over het fietspad tussen de A44 en de spoorlijn.

'Heb je dat verhaal gehoord over die jufferkraanvogel?' vroeg Jan.

'Nou, alleen dat hij in Limburg gesignaleerd is.'

'D'r waren een paar van onze mensen op Texel vanwege de wenkbrauwalbatros. Die kregen op hun pieper de juffer door. Hebben een vliegtuigje gehuurd en zijn daarmee naar Limburg gevlogen!'

'En? Hebben ze 'm gezien?'

'Ja, 't was niet voor niks, ze hadden d'r op hun lijst weer een vogel bij.'

Koen keek nog eens om zich heen. 'Ik zie hier niet veel.'
'We zijn het blok al uit waarin ze gemeld zijn.'
'Omkeren dan maar.'
Ze fietsten terug. Weer aangekomen in de buurt van motel Sassenheim zetten ze hun vouwfietsen tegen een pilaar van het viaduct over spoorlijn en A44 en beklommen het talud. Boven aangekomen hadden ze een wijds uitzicht over de rails in beide richtingen. Ze stelden hun kijkers in en bekeken stuk voor stuk alle sleedoornbosjes die de Schiphollijn afschermden.
'Geen vale gieren,' zei Koen mismoedig.
'Nee, maar d'r ligt daar bij die bocht wel iets tussen de rails. Wat zou dat nou zijn? Kijk jij eens.'
Koen richtte zijn kijker op de bocht. 'Het lijkt wel of daar iemand ligt... of iets.'
'Misschien toch maar even heen fietsen. Als zich daar weer een Hulp en Heilklant van kant heeft gemaakt, krijgen de gieren misschien trek.'
'Ja, die valen vallen vooral op kadavers, is 't niet?'
'Toen ze daar indertijd nog inheems waren, predeerden ze in Duitsland op dooie lammeren.'
Even voorbij het punt waar Schiphollijn en de oude lijn Haarlem-Leiden zich met behulp van een *fly over* losmaken uit hun verstrengeling, lag het verminkte lijk op de spoorbaan. Beide DBA-leden wierpen er een vluchtige blik op, en bekeken toen aandachtig alle naburige boomtoppen.
'Waar blijven verdomme die gieren?' zei Koen.
'Je zou zeggen dat ze d'r toch allang moesten zijn.'
'Misschien prederen ze niet op mensenkadavers.'
'Of het lijk is nog te vers, dat kan natuurlijk ook.'
'Heb jij je mobieltje bij je?' vroeg Koen.
'Hoezo?'
'Misschien moeten we toch even 112 bellen.'
'Zou 't niet allang gemeld zijn door de machinist?'

'Die heeft misschien niks gezien omdat 't nog donker was.'

Toen ze 112 gebeld hadden, en teleurgesteld terugfietsten, probeerde Koen zijn walging weg te slikken. 'Zag je dat? Zelfs 't hoofd was alleen nog maar een bloedprop, en de stukken en brokken lagen aan weerskanten van de rails.'

'Ik heb alleen die romp maar gezien, midden op de bielzen, toen had ik al gegeten en gedronken.'

Waren de DBA-leden iets verder doorgefietst dan hadden ze de achttien juveniele, vale gieren in de sleedoorns zien zitten die drie dagen lang, tot ze via Westerschouwen Nederland weer verlieten, voor zoveel opschudding zouden zorgen in de DBA-gelederen.

Zich er niet van bewust dat die achttien juveniele vale gieren een paar kilometer naar het noordwesten in sleedoornbosjes waren neergestreken, ontwaakte Anneke tamelijk vroeg met een lichte kater. Ze was ook niet meer gewend om te drinken; tijdens haar zwangerschap had ze zich beschaafd en verantwoord onthouden van elk druppeltje alcohol. Veruit het beste middel tegen de kater, wist ze, was een groene haring, maar het stalletje aan de voet van Molen de Valk ging altijd pas rond een uur of tien open. Ze kon dus nog wel even blijven liggen. Toen hoorde ze echter het geruis van de stortbak. Blijkbaar was Josien al op. Hemel, moest die niet vroeg naar tennis?

Nadat Josien weg was, en ze de ontbijtboel had opgeruimd, voelde Anneke zich nog steeds een beetje misselijk. Ze zette Bertje in z'n buggy en ging de deur uit. Ze duwde de buggy over het malle bruggetje dat de oevers van Oude Vest en Oude Singel ter hoogte van de Lange Scheistraat met elkaar verbindt. Opgelucht constateerde ze dat de man die gisteren op de Oude Singel heen en weer was gelopen en foto's van haar en Bertje had gemaakt, nergens meer te zien was. Ze durfde het daarom zelfs aan snel door de donkere, lugubere Lange Scheistraat te lopen. Ach, de Fokkestraat, verderop, was nog erger, hield ze zichzelf voor, en dit was toch de kortste weg naar het stalletje met de beste haring van Nederland. Daar aangekomen, nam ze er drie voor een tientje. Twee liet ze inpakken, één verorberde ze terstond, zich er weer over verbazend dat niets zo fantastisch goed hielp tegen een kater.

Terwijl ze daar stond, in het gulle, gouden septemberzonlicht, vatte ze, nu haar maag weer op orde was, moed. Ze tuurde naar de protserige gevel van Superphoto op de hoek van Lammermarkt en Nieuwe Beestenmarkt. Daar had Leeuwenstein volgens Joop Meijer een fotorolletje afgegeven. Ze zette de buggy in beweging, stak de weg over. Ze had daar zelf ook vaak rolletjes weggebracht. Soms stond er een gis kereltje achter de toonbank, maar meestal werd je geholpen door een mooi, dom meisje. In de winkel aangekomen zag ze tussen de wanstaltige uitstalling van fotoalbums door dat het schaap weer achter de toonbank stond.

'M'n vader heeft hier gisteren een fotorolletje afgeleverd,' zei Anneke, 'maar hij is helaas 't reçuutje kwijt geraakt. Hij moest vanochtend zelf werken en heeft me gevraagd of ik de foto's wou ophalen.' Ze lachte haar verleidelijkste, vriendelijkste lach.

'Geen reçuutje meer?' Het meisje keek haar dommig aan. 'Dan kan ik de foto's niet zomaar meegeven. Dan moet uw vader toch zelf maar komen.'

'Maar mag ik ze dan niet even bekijken?'

'Op wiens naam zijn ze gezet?'

'Leeuwenstein.'

'Nou, ik zal kijken of ik ze ertussen zie, maar 't is niet gebruikelijk. U kunt beter terugkomen als meneer er is.'

'Ach, toe, mag ik ze even zien? Het zijn de eerste buitenfoto's die van Bertje gemaakt zijn.' Ze wees op haar zoontje in de buggy.

Het meisje keek naar de baby, raakte daardoor kennelijk vertederd, zuchtte, greep de grote stapel ontwikkelde foto's en begon te zoeken. 'Ja, hier heb ik Leeuwenstein. Nou vooruit, kijkt u dan maar even.'

Terwijl Anneke het mapje openmaakte, stapte een echtpaar binnen dat de deur van Superphoto open liet staan. 'Guten Tag,' zeiden man en vrouw synchroon. Beiden oogden als luisterrijke praalgraven van Bratwurst en Sauerkraut. Anneke deed een stap opzij. Het echtpaar stelde zich op voor de toonbank. Toen het meisje even wegliep om een fotorolletje uit een kast te pakken, zag Anneke haar kans schoon. Ze gooide het mapje in het netje van de buggy en duwde het wagentje door de nog openstaande deur naar buiten. Ze schoot de Lammermarkt op, sloeg meteen af, de Fokkestraat in, en holde door het lugubere steegje naar de Oude Singel. Bertje lag te schudden in de buggy, die over de stenen ratelde. Op het bruggetje naar de Oude Vest keek Anneke hijgend om. Werd ze gevolgd? Het leek er niet op.

Even later was ze al thuis, en kon ze in alle rust de foto's bekijken. Ze ging ermee bij het raam achter de glasgordijnen staan, en tuurde af en toe nerveus over de Oude Vest en het brugje. Niets wees er echter op dat het meisje van de fotowinkel snel genoeg naar buiten had kunnen rennen om te zien waar Anneke heen was gegaan. Geleidelijk aan kwam ze tot rust, en kon ze zich beter concentreren op de foto's. Op de eerste foto zag ze het glinsterende water van een baai, met een afgeplatte berg op de achtergrond, op de tweede een villa die zo was genomen dat je diezelfde berg weer op de achtergrond zag. Het derde kiekje toonde de villa close, met het huisnummer 24 pontificaal in beeld. De vierde foto was weer wat verder bij de villa vandaan genomen, en vanuit een andere hoek. Valt mee, dacht ze, niks bijzonders. Van wat ze daarna zag, raakte ze echter meteen heftig van streek. Ze ademde een paar keer diep in en uit, keek naar de planten, naar de rij speelgoedbeesten en pakte toen de foto's weer. De man had kennelijk een stuk of zestien foto's van haar en Bertje gemaakt. Verrassend scherpe kiekjes waren het, het kon niet anders of hij had een telelens gebruikt. Wat had dat in vredesnaam te betekenen? De meest bizarre veronderstellingen schoten door haar heen. Was dit misschien een Joegoslaaf, een Kosovaar, een Albanees? Misschien had dit wel iets met Chris en K-FOR te maken. Of had die Oude-Singelgluiperd het op Bertje voorzien? Chris zou nu thuis moeten zijn om haar te helpen en te ondersteunen, maar hij moest zo nodig de mensheid dienen in zo'n godvergeten oord op de Balkan.

Met een van de foto's in haar hand, liep ze naar de telefoon. Ze toetste het werknummer van Mieke in, daarna haar thuisnummer, kreeg het antwoordapparaat en legde zonder iets te zeggen de hoorn erop. Aan haar moeder had ze nu ook niets, die stond natuurlijk op de tennisbaan. Zou ze dan die Joop Meijer bellen? Misschien wist die meer, die had haar tenslotte op het spoor van Leeuwenstein en de foto's gezet. Maar hoe aan zijn nummer te komen? Natuurlijk, uitgeverij Hamer, dat was hun gemeenschappelijke connectie. Ze belde met een redacteur, die haar na enig zoeken en heen en weer schakelen via een receptioniste en een secretariaat het nummer kon geven. Anneke toetste het in, hoorde dadelijk het ingespreksignaal. Ze wachtte een poosje, probeerde het opnieuw. Hetzelfde signaal. Hoe was het ook alweer als iemand in gesprek is? Dan toets je toch een vijf in en leg je de hoorn neer, en gaat de telefoon over als het andere gesprek voorbij is? Ze toetste een vijf in, legde de telefoon neer, liep naar het raam en keek uit over het vredig kabbelende water van de Oude Vest. Daar stond ze en wachtte tevergeefs.

‘Karel Swart.’

‘Met Joop Meijer. We hebben elkaar ontmoet bij de begrafenis van Zoutkamp en...’

‘Ja, u denkt toch niet dat ik dat vergeten ben.’

‘Nou ja, ’t was daar zo druk...’

‘Zeg dat wel, een VIP-begrafenis met allure. Ik neem aan dat u belt om te horen of ik nog meer kan vertellen over die arme Bert en hoe het gaat met mevrouw Venema?’

‘Onder andere.’

‘Sinds het... het fatale ongeluk is ze hier niet meer geweest en ik hoor alleen maar steeds dat ze helemaal kapot is.’

‘Zij komt dan later wel. Ik zou, nu ’t er echt naar uitziet dat ik de biografie van Zoutkamp ga schrijven, graag ook uitgebreid met u over Bert Zoutkamp spreken. Zou ik... ik noem maar wat... zou dit weekend u schikken?’

‘Eens kijken. Ja, ik geloof wel dat ik een gaatje heb, u komt hierheen?’

‘Dat zal wel moeten, lijkt me.’

‘Goede reis dan, en denk erom dat de boot maar één keer in de twee uur vaart.’

Joop Meijer legde de hoor neer, wou opstaan, maar kreeg daar de gelegenheid niet voor. Zijn nummerherkenner begon te flikkeren. De telefoon bracht dat ijle, soms bijna zieltogende geluid voort dat in de plaats is gekomen van gerinkel. Hij nam op. ‘Joop Meijer.’

‘Met Hugo de Vries. Misschien wel stom van me om je te bellen. Voor je ’t weet geef ik een primeurtje weg, maar ja, ’t zou ook niet netjes zijn als ik je d’r helemaal buiten hield. Jij hebt me tenslotte die anonieme brief laten zien.’

‘Weet je daar ondertussen dan wat meer over?’

‘Nou, da’s misschien veel gezegd. Vanmorgen stapte ik bij Blaak in de metro, ’t was godvergeme tjokvol, enfin, doet er niet toe, en bij de Coolsingel perst Klaas Lokhof zich naar binnen. Dus ik mij tussen al die mensen door gewrongen, tot ik zo'n beetje op z'n lip stond. Toen lispelde ik zoetjes bij z'n oor: "Zo, Klaas, schrijf jij tegenwoordig nou ook al anonieme brieven." Je had moeten zien hoe die keek. Alsof de Euromast gefaseerd omviel. Maar hij zei tegen me: "Ik? Anonieme brieven? Hoe kom je daar nou bij?"'

'Dus jij denkt dat Lokhof...'

'Het zou me niks verbazen.'

'Wat zou jij doen?'

'Ik zou 'm onverhoeds op z'n dak springen en die brief onder z'n neus duwen en dan keihard zeggen: waarom heeft u deze brief geschreven?'

'Lijkt me geen slecht idee.'

'Nee, zou ik zeker doen. Maar wat denk je? Zou je er bezwaar tegen hebben als ik ook eens voor m'n eigen krant op onderzoek uitga?'

'Nee, waarom zou ik? Als jij d'r een primeurtje uit kunt slepen, moet je d'r vooral achter aan gaan. Leven en laten leven, zeg ik altijd maar, hoewel m'n hoofdredacteur daar wel eens anders over lijkt te denken.' Op de redactie en zeker de hoofdredactie leefde die oude Rotterdamse strijd ook nog wel, zijn eigen chique, cultureel correcte intellectuelenkrant tegenover het ordinaire *AD*. Zelf had Joop geen last van dit soort sentimenten. 'Als je kunt publiceren, moet je het doen. Voor mij is het ook maar een zijpad, en ik heb voorlopig alleen te maken met Melle Hamer. Als biograaf heb ik wel wat anders aan m'n hoofd dan zo'n brief, die waarschijnlijk geschreven is door een rancuneuze medewerker, die wegens verregaande incompetentie op straat is geschopt. Bewijs dus verder nul komma nul.'

'Ja, zou kunnen. De rancune tierde daar welig aan de Coolsingel.'

'Trouwens,' zei Joop, 'doen jullie bij het *AD* het vuile werk maar. Kunnen wij rectificeren als jullie d'r naast kleunen. Weet jij ondertussen misschien waar Lokhof woont?'

'Ik dacht ergens in Delfshaven, of daaromtrent.'

Meijer legde z'n telefoon weer neer. Wat nu te doen? Meteen achter Lokhof aan, of toch eerst liever met Peeters praten? Dat leek 't verstandigste en hij wilde diens nummer al intoetsen, toen z'n telefoon weer begon te miauwen. Of te kwinkeleren, en misschien ergens daartussen in.

'Met Joop Meijer.'

'Met Anneke Zoutkamp, ja, sorry dat ik je stoor, ik heb eerst je mobiele nummer geprobeerd, dat was 't enige wat ik had, maar via Hamer heb ik dit nummer gekregen. Dat fotorolletje waar je 't over had... Nou...' Ze leek iets te moeten wegslikken. 'Ik ben vanochtend naar Superphoto gegaan en heb de foto's meegepikt.'

'Meegepikt?'

'Ja, ik mocht ze even bekijken. Toen kwam d'r een Duits echtpaar, en lette 't meisje even niet op, en ben ik ermee de winkel uitgerend.'

'En? Wat staat erop? De Lakenhal? De Valk?'

'Nee, 't is echt helemaal mis.' Ze zweeg. Joop meende haar zenuwachtige ademhaling te horen. 'Wij staan erop,' zei ze ten slotte. 'Bertje en ik. Het was echt geen toerist of zo die zomaar wat foto's nam.'

'Misschien dan zo'n rat van *Aktueel* of *Privé*?' Hij zei het tegen beter weten in. Gister had hij al bedacht dat die mensen zeker niet naar zo'n zaak als Superphoto gingen om hun rolletjes te laten ontwikkelen en afdrukken.

'Zou je denken? Zou die van Bertje en mij een stuk of zestien foto's nemen?'

'Waarom niet? Een plaatje van het pasgeboren zoontje in de armen van de verschrikte dochter van een ontplofte minister, dat doet 't wel op de voorpagina.'

Hij hoorde een nerveus gegiechel dat ieder moment in

echt gesnik kon overgaan en zei: 'Sorry, ik liet me even gaan, maar ja, die klootzakken van die schandaalblaadjes.'

'Ik ben zo bang,' fluisterde ze. 'Ik zit maar alleen, Mieke is niet te bereiken, en m'n moeder... die zal nu wel ergens op een terras zitten uitpuffen... en Chris is zo ver weg, zo onbereikbaar. 't Is zo doodeng, één of andere kerel die foto's van je neemt.'

Hij hoorde hoe ze zich probeerde te vermannen. Verdomme, was dit nu een maanzieke hysterica? Hoe kwam hij van haar af, want met dit soort afleidingen en interrupties zou hij zich nooit op die biografie kunnen concentreren. Toen begon hij zich af te vragen hoe hij zelf zou reageren als zijn vader op zee ontploft was. Voor Anneke gold bovendien dan nog dat haar echtgenoot zich in oorlogsgebied bevond. Dat zou haar geestelijk evenwicht ook niet ten goede komen.

'Ik zou die foto's wel willen zien,' zei Joop. 'Schikt het als ik in de loop van de dag even langskom, eind van de middag bijvoorbeeld? Ik moet vanavond misschien nog naar Amsterdam, dus ik kom toch langs Leiden.'

Ze maakten een afspraak. Joop legde de hoorn neer. Dit was zo'n dag, besefte hij, waarop hij, naar het woord van Prediker 3, moest bellen en gebeld moest worden. Hij toetste het nummer van het Rotterdamse stadhuis in, kreeg een telefoniste en vroeg: 'Kan ik mevrouw Vriens spreken?'

'Momentje graag,' zei een lief stemmetje, 'ik verbind u door.'

Hij hoorde klikgeluiden, toen het geruis van een ademhaling.

'Spreek ik met mevrouw Vriens?'

'Daar spreekt u mee.'

'Met Joop Meijer, ik mocht u aan het eind van de morgen bellen voor een eventuele lunchafspraak met wethouder Peeters.'

'Zoals 't er nu uitziet kan meneer Peeters tijdens de lunch wel even wat tijd voor u vrijmaken.'

'Ik kom eraan.'

Hij rende zijn appartement uit, bedacht zich, rende weer terug, greep de gsm en begaf zich opnieuw in looppas naar zijn auto. Als hij stipt om half één in Rotterdam wilde zijn, moest hij nu meteen vertrekken. Hij wist uit ervaring dat het een vrijwel hopeloze onderneming was om Rotterdam binnen te rijden en dat hij vervolgens ook nog eens minstens twintig minuten moest uittrekken om een parkeerplaats te bemachtigen.

In zijn auto plaatste hij het mobieltje in de houder van de Car Kit. Wat een uitvinding dat je ook vanuit de auto handsfree bellen kon. Toen hij Den Haag uit was, en onder Delft reed, toetste hij het nummer in van Suzan Venema. Ze was in gesprek. Ook ter hoogte van Overschie bleek ze nog steeds in gesprek. Op het Kleinpolderplein idem. Zo meteen maar weer proberen. Terwijl hij afsloeg naar de A20, begon z'n mobieltje te zoemen.

'Met Joop Meijer.'

'Met mij,' klonk de bitse stem van Els, 'mag ik je er even aan herinneren dat je een zoontje hebt dat binnenkort jarig is.'

'Alsof ik zou kunnen vergeten dat Milan...'

'O, dat zou zeker kunnen, maar daar zal ik je de kans niet voor geven, ik zal je eraan blijven herinneren.' Zo te horen gooide ze met enige kracht de hoorn op het toestel.

Nu moest hij beslissen of hij langs Blijdorp of via het Hofplein zou proberen de Coolsingel te bereiken. Welke route je ook koos, je kwam onherroepelijk vast te zitten, maar nam je de afslag langs Blijdorp dan moest je van stoplicht naar stoplicht de hele Weena over. Dus toch maar weer via het Hofplein. Helaas, ook dat bleek een misrekening. Al op de Schieweg bleek alles vast te staan. Nu ja, hij had nog tijd, het was inmiddels half twaalf, dus nog een vol uur. Om tien voor twaalf had hij het Hofplein bereikt. Hij belde Suzan Venema opnieuw. Bleek nog steeds in gesprek te zijn. Om vijf over twaalf reed hij dan toch de Coolsingel op. De parkeergarages bij de Coolsingel bleken allemaal vol. Misschien was er nog een plekje ergens in de straatjes achter de Lijnbaan waarlangs de winkels bevoorraad werden. Ook daar bleek elk plekje bezet, en kwam hij telkens vast te zitten omdat allerlei vrachtwagens hun waren uitlaadden. Toen zag hij het bordje VOL van de parkeergarage onder het Schouwburgplein van rood naar groen verspringen. Hij drukte het gaspedaal in. Aldus lukte het hem om even over half één daar een plaatsje te bemachtigen. Over de Korte Lijnbaan holde hij naar het stadhuis. En dan beweerden ze nog dat je te weinig lichaamsbeweging kreeg, als je auto reed!

Toen ze haar telefoon hoorde overgaan, kromp ze in elkaar. Het leek of het modieuze belsignaal al onheil aankondigde. Voorzichtig nam ze op en fluisterde: 'Hallo.'

'Met mij, ik wil je niet laten schrikken, maar...'

'Wat is er aan de hand?'

'De foto's, ze heeft de foto's gepikt.'

'Hoe kon dat?'

'Ze is vanochtend brutaalweg die zaak binnen gestapt en heeft gevraagd of ze foto's even mocht bekijken. En toen het meisje dat daar werkte... zo'n stom wicht natuurlijk... toen die even niet oplette omdat er twee Duitse toeristen de zaak binnenkwamen, is ze ermee vandoor gegaan.'

'Zij? Anneke? Weet je 't zeker? Ze lijkt me helemaal het type niet om...'

'Kan best, maar 't meisje van die winkel had haar wel eerder gezien, een knappe vrouw met een ukkie in een buggy... Nee, het was gegarandeerd Anneke Zoutkamp.

Dat meisje van die winkel was in alle staten.... is naar buiten gerend, heeft nog geroepen, maar zag haar al nergens meer. De baas van die fotozaak heeft het me allemaal verteld. Hij geneerde zich verschrikkelijk, dat ik daar met dat reçuutje stond en dat de foto's weg waren. Gewoon gepikt door die trut van een Anneke Zoutkamp! Maar misschien was-ie ook vooral kwaad omdat ze niet heeft betaald.'

'Wat nu?'

'Als jij 't weet... Misschien is 't ook maar beter om dit niet via de telefoon...'

'God allemachtig. Dit gaat helemaal mis, wat moeten we in vredesnaam doen?'

'In ieder geval elkaar spreken, elkaar omklemmen.'

'Ik wil niets liever. Wanneer?'

'Vanavond?'

~

'U bent tien minuten te laat, meneer Meijer,' zei Peeters.

'Sorry, het zat allemaal tegen in het verkeer. Misschien dat jullie als gemeente 's een keer...'

'U komt toch uit Den Haag?'

Joop knikte.

'Nou, had u toch de trein kunnen nemen, een kwartiertje naar Rotterdam CS, kwartiertje wandelen naar 't stadhuis. Geen files, geen parkeerproblemen.' Peeters glimlachte enigszins malicieus. 'Kop koffie misschien?'

'Als dat eraf kan.'

'Waarom zou 't er niet af kunnen?'

'Misschien dat er bezuinigd moet worden sinds Zoutkamp hier burgemeester was.'

'Hoe komt u daar nou bij, meneer Meijer?'

'Je hoort wel eens wat.'

'Ach ja, er wordt al gauw geroddeld. Laat ik u dit zeggen: als je burgemeester bent van de grootste havenstad ter wereld kun je je 't echt niet veroorloven om te beknibbelen op uitgaven in de PR-sfeer. Van *all over the world* kwamen ze, meneer Meijer, van *all over the world*, regeringsleiders, captains of industry, havenbaronnen... Die kun je niet met en kopje thee en een mariakaakje afschepen zoals in de dagen van Willem Drees, dat gaat echt niet meer.'

'Nee, allicht niet. Het gaat me ook niet om dat soort roddels.'

Peeters leek enigszins te ontspannen. De verbeten trek om zijn mond veranderde in een vaag glimlachje.

'Maar voor die biografie is het natuurlijk absoluut noodzakelijk dat ik de feiten goed op een rijtje heb. Ook als ze misschien een minder rooskleurig beeld geven van de handel en wandel van de voormalige burgemeester van deze prachtige stad.'

'Vraagt u maar.'

Joop had het gevoel dat hij een pad opging dat hij voorlopig misschien beter kon negeren, dat het alleen maar afleidde van waar het hem werkelijk om te doen was: de mens en de politicus Zoutkamp, zijn opvattingen, zijn activiteiten, zijn plek in het politieke spectrum. Maar nu het gesprek eenmaal deze wending had genomen, moest hij er maar op doorgaan. Je kon nooit weten wat het op zou leveren, zeker als hij die anonieme brief serieus nam. 'Wat moet ik denken van de geruchten dat Zoutkamp met declaraties heeft geknoeid?'

Peeters gezicht verstrakte weer. 'Schrikt u nu zelf niet van uw miezerig woordgebruik, meneer Meijer? Geruchten, alleen dat woord al, wat nou geruchten? Feiten, heeft u feiten, kunt u man en paard noemen?'

'O zeker, misschien wel een heel vierspan, maar waarom zou ik u in het oor fluisteren wat u al zoveel langer bekend is? Wat ik weet of voorlopig vermoed, wou ik alleen maar verifiëren bij degene die van een en ander ongetwijfeld het best op de hoogte is. U hebt Zoutkamp van zeer nabij meegemaakt. En dan zult u toch allicht declaraties onder ogen hebben gehad waarbij u de wenkbrauwen gefronst hebt.'

'Nee, meneer Meijer, dat heb ik niet. Ik zeg u nogmaals: we spreken hier over de voormalige burgemeester van de grootste havenstad ter wereld. Zo iemand moet niet met benepen schraalhans-maatstaven beoordeeld worden, zo iemand moet de ruimte hebben om zich te profileren als een bestuurder van allure. Zo iemand kan in een andere havenstad niet drie hoog achter in een groezelig zeemanslogement overnachten, die hoort thuis in een vijf-sterrenhotel. Daar kan hij reders en verladers en havenmeesters op passende wijze ontvangen. Zo kan hij ertoe bijdragen dat cargadoors Rotterdam boven Antwerpen of Hamburg verkiezen als overslaghaven. Weet u wel dat de hete adem van de concurrentie in onze nek blaast? Weet u wel dat Singapore erop aast de grootste haven ter wereld te worden? En dan komt u hier mij een beetje de les lezen over 't declaratiegedrag van een man die bewezen heeft dat hij, en niemand anders, precies de juiste instelling had om Rotterdam *on top of the bill* te houden.'

'Goed, goed, maar hij nam z'n vrouw mee. Niet voor eigen rekening, maar...'

'*So what*, meneer Meijer, ook zij had... ik moet zeggen: heeft, want ze leeft goddank nog, zij heeft net zo goed allure. Ook zij straalde uit dat Rotterdam vanzelfsprekend bovenaan staat, meneer Meijer. Als een violist, dankzij het feit dat z'n vrouw hem vergezelt op z'n concertreizen, een miljoenenrecette bij elkaar speelt, ga je toch niet zitten urmen dat zij niet voor eigen rekening reist. En dan klaag je toch ook niet dat er misschien iets aan de strijkstok blijft hangen. En nu moet ik helaas weer aan 't werk. Neemt u nog een kop koffie op onze rekening, mits u dat geen verspilling vindt van gemeenschapsgelden. Veel succes met uw biografie. En blijf de zaken in proportie zien. Goedemiddag.'

Terwijl Joop Meijer naar de koffieautomaat liep, bedacht hij dat hij toch een piepklein stukje verder was gekomen. Uit wat Peeters ter verdediging van Zoutkamp aanvoerde, kon je misschien opmaken dat hij inderdaad fors overdeclareerde, en zijn vrouw op rekening van de belastingbetaler meenam. Maar ja, bewijzen, harde feiten, concrete gegevens, liefst op papier. Daarvoor zou hij Klaas Lokhof toch eens moeten benaderen.

Hij richtte zich tot de koffiejuffrouw. 'Weet u misschien waar ik Lokhof kan vinden?'

'Moet u aan de gemeentebode vragen,' zei ze snibbig.

'Lokhof,' zei een man die ook net koffie kwam halen, 'Lokhof hep z'n eige vanochtend ziek gemeld, die legt warmpies onder de pootlappen.'

'Heeft u enig idee waar hij woont?'

'Dat zal ik niet weten. Lokhof hep een aardig optrekkie. Die zit riant in Delfshaven, op 't hoekie van de Pieter de Hoochstraat en de Kapelstraat, vlakbij het belastingkantoor, echt een plekkie voor Karel met de Knip.' De man lachte schor.

'Dan rijd ik daar meteen maar even langs.'

'Doe 'm de groeten van me, en zeg hem, voor u aan uw prevelementje begint, dat Sjakie, dat ben ik dus, as 'ie in de lappenmand zit, d'r altijd baat bij heb om een beetje te zingen. Zeg hem dat hij z'n oude zondagsschoolbijbeltje te voorschijn mot halen en psalm 141 vers 3 mot zingen, oude berijming, dan zal-ie wel zien hoe snel die d'r weer bovenop is.'

~

Toen de ouderwetse voordeurbel die namiddag klingelde in de Pieter de Hoochstraat te Delfshaven, deed zich een kleine schermutseling voor, nadat Joop Meijer zijn naam had genoemd door de intercom. Van een echte echtelijke ruzie kon niet gesproken worden want Lokhof hokte met z'n vriendin Caroline, al jaren.

'Niet opendoen,' piepte Lokhof, 'het is die kerel van de *NRC*, die persmuskiet. Daar wil ik helemaal niet mee praten.'

'Ben je nou helemaal belatafeld, Klaas? Je wou toch dat al die verdomde zakkenvullers lik op stuk kregen? Ben jij nou een vent? God, allemachtig, wat een angsthaas! Daar woon je dan mee samen. Voer hem af met een damper, die slome slampamper.'

'Als ze d'r op 't stadhuis achter komen dat ik geklept heb, kan ik 't verder wel schudden, dan verlies ik het vertrouwen van iedereen. Volgens Peeters...'

'Wie zegt dat ze d'r op 't stadhuis achter komen dat jij je bek hebt open gedaan? Desnoods stuur je... Jij hebt toch die anonieme brief geschreven, waar die De Vries je over lastigviel? Of niet soms?'

De bel klonk opnieuw. Ze stonden beiden als versteend. Lokhof schudde zijn hoofd en alsof hij bang was dat de ongewenste bezoeker hem zou kunnen verstaan fluisterde hij: 'Niet opendoen!'

Na seconden, die minuten leken te duren, liet Lokhof zich zuchtend op een stoel zakken.

'En die brief dan?' vroeg Caroline nog eens.

'Die heb ik niet geschreven.'

'Wie wel?'

'Als ik dat al weet, houd ik 't maar liever voor me.'

'Bel die Meijer dan, zeg hem dat je wel wat kwijt wil, op voorwaarde dat hij *never ever* onthult dat 't van jou kwam.'

'Ik ben daar gek. Als ze hun bronnen niet openbaar willen maken, worden journalisten tegenwoordig soms wekenlang gegijzeld. Nee, alsjeblieft, Peeters heeft me bezworen om niks te zeggen.'

'Slapjanus, schijtlijster, labbe...'

De telefoon ging over. Caroline nam op, zei haar naam, luisterde. Ze reikte de hoorn over aan haar vriend. 'Voor jou.'

'Klaas Lokhof.'

'Met Jeroen. Heb jij soms uit de school geklapt tegen die Meijer? Die lamlul kwam hier doodgemoedereerd vragen of 't waar is dat Zoutkamp met declaraties sjoemelde. Jij hebt hem toch niet op streek geholpen?'

'Ik? Nee, geen sprake van, natuurlijk niet.'

'Het heeft er anders de schijn van dat je je gévédé niks van mij hebt aangetrokken.'

'Hoe kom je daar nou bij? Jij was er al die tijd bij toen hij op de begrafenis over geheimen begon. Toen heb ik hem meteen al duidelijk gemaakt dat er wat dat betreft bij mij helemaal niks te halen is.'

~

'Hendrikse.'

'Met Peeters, m'n excuses dat ik je zomaar midden op de dag stoor, maar dit kan absoluut niet wachten. Zo-even kwam die journalist van de *NRC* langs, je weet wel, Joop Meijer, hij was ook op de begrafenis van Zoutkamp en hij schijnt met een biografie bezig te zijn. Die Meijer suggereerde dat Bert met declaraties heeft gesjoemeld.'

'Godsamme, dat kunnen we momenteel volstrekt niet gebruiken, dat moet onmiddellijk rigoureus de kop ingedrukt worden. Heb je enig idee wie naar de pers gelekt kan hebben?'

'Lokhof, vast en zeker Lokhof. Die is hier de hoofdambtenaar op Financiën, afdeling declaraties. Ik belde hem zonet, en hij ontkende in alle toonaarden, maar hij stond aan de ander kant van de lijn te schudden als een graanelevator bij windkracht elf.'

'Dit is verdomd slecht nieuws. Is het misschien mogelijk

om Lokhof...' Het leek erop dat Hendrikse zijn gedachte niet durfde te voltooien.

'Hij zit thuis. Ziektewet. Ik heb 'm helaas niet aan een touwtje.'

'Ik zal zien wat ik doen kan.'

'Mijn zegen heb je.'

~

Na z'n vergeefse tocht naar Delfshaven, probeerde Joop de stad weer uit te komen. Op de G.J. de Jongh-weg en langs de Coolhaven kon hij zowaar even dertig rijden, maar verderop, ter hoogte van de Delfshavense Schie, kwam hij weer terecht in die semi-permanente begrafenisstoet die zich tegenwoordig op alle tijden van de dag door de grootste Nederlandse steden voortbewoog, hoewel 'voortbewegen' misschien niet het juiste begrip was. Hij zette zijn autoradio aan. '...wegens een ongeval op 't Kleinpolderplein, moet het verkeer rekening houden met...'

Woedend zette hij de zender weer uit. Het Kleinpolderplein, daarheen voerde onmiskenbaar de weg die hij had genomen. Een andere manier om de stad uit te komen, richting Den Haag, was er ook eigenlijk niet. Wat nu? Hij zette de radio weer aan. '...gekantelde vrachtwagen...'

Hij gaf zo'n klap tegen het dashboard dat de radio zichzelf uitschakelde. Er zat niks anders op dan maar te proberen via Spaanse Polder en Overschie het Kleinpolderplein te omzeilen, zodat hij bij het viaduct van de Doenkade rijksweg 13 op zou kunnen schieten. Uiteraard bleek hij niet de enige automobilist die deze vernuftige oplossing had bedacht. In een gemoedelijk gangetje, hangend achter reusachtige vrachtwagens, en ongeveer in het tempo van een bejaarde op een vooroorlogse Fongers, bereikte hij om even over half vier de Overschiese dorpsstraat. Ook daar zat alles muurvast. Het plan om nog naar huis te gaan had hij inmiddels opgegeven. Op de Vliegveldweg had hij in de file zeeën van tijd om eerst *Het Parool* te bellen, daar bij een collega op de parlementaire redactie om het nummer van John Polak te vragen, en toen Polak zelf te bellen.

'Met Polak.'

'U spreekt met Joop Meijer, ik ben bezig met een biografie van Bert Zoutkamp.'

'Zoutkamp? Ja, dan ben je bij mij aan 't juiste adres. Over hem heb ik wel wat materiaal.'

'Ik ben vooral geïnteresseerd in wat ik maar de jonge Zoutkamp noem. Zijn studententijd en zo, zijn eerste schreden op het pad van de politiek. Zou 't schikken als ik bijvoorbeeld vanavond...'

'Ja, uitstekend. Verheug ik me op, zal alvast wat uitzoeken, klaarleggen, hoe laat, uur of half negen?'

Na dat telefoontje had Joop alle gelegenheid om ook Suzan Venema te bellen. Ze bleek, een godswonder, niet in gesprek te zijn.

'Hallo,' klonk het minzaam.

Hij legde uit dat hij nu daadwerkelijk begonnen was met de biografie over haar echtgenoot, die onder zulke dramatische omstandigheden om het leven was gekomen. Graag zou hij op korte termijn een afspraak met haar maken om over Bert Zoutkamp te praten. Hij hoorde haar ademhalen als een haas die door een hermelijn besprongen wordt. Even vroeg hij zich af wat hier in godsnaam aan de hand was. Maar haar nervositeit had natuurlijk te maken met het feit dat ze net weduwe was geworden. Toevallig was ze niet meegegaan, de zee op. Ze had ook dood kunnen zijn, geen wonder dat ze nog van streek was.

'U kunt wel komen,' zei ze. 'Ja, u kunt wel komen, maar liever na 't weekend. Er is nog zo veel te doen...'

'Natuurlijk, maandag, is dat goed?'

'Uitstekend, maandag, een uur of elf.'

Warempel, hij reed weer, bereikte na twintig minuten

zelfs de Doenkade, en toen was er opeens geen enkel probleem meer, kon hij gas geven, en zomaar de A13 op. Pas bij het Prins Clausplein liep hij opnieuw vast. Daar werd hij gesneden door een vuilgeel bestelwagentje waarop een enorme moorkop was aangebracht. Hij zat ernaar te kijken alsof die moorkop een boodschap bevatte en sloeg toen opeens met zijn linkerhand op het stuur. 'De Kroonprins,' riep hij. Dat werd de titel, *De Kroonprins*.

Onderweg naar Leiden kwam hij weer hopeloos vast te zitten op de lange weg tussen Zoeterwoude en de Lammebrug. Daar nam hij, net niet goed genoeg bekend met de plaatselijke situatie, de verkeerde afslag zodat hij via de Kanaalweg Leiden binnenreed, om vervolgens op de Hoge Rijndijk weer in een totale verkeerscongestie te belanden. Terwijl hij steeds stoppend en weer optrekkend meters vrat, zag hij een bloemenstalletje. Hij schoot een parkeerhaven in, stapte uit en kocht een grote ruiker Zinnia's.

Over de pakweg drie kilometer van Hoge Rijndijk naar de parkeerplaats bij Molen de Valk deed hij slechts twintig minuten. Daar zette hij, zoals hij al eerder had gedaan, zijn auto neer. Hij gooide geld in de parkeermeter, en begon naar de Oude Vest te lopen. Toen bedacht hij dat hij eigenlijk een plattegrond moest hebben van Schiermonnikoog. Laatst, toen hij hier liep, had hij zo'n grote ANWB-winkel gezien. Hij schoot een voorbijganger aan. 'De ANWB?' 'Ja, hier vlakbij, Kiekpad uit, zie je 't meteen.'

Even later was hij de trotse bezitter van een plattegrond van het waddeneiland. Hij liep terug over het Kiekpad, bereikte de Nieuwe Beestenmarkt en zag de fotowinkel, waar Zoutkamp zijn fotorolletje naar toe had gebracht. Toen wist hij ook weer hoe hij verder moest lopen, en een paar minuten later stond hij bij Anneke voor de deur.

~

Terwijl Joop aanbelde bij Anneke, was er spoedberaad op het ministerie van Algemene Zaken. Tegen de kleine, Indisch ogende, besnorde man, die zo onopvallend achter Hendrikse was aangestapt dat het iedereen, dus ook Joop, was opgevallen, zei de premier: 'Die Joop Meijer begint knap lastig te worden. Het is dus zaak dat jullie hem vanaf nu goed in de gaten houden.'

'Komt in orde.'

'We hebben de stellige indruk dat Lokhof tegen Meijer uit de school heeft geklapt, dus wat Lokhof betreft: zelfde procedure als bij Meijer.'

~

'Wat een prachtige bos bloemen! Waar heb ik dat aan verdiend?'

'Aan je wervelende actie bij Superphoto.'

'Ik zal de foto's pakken. Wat wil je drinken?'

'Heb je nog een ouderwets glaasje jonge jenever?'

'Ja, dat heb ik, Chris is er dol op. Wacht, hier heb je alvast de foto's, ga ik even die borrel voor je pakken.'

Toen ze terugkwam met de jonge jenever, zei hij: 'Wat idioot! Waarom heeft die rare snuiter Bertje en jou vanaf de overkant met een telelens ruim een dozijn keer gefotografeerd? Wat steekt daar nou achter? Gek trouwens dat er ook een paar andere foto's bij zijn. Volgens mij zijn die in Zuid-Afrika gemaakt.'

'Hoe weet je dat?'

'Hier, dit is de Tafelberg, geen twijfel over mogelijk. En die villa... 't moet te achterhalen zijn van wie die villa is. M'n voormalige zwager, Eric van Oosterom, is daar makelaar. Of zoiets, tenminste. Ik zal hem de foto's morgen meteen mailen. Vanavond komt er niet meer van, ik heb om een uur of negen een afspraak in Amsterdam, met een journalist, ene Polak. Die heeft allerlei materiaal over je vader, zelfs uit de tijd toen hij nog student was in Nijmegen.'

'Dus je moet straks door naar Amsterdam? Wat doe je dan met eten? Heb je zin om hier een hapje mee te eten?'

'Als dat niet te veel moeite is.' Hij keek naar haar. Ze keek terug. Het bleef even stil. Hij had het idee dat ze licht bloosde, maar misschien fantaseerde hij dat alleen maar.

'Nee, helemaal niet, ik had er al een beetje op gerekend, en of je nu voor één of twee mensen kookt, dat maakt niks uit, terwijl samen eten veel gezelliger is. 't Enige is, ik heb al wel wat voorbereid, maar moet toch nog een poosje de keuken in, en eerst moet ik ook Bertje nog in z'n wiegje leggen. Wacht, als ik je nu eens... Ik heb vandaag wat fotoalbums opgezocht. Misschien heb je daar wat aan.'

Terwijl Anneke eerst Bertje wegwerkte, en zich vervolgens terugtrok in de keuken, bekeek Joop in alle rust de kiekjes van het eertijds zo gelukkige gezin Zoutkamp. Het waren voornamelijk zoetsappige, lieflijke plaatjes. Het was net of al wat hij zag haaks stond op wat hij ooit over Zoutkamp zou kunnen schrijven. Kon je dat in een biografie vermelden? Een gazon, zomerzonlicht, schaduwen, keuvelende mensen in tuinstoelen onder parasols, lege glazen op ronde tafels, een kind dat een zandschepje vasthield – waar moest je dat nu kwijt in een levensbeschrijving? En toch maakte dat heel nadrukkelijk de substantie uit van de levens van veel mensen in goede doen. Je schreef over hun inspanningen, niet over hun ledige uren. Was dat wel terecht?

'Zo, het moet nog even opstaan, en dan kunnen we eten. Zullen we ondertussen even naar het zes-uurjournaal kijken? Wil je nog wat drinken?'

'Als jij ook wat neemt.'

'Wat rode wijn. Wil je dat soms ook?'

'Liever nog een jonge, als er dan tenminste genoeg overblijft voor Chris.'

Ze schonk in, deed de televisie aan. Ze hoorden de belachelijk lange tune van *Twee Vandaag*, keken elkaar aan, klonken met hun glazen, letten amper op het nieuws, totdat Debby Petter zei:

'Op de spoorlijn Leiden-Schiphol is vanmorgen vroeg een deerlijk verminkt lijk aangetroffen. De identiteit van het slachtoffer is nog niet vastgesteld. Aanvankelijk meende de politie dat er sprake was van zelfmoord, maar uit nader onderzoek is gebleken dat een misdrijf niet kan worden uitgesloten.'

In beeld verscheen een trein die over een spoordijk reed.

'Gewoon zomaar wat treinmateriaal uit het archief geplukt,' zei Joop schamper, 'dat helemaal niets met het ongeluk te maken heeft.'

Vanuit de diepte van het appartement klonk klagelijk het gehuil van een baby.

'O, God, Bertje.' Anneke kwam razendsnel overeind. Op dat moment begon ook te telefoon te zoemen.

'Neem jij hem even,' zei Anneke, terwijl ze wegrende.

Joop pakte de hoorn op. 'Met het huis van Anneke Zoutkamp, Joop Meijer.'

'God allemachtig, jij weer? Hoe is dat mogelijk? Ben je daar soms ingetrokken of zo?'

Joop was enigszins van zijn stuk gebracht. 'Nee, ik... Ik was...eh, ik kwam alleen even langs om wat fotomateriaal op te halen.'

'Wel heel toevallig dat ik je dan net weer aan de telefoon krijg. Waar is Anneke?' De majoor klonk bars.

'Die probeert geloof ik je zoon te pacificeren. Net zoiets als jullie in Kosovo met al die... O, wacht, daar is ze alweer. Ik zal haar even geven.' En hij reikte met z'n hand over één van de uiteinden de hoorn over aan Anneke, terwijl hij fluisterde: 'Je man, Chris.'

Ze nam de hoorn op, zei: 'Met Anneke,' luisterde een poosje, zei toen: 'Ja, het gaat heel goed... Ja, hij drinkt nu goed... Nee, dat nog niet... Ja, ik mis je ook.' Dat laatste kwam er tamelijk vlak uit.

~

Leiden uit bleek die avond geen probleem te zijn. Terwijl hij op de A4 reed leek het of Joop nog steeds de warme hand van Anneke op de mouw van zijn jasje voelde. Ze had gezegd dat ze nog wel meer over haar vader kon vertellen. Joop kon haar altijd bellen voor een afspraak.

Polak bleek, in z'n twee kamertjes in de Amsterdamse binnenstad waar het gruwelijk stonk vanwege de zes katten die hij daar hield, ook veel informatie te hebben over Bert Zoutkamp.

Polak had een stapel materiaal uit de jaren zestig. 'Verdomd interessant allemaal,' zei hij. 'Zoutkamp studeerde in Nijmegen. Ja, ja, katholieke signatuur, maar linkser dan elke andere Nederlandse universiteit. Hendrikse studeerde daar toen ook, rechten, was wat ouder dan Zoutkamp. Ze hebben elkaar daar leren kennen. Dat zijn van die politieke relaties, die later in een carrière nog heel goed van pas komen. Je had daar zo'n tamelijk radicale, linkse groep. De studentenvakbeweging is er ook opgericht. Ton Regtien, je weet het misschien nog wel.'

Joop knikte. Hij had zijn huiswerk niet voor niks gedaan.

'De Nederlandse Rudi Dutschke, zo werd-ie wel genoemd.'

'Wie zaten er nog meer in die groep? Mensen met wie ik zou kunnen praten, behalve Hendrikse natuurlijk.'

'Ruurd Colijn was één van Zoutkamps beste vrienden.'

Joop glimlachte. Colijn. Soms speelde de geschiedenis een spelletje.

'Dat lees je over een tijdje nog wel als m'n boek *Opkomst en Ondergang van Extreem Links in Nederland* verschijnt.' Polak gebaarde naar de stapels papieren op zijn tafel, die kennelijk de bouwstenen voor een manuscript vormden. 'Maar met die Ruurd valt niet veel meer te praten. Omgekomen bij een of ander ongeluk in Zeeland, waar hij geboren en getogen was.'

Polak pakte nog wat documenten van zijn bureau en haalde een stapeltje foto's te voorschijn.

'Kijk, Zoutkamp.'

'Is dat Zoutkamp?'

'Ja, zou je niet zeggen, hè? Met dat lange haar! En die bakkenbaarden.'

'En dit? Is dit ook Zoutkamp? Met dat bord "Johnson Molenaar"?'

'Ja, Johnson Moordenaar mocht niet. Dan beledigde je een bevriend staatshoofd. Dus demonstreerden ze met borden Johnson Molenaar. En zie je wie die knaap is die de andere poot van het bord vasthoudt?'

'Geen idee.'

'Echt niet? Kijk 's goed. Het zijn nog steeds dezelfde ogen. Wat er ook in een gezicht verandert, de ogen niet. De oogopslag blijft altijd hetzelfde.'

Joop gokte. 'Hendrikse?'

'Goed geantwoord, u gaat door naar de volgende ronde.'

'Zo leer je nog eens wat.'

'O, er is nog veel meer te leren. Ik ben een keer bij de moeder van die Ruurd Colijn in Krabbendijke langs geweest. Die had nog een doos vol spullen van haar zoon, een soort archief. Affiches, brochures, partijprogramma's. En ook dagboeken, schriften vol. Ik mocht alles zien, behalve die dagboeken. Dat was allemaal privé, zei ze. Daar deed ze heel benauwd over. Jammer. Misschien als jij het aan haar vraagt dat het jou wel lukt. Nu Zoutkamp naar de eeuwige jachtvelden is, wil ze misschien...'

'Je hebt niet zoveel jachtvelden op het water bij Schiermonnikoog,' zei Joop.

Polak rommelde weer tussen zijn papieren. Een stapel

foliomappen schoof over de rand van de tafel. Polak leek het niet te merken. 'Kijk, hier heb ik haar telefoonnummer.'

Toen hij 's avonds laat terugreed naar Den Haag, zag Joop achter zich bij de oprit naar de A4 een donkere Audi. Hij zag hem weer achter zich terwijl hij in de adembenemende lichtzee bij Schiphol reed. Toen hij was afgeslagen naar de A44, had hij hem nog altijd in zijn achteruitkijkspiegel.

De vraag was of hij misschien gevolgd werd. Nee, onzin. Die Audi ging ook naar Den Haag, zo simpel was het. Hij moest geen spoken gaan zien, zoals Anneke dat had gedaan. Alhoewel... die Leeuwenstein had inderdaad foto's van Anneke en haar zoontje genomen. Anneke. Die lag nu waarschijnlijk al in bed. Alleen, misschien wel dromend van haar Chris. Anneke, tanneke, toverheks, zouden ze dat vroeger tegen haar hebben gezegd?

4

NATUURLIJK DEED ZE open, dat deed ze altijd. Ze had vaak geprobeerd de bel te negeren, vooral in de ochtend als ze niemand verwachtte en tijd voor zichzelf wilde, maar uiteindelijk ging ze toch naar de deur. De laatste keer dat ze lang had gewacht, was het Chris geweest, kwaad, sleutel vergeten, waarom ze verdomme niet meteen kwam, hij stond al een kwartier voor Jan lul op de bel te drukken. Dit keer was het Rien Crijnen. Ze wist meteen waarom hij er was. Zoals hij keek en zich bewoog, houterig, armen vooruit alsof hij haar wilde omhelzen, zich bedacht, armen gestrekt langs het lichaam, kaarsrecht staan, in de houding, kin omhoog; ze wist zeker dat hij zijn buik inhield.

'Chris?' vroeg ze, terwijl ze naar de balk en de twee sterren op de schouders van Riens jas keek. Ze fluisterde, wist het antwoord al. 'Is het erg?'

Rien draaide zich half om en maakte een stijve beweging naar de vrouw die schuin achter hem stond. Hij noemde een naam en daarna nog iets.

Ze verstond er niets van, zag alleen het uniform en kon zich niet herinneren wanneer hij voor het laatst in militair tenue bij haar was geweest. 'Wat?'

'MDD,' herhaalde Rien. 'Maatschappelijke Dienst Defensie. Sorry Anneke, we willen graag even met je praten. Binnen.'

Ze hield zich vast aan de deur terwijl ze een kleine stap opzij deed. Rien pakte haar handen en trok ze los. 'Kom nou maar.' De vrouw maakte sussende geluiden, gaf haar een klopje op een schouder, maar hield daar meteen mee op toen ze de schrikreactie zag. 'Sorry.'

'Geeft niet,' bracht ze moeizaam uit. 'Chris?'

'Ja, Chris,' zei Rien. 'Ga nou eerst even zitten. Mevrouw Vervelde blijft bij je, terwijl ik water haal. Gewoon gaan zitten en diep ademen.'

'Is-ie...'

Rien knikte. 'Gisteravond. Ga nou maar zitten.'

Ze liet zich op de bank duwen en merkte dat de vrouw naast haar schoof, klaar om haar op te vangen. Zover zou het niet komen. Ze wist al wat er zou volgen en wat had het voor zin om te huilen, of te schreeuwen.

Rien liep naar de keuken en haalde water. Hij kende het huis, van verjaardagen, van de feesten toen Chris majoor werd en later plaatsvervangend commandant onder luitenant-kolonel Crijnen, van 'zomaar'-bezoekjes.

'Vertel maar,' zei ze toen ze voor de vorm een slokje had genomen. 'Als er tenminste iets te vertellen is.'

Rien schraapte zijn keel, rechtte zijn rug, keek naar haar, maar ontweek haar ogen. Hij was verlegen, zag ze en ze vroeg zich af waarom ze dat vertederend vond.

'Gisteravond. Een verdwaalde kogel, schijnt het. Er zijn daar soms sluipschutters, dat weet je. Hij ging net... Hij zat... Hij was bezig met zijn gewone werk. Het was puur toeval.'

Ze zag zweetdruppels op Riens voorhoofd. 'Het gewone werk?'

De vrouw legde een hand op haar arm. 'Het is onze plicht u precies te vertellen wat er is gebeurd. Daar heeft u recht op. Uw man bezocht gisteravond de latrine, ze hebben daar nog steeds geen goede wc's.' Ze aarzelde. 'Hij werd er getroffen door een kogel. Hij was meteen dood, misschien is het goed dat erbij te zeggen. Hij werd geraakt in de hartstreek.'

'Op de latrine.'

'Hij kan niet hebben geleden. En dit detail houden we

uiteraard buiten de media. Komt niet in het persbericht.'

'Op zijn hurken.'

'We zijn gekomen zo gauw het bericht officieel bevestigd was.'

'Terwijl hij zat te kakken.'

'Het spijt ons geweldig.'

'Chris, die kolonel wilde worden, generaal eigenlijk, op de plee, boem, daar lag hij.'

De vrouw legde een arm om haar schouders en trok haar tegen zich aan. 'Zo moet u niet denken. Hij is gestorven tijdens het uitoefenen van zijn functie.'

'Tijdens het legen van zijn darmen.'

Rien ging op zijn knieën voor haar zitten, pakte haar kin, keek nu wel naar haar ogen. 'Anneke, hou op. Als je zo denkt, ga je helemaal door het lint. Neem nog wat water. Vergeet waar hij was. Een sluipschutter let er niet op waar de mensen zijn, of wie ze zijn, de klootzak schiet.' Hij had zijn compagniestem opgezet en dat maakte indruk. Niet veel, maar genoeg om haar te doen zwijgen.

Ze weerde de hand met het glas af, stond met een ruk op en liep naar het toilet. Met het hoofd in de hand bleef ze zitten. Ze voelde tranen tussen haar vingers doorsijpelen, maar had ook het rare gevoel dat ze moest lachen. Ze zag het voor zich. Chris, haar Chris met wie ze een paar dagen na de geboorte van Bertje nog een enorme ruzie had gemaakt en die met een kwade kop was teruggegaan naar Kosovo, haar Chris, zittend of hurkend, hoe ging dat ook alweer in latrines, hurkend boven een gat en dan, pats, misschien was hij er wel ingevallen en hadden ze hem uit de smerigheid, uit de stront ... Terwijl hij altijd zo trots op zijn uniform was.

Ze bleef zitten tot ze niet langer hijgde, vroeg zich af waarom ze het niet uitschreeuwde van verdriet, dacht aan Bertje die nu een halve wees was en begon weer te huilen, met lange uithalen, één hand onder de kin, de andere stijf tegen de borst, haar ogen strak gericht op de verjaardagskalender.

Het duurde lang voor Rien en de vrouw aanstalten maakten om weg te gaan.

'Gaat het wel?'

Anneke knikte.

'Echt waar? Mevrouw Vervelde wil met plezier blijven tot je iemand hebt gebeld.'

'Wie dan?'

'Een vriendin. Je moeder.'

Mijn vader, dacht ze. Als ik iemand wil zien is het papa, mama op dit moment liever niet. Nu pas drong het tot haar door dat ze in een paar weken tijd haar vader en haar man had verloren. Ze was er meer verbaasd door dan geschokt. 'Ik wil even alleen zijn.'

'Weet je dat zeker?'

'Ga maar. Ik bel straks Mieke wel, een goeie vriendin van me.'

Dat deed ze, maar Mieke nam niet op. Ze sprak een boodschap in en bleef roerloos zitten tot ze Bertje hoorde. Ze verschoonde hem, gaf hem de fles, drukte hem tegen zich aan, huilde toen ze naar hem keek, legde hem snel neer toen ze haar handen voelde trillen. Ze zou Josien moeten bellen, maar die zou in snikken uitbarsten en samen met Josien janken dat wilde ze niet. Ze wist wel zeker dat ze zou lachen als ze over de latrine zou praten. Geen echte lach, een lach vol zenuwen, maar toch, Josien kon wel wachten.

Ze belde Mieke opnieuw en nog een keer.

Daarna Joop Meijer, al wist ze niet precies waarom. 'Chris is dood,' zei ze tegen het bandje. 'Gisteravond. Doodgeschoten. Bel me maar. Als je wilt.'

Ze ging eerst weer naar Bertje die heerlijk lag te slapen. Hij zou het voortaan zonder vader moeten redden. Net als zij. Misschien zou dat de band tussen hen beiden nog sterker maken, dacht ze hoopvol terwijl ze zich ontkleedde en op haar eigen bed ging liggen, starend naar boven, met droge ogen en denkend aan niets, in elk geval niet aan Chris. Er mocht wel eens een verfje op het plafond.

⁂

Hij had het niet op eilanden. Overal water en geen behoorlijke weg ernaartoe. Van alle eilanden bleek Schiermonnikoog het ergste.

'Geen auto's, meneer, daar zijn we niet groot genoeg voor,' zei de mevrouw van de VVV door de telefoon. Ze klonk of ze aan stomme vragen gewend was.

Hij had een lange zin in gedachten, maar zei daarentegen: 'Graag dan een retour voor een persoon op de naam Meijer.'

'Het is altijd retour, meneer. Kan het zijn dat uw vrouw al heeft gebeld? Er staat hier een Meijer. Vier kinderen en bagage. Kan ook Maier zijn, eigenlijk. We hebben om deze tijd van het jaar nog altijd veel Duitsers.'

Hij hield zijn oor een decimeter van de hoorn. Er was kracht in de stem gekomen, en ook een accent. Hij gokte op Fries, maar het kon Gronings zijn, waarschijnlijk iets ertussenin.

'Gaat er na half tien nog een boot?'

'Half twee, meneer. En daarna half vijf. Ik weet niet hoe lang u blijft natuurlijk, maar als het voor een weekeinde is dan houdt u weinig tijd over.'

Joop dacht liever in termen van hooguit een paar uur Als journalist had hij leren opschieten. 'Hoe laat kan ik terug?'

'Half zeven. Als ik u was huurde ik na aankomst een fiets. Te voet doe je niet veel als je weinig tijd hebt, zo klein zijn we ook weer niet.'

Precies de opmerking die hij had gevreesd. Fietsen. - Ko-lere-eilanden.

In Lauwersoog moest hij wachten bij het loket en hij liep de laatste meters op een sukkeldrafje omdat twee mannen heftige armbewegingen maakten.

‘Van mij hoef-u niet mee,’ zei de ene. ‘Van mij mag-u een paar uur wachten.’

‘Het is nog geen half twee,’ zei hij, maar er zat meer rokershoest dan kracht in zijn stem en hij wist dat hij geen indruk maakte.

‘Nee hoor,’ zei de man. ‘Doe maar lekker kallem an, de boot wacht wel.’ Hij keek naar boven, stak een duim op en wees. ‘Die kant op. As u een beetje door wil lope, dan ken ik fedder met me werk.’

Joop wilde, zeker na de forse duw, liep een ruimte in vol lange tafels en banken en zag dat alle raamplaatsen bezet waren. Hij zocht een plastic kuipje naast een man die *Bild* las en deed een greep naar een krant met een Nederlands formaat. Het was er een uit Limburg. Hij keek naar de datum en gromde tevreden. Wat reisde het nieuws toch snel. Op de voorpagina stond: Gruwelijk treinongeluk. Het woord gruwelijk kwam in het stukje van twaalf regels drie keer terug. De teneur was duidelijk. Dat kwam ervan als je dronken was en op de rails liep. De identiteit van het slachtoffer was onbekend. Eronder stond een stukje over een aanrijding even buiten Geleen. ‘Motorrijder dood na botsing’ stond er boven. ‘Hoe lang erna,’ mompelde hij, maar dat vermeldde het bericht niet. Het woord gruwelijk kwam maar een keer voor.

Hij was halverwege het katern toen de boot bewegingen maakte die rechtstreeks op zijn maag sloegen. Hij stond op, maakte passen die hij op de dansvloer niet na had kunnen doen en strompelde naar buiten. De wind hielp, maar lang duurde het niet.

‘Vol in de wind gaan staan,’ adviseerde een oudere vrouw. Ze wees. ‘Daarginds, hier kun je de diesellucht ruiken.’ Ze keek naar het pakje in zijn hand en trok met haar bovenlip. 'Als u er een opsteekt, gaat het zeker mis.'

Hij knikte, maar bewoog zich niet, hoofd tussen de schouders, handen als verkrampt om de bovenrand van de railing. 'Storm.'

De man die achter de vrouw stond lachte. 'Briesje, meer niet. U bent niets gewend, meneer. Loop maar achter ons aan.'

Hij voelde dat hij werd beetgepakt en meegetrokken. 'Blijft u hier maar staan,' zei de man. 'Naar de horizon kijken dan gebeurt u niets, de tocht duurt nog geen drie kwartier, we zijn er zo.'

'Aan leuke dingen denken helpt ook,' voegde de vrouw toe.

Hij dacht aan Anneke Zoutkamp en aan de biografie over haar vader, die hier in deze contreien op zo'n explosieve manier aan zijn einde was gekomen. Zoutkamp had waarschijnlijk geen last van zeeziekte. Kon ook eigenlijk niet als je Rotterdam steeds moest promoten als grootste zeehaven ter wereld. Het denken aan Anneke werkte het best. Ze was bezorgd geweest toen hij vertelde dat hij inlichtingen had gevraagd over de villa op de foto's aan zijn zwager Erik van Oosterom in Zuid-Afrika. 'Ex-zwager bedoel ik. Weet je nog wel?' Ze zei dat ze het nog wist, maar het klonk of ze hem niet wilde teleurstellen. 'Zie ik je als je terug bent van het eiland?' vroeg ze en na zijn 'Ja' zei ze: 'Leuk.' Van het denken aan Anneke werd hij van binnen een beetje warm en zijn maag kwam tot rust. Hij probeerde zich weer op Bert Zoutkamp te richten en de vragen die hij aan Swart zou kunnen stellen. Toen hij in de verte Schiermonnikoog zag, had hij enkele aardige ideeën over de aanpak van de biografie. Eerst uitwaaien, koffie drinken, broodje eten en dan aan het werk. Hij stak een sigaret op, werd niet misselijk en wist dat hij de golven de baas was gebleven.

Misschien dat hij straks in één moeite door nog iets te weten zou kunnen komen over Lancee, die politieman die zogenaamd zijn dochter zou hebben misbruikt. Ook al een smerig zaakje waarbij politie en justitie behoorlijk in de fout waren gegaan. Misschien had Bert Zoutkamp de man wel gekend.

~

Swart leek in de riant verbouwde visserswoning een stuk langer dan twee meter en toen hij de kamer inliep, hield hij het hoofd een beetje scheef. Gewoontegebaar, zag Joop, als je vaak genoeg je kop hebt gestoten dan slijt dat erin. Hij stelde de vraag die op de begrafenis van Zoutkamp bij hem op was gekomen. 'Gebasketbald vroeger?'

Zijn gastheer streek over zijn haar dat in het licht van de dubbele rij spotlights zilverwit oplichtte. Toen hij tevreden was over het effect knikte hij kort. 'Moest wel. De langsten gingen naar basketbal, het park naar hockey, de rest naar voetbal.' Hij keek met een blik of hij mooie beelden uit het verleden zag. 'Het geld woonde in het park, zo noemden we de buurt om de vijver.' Hij maakte snel een gebaar en was terug in het heden. 'Dit is de kamer. Dat zijn de boeken. Niets aan te zien. Gewone kamer. Loop maar mee.'

Hij opende een deur (hoofd scheef, snelle stap, hoofd recht) en bleef net over de drempel staan. Joop wachtte, wrong zich langs Swart en maakte de geluiden die hoorden bij de situatie.

'Dat is nou waarom ik mijn huis landhuis noem,' zei Swart.

'Duinhuis?'

'Duinhuis klinkt niet. Duin is ook land. Ik lieg geen woord.'

Joop klakte nog maar een keer met zijn tong. Het achterste deel van het huis was veranderd in een serre met een minimum aan hout. Allemaal glas en uitzicht. Golvend duin en daarachter een reep strand en golven. 'Buitenhuis klinkt ook niet gek, er is hier veel buiten.'

'Ik heb voor landhuis gekozen,' zei Swart en het klonk als het einde van een discussie. 'Als ik alleen ben, zit ik meestal hier. Beetje zitten. Beetje kijken. Denken gaat hier ook goed. Ik had je eerder verwacht.'

Terug naar het zakelijke deel in minder dan drie seconden. Het ging Joop nog even te snel. 'Mag ik hier gaan zitten.'

'Zou ik maar doen. Iets drinken? Cognac. Jenever.'

'Biertje graag.' Hij had het gevoel een tv-commercial na te praten. 'Het stormde daarnet op het water.' Hij drukte een hand tegen zijn maag. 'Ik moet het daar nog even op orde brengen.'

Swart knikte. 'Bier is altijd goed. Ik was bang dat je koffie zou zeggen. Heb ik vergeten in te kopen. Lullig als je gasten hebt. Eerste keer op Schier?'

Joop begon het door te krijgen. De snelle wendingen van het gesprek gaven Swart een voorsprong. Op de begrafenis was het hem niet opgevallen, maar misschien testte hij zijn gesprekspartners niet op bijeenkomsten waar een brok in de keel verplicht was. 'Eerste keer. Ik dacht: ik neem een taxi, maar dat ging niet door. Allemaal weg, vol Duitsers.' Joop had ook gehoopt dat de wandeling hem goed zou doen, maar het gevoel van uitputting was er alleen maar door versterkt.

'Dus heb je anderhalve kilometer gelopen. Ik wed dat je geen fietser bent.'

Joop rilde gepast en zweeg tot Swart bier had ingeschonken. 'Proost. Ik zou niet weten wanneer ik voor het laatst heb gefietst.'

'Dan zit je op dit eiland fout. Wandelen, fietsen, paardrijden, dat is het wel. Wadlopen kan ook, maar ik raad het af. Zand is leuk om over te lopen, niet om in weg te zakken. Ik heb er heel wat huilend terug zien komen. Bert heeft het een keer gedaan. Hij vond het flauw dat ik niet meewilde, maar twee dagen later gaf hij me gelijk. Hij zei dat hij toen nog steeds zand piste. Dat schuurt, zei hij. Schiet je al wat op?'

Dit keer zag Joop 'm komen. 'De biografie? Niet erg, eigenlijk. Het voorwerk is altijd het tijdrovendst. Als ik eenmaal met schrijven begin ...' Hij liet de rest van de zin hangen. 'Mag ik roken?'

'Nee,' zei Swart. 'Die asbak is voor de sier. Kunstvoorwerp of zo. Gemaakt door een vriendin die vier jaar in de leer was bij een pottenbakker, maar volgens mij heeft ze het ding gekocht. Geen gerook hier. Kijk er maar mee uit zolang je op het eiland bent. Het is hier een en al gezondheid. Ik heb de VVV voorgesteld Schier het blozende wangen-eiland te noemen, maar ze zeiden dat het niet klonk in het Duits. Wat wil je weten?'

Joop nam een slok en vroeg zich af waarom het bier zout smaakte. Voorplecht. Storm. Zilte zee. Kloteneiland. 'Zullen we beginnen bij het ongeluk?'

'Raar ongeluk, dat heb ik je al verteld,' zei Swart. Hij stond vlak bij het raam en boog zich voorover tot hij met het voorhoofd tegen het glas stond. Joop zag het beslaan. 'Bert was een ervaren schipper. De motor was onlangs nagekeken. Dat weet ik, want ik heb het gecontroleerd. Als het Uyltje hier ligt dan zorg ik er voor, maar dat heb ik misschien allemaal al daar in Den Haag verteld, na de begrafenis.' Swart zweeg even en wreef over zijn gezicht. 'Toch was er een explosie. Zie je dat konijn? Dat maakt het wonen zo aardig op dit eiland.'

Joop zag niets. 'Mooi, zo'n beest.'

'Je moet ze 's morgens zien als het licht wordt. Toch was er een explosie. Geen kleine ook. Een beetje wrakhout was alles wat ze van het schip terugvonden. Je moet er niet aan denken wat er met het lichaam ...' Zijn stem stierf weg. 'Nog bier?'

Joop nam snel een paar slokken, hoestte en kneep zijn neus dicht. 'Ik wacht even, dank u. Heeft niemand het jacht de lucht in zien gaan? Het barst nog van de toeristen.'

Swart draaide zich met een ruk om. 'Dat is het idiote. Niemand. Een paar Duitsers van een grote afstand. En Tjibbe natuurlijk, maar daar schoot niemand iets mee op.'

Joop vroeg zich af of hij de vraag moest stellen en deed het toch toen de pauze te lang duurde. 'Tjibbe?'

'Een van de vissers van het eiland. Heet Tjibbe van voren, maar ik betwijfel of hij zijn achternaam kent. Zal wel Bakker zijn, of Visser, of Van der Zee. Ze hebben hier van oudsher aardse namen. Hoe heet dat tegenwoordig: basaal. De Jong, Mulder, Boer, Drent, Schoenmaker. Ook veel Soepboeren. Waar dat toch vandaan komt. De compensatie zoeken we in de straatnamen. Melle Grietjespad, Hazeblom, Knuppeldam, Colijnholte. Tjibbe zag een bootje.'

Joop probeerde tevergeefs zijn mond te houden. Pure uitlokking, dat was het. 'Bootje?'

Swart glimlachte kort. Hij had het spelletje gewonnen. Kleine genoegens van een man op een klein eiland. 'De Duitsers zeiden dat ze in de verte vuur zagen, en rook. Tjibbe zei dat ook, maar hij had een bootje bij het Uyltje gezien. Nou kan dat best natuurlijk. Er zitten er meer op het water hier.'

'Waar was Suzan Venema eigenlijk toen Zoutkamp het water op ging?'

'Bij mij. Waar anders? We zijn naar Van der Werff gewandeld. Poosje gezeten, wat gedronken. Gepraat met andere vaste gasten. Tot het bericht kwam.' Handen omhoog, wangen bol, basisimitatie van een ontploffing. 'Het duurde een hele tijd voor ik haar wist te kalmeren. En dan heb je nog dat koffertje.'

Joop deed niet eens een poging. 'Koffertje?'

'Klein koffertje. Mooi ding, schijnt het. Suzan vertelde er

iets over toen we bij Van der Werff zaten, maar ik ben er toen niet op doorgegaan. Later hadden we iets anders aan ons hoofd. Ze ging niet met Bert mee omdat ze zich niet lekker voelde. Dat zei ze, maar het was ook omdat ze nijdig was. Niet de pest in, zo erg was het niet, maar helemaal lekker zat het niet tussen haar en Bert. Ze hadden een afspraak dat er in de weekeinden als ze samen naar de boot gingen niet over werk zou worden gepraat. Maar er kwam een man met een koffertje die Bert wilde spreken. Het leek officieel en de conclusie van Suzan was duidelijk: werk. Dat zat haar niet lekker. Schending van afspraak, zoiets.' Swart stond op. 'Tijd voor mijn wandeling.' Hij grijnsde. 'Maak je niet druk, we gaan de duinen niet in. Om deze tijd loop ik naar Van der Werff. Natuur is prachtig, maar ik moet wel af en toe mijn kruidenbitter.'

Joop liet zich onderweg de flora uitleggen ('Veel zeldzame orchideeën, zijn we zuinig op') en de fauna ('Grutto's, tureluurs, scholeksters, alles hebben we, om deze tijd van het jaar de ganzen, brandganzen, rotganzen') en maakte beschaafde geluiden bij het zien van de keurig onderhouden vissershuizen ('Veel authentieke sfeer, vraag maar na bij de VVV') en de hoge heggen tegen de wind. Het was boeiend, maar hij was blij toen Swart afzwenkte. 'Daar is het. Weet je wat vreemd is? Die man met dat koffertje was ook op Berts begrafenis. Ik heb hem gezien. Klein, besnord. Indo. Dik met de minister-president, hij stond heel wat af te kletsen met Hendrikse. Weet je wie ik bedoel?'

Joop wist het en als hij niet was gestruikeld over de drempel dan had hij 'Ja' gezegd.

'Anno 1726,' zei Swart om zich heen wijzend. 'Oudste hotel van het eiland. Met een echte ouderwetse gelagkamer, kijk maar in de folders.' Pas na zijn eerste bitter was hij terug op het spoor te krijgen. 'Wat zei je eigenlijk toen ik het over die Indo met die snor had?'

'Verdomme,' zei Joop, 'dat zei ik, maar dat kwam omdat ik bijna mijn nek brak over de echte ouderwetse drempel. Voor alle zekerheid. Gewoon om zeker te zijn. Wat moest die man dan bij Zoutkamp hier?'

'Geen idee. Volgens de havenmeester stond het koffertje in het Uyltje toen Bert uitvoer.'

'Zeker weten?'

Swart haalde zijn schouders op. 'Hij kent Bert. Helpt hem met de boot als het uitkomt. Waarom zou hij liegen. Koffertje, zei hij. Ik vroeg: Wat voor koffertje? Hij zei: Hoe moet ik dat weten, koffertje. Wat denk je: wordt het tijd voor een rondje?'

Joop zag het brede gebaar en rilde. 'Iedereen?' Hij zag de glimlach van Swart. 'Iedereen dus.' Hij bestelde, probeerde uit te rekenen wat het ging kosten en zette zijn ellebogen steviger op de tap. Binnenkort moest hij met Melle Hamer maar eens onderhandelen over zijn declaratiebudget. Swart zat breeduit, voeten op de grond, hoofd precies in een licht dat weerkaatste in de spiegel, met een iets fellere lamp zou er een halo zijn ontstaan.

'Suggereer je wat ik denk dat je suggereert?' vroeg Joop nadat hij de dank van de bezoekers in ontvangst had genomen; een dozijn knikken, twee duimen omhoog, geen overbodige geluiden, praters waren het niet.

Swart keek onschuldig. 'Suggereer ik iets?'

Joop probeerde rustig te blijven zitten, ontspannen, helemaal de man die een dagje uit is. 'Natuurlijk. Kennis van de minister-president met een koffertje. Geheimzinnig bootje met twee onbekende mannen. Ontploffing. Waar denk je dat het aan doet denken?'

'Aan van alles,' zei Swart, 'maar als je het hardop zegt dan klinkt het zo dramatisch. Fantastische kerel, Zoutkamp. Had ook echt belangstelling voor het eiland, leefde met ons mee, wilde wat voor ons doen. Ik bedoel...' Hij maakte zijn zin niet af.

'Ja,' zei Joop, 'dat bedoel ik ook. Er hangt altijd iets geheimzinnigs in de gelagkamers van oude hotels, dat zal het zijn.' Hij stond op. ' Toch zou ik de havenmeester wel even willen spreken. En die Tjibbe. Over een paar uur gaat de laatste boot, dus misschien kun je meelopen en me introduceren, dat praat makkelijker.'

Swart drukte hem terug. 'Je treft het.' Hij wenkte en een man stond op. 'Waarom denk je dat ik je een rondje liet geven? Dat is de man die over het jachthaventje gaat. Tjibbe komt straks. Hier op het eiland kennen we elkaar.'

Hij stond op en liep naar een tafeltje in de hoek 'Praat makkelijker.' Hij wachtte tot de havenmeester was aangeschoven en noemde snel de namen. Joop herkende die van hemzelf, die van de havenmeester klonk als Gotze Klontje, maar dat kon zijn omdat zijn hersenen weigerden een naam als Kotze Kontje te verwerken.

'Nog een rondje,' stelde Swart voor en Joop knikte. Hij keek opgelucht toen bleek dat het een rondje voor drie personen zou worden.

'Rustig?' vroeg Swart.

'Rustig,' zei de havenmeester.

'Het wordt minder om deze tijd.'

'Veel minder.'

'We gaan de winter in.'

'Dat zeggen ze.'

Joop kreeg het gevoel te worden buitengesloten. 'Stormt het hier vaak?'

Swart trok zijn wenkbrauwen op, de havenmeester zei: 'Storm?'

'Wind,' zei Joop. 'Golven. Last van mijn buik op die boot. Storm.'

De havenmeester keek lang naar de kruidenbitter en nam een teug van een druppel of drie, Swart legde uit dat de zee spiegelglad was geweest, al was er nu een windje aan het opsteken. Klein windje, als je bonen at produceerde je meer. Eigenlijk was het meer een zuchtje. 'Joop Meijer hier schrijft een boek over Bert,' zei hij tegen de havenmeester en Joop begreep dat de inleiding voorbij was. 'Ik heb hem verteld over de man met het koffertje.'

De havenmeester keek opnieuw naar het glas. 'Geen man gezien.'

'Wel een koffertje?'

De havenmeester knikte en net toen Joop zich afvroeg of het geen tijd werd om een luchtje te gaan scheppen, kwam de eerste echte zin. 'Mooi koffertje ook, echt leer volgens mij, stond naast de mast, anders had ik het niet gezien.'

Swart beschreef de man die het koffertje bij zich had gehad en Joop begreep uit de reactie dat de havenmeester hem niet bij het Uyltje had gezien, maar dat hij hem wel naar de veerboot had zien lopen. Zonder koffertje, dacht hij.

Een kruidenbitter later stond de havenmeester op. 'Werk.'

Swart knikte, Joop zuchtte. 'Is dat een toer die jullie bouwen voor mensen van het vasteland of gaat het hier altijd per lettergreep?'

'Wacht maar tot Tjibbe er is,' zei Swart. 'Dat is pas een stugge.'

De visser kwam na het vijfde rondje en Joop wist toen al geruime tijd dat de terugtocht dramatische kantjes zou hebben. Hij voelde steken in zijn maag en als hij hikte dan proefde hij de scherpe smaak van de kruidenbitters en de bittere smaak van het gal. Hij zat over die combinatie na te denken, terwijl Swart de achtergronden van Tjibbe schetste. Wat hij ervan onthield waren de trefwoorden alcoholicus, duvelstoejager en jutter. Hij schrok op toen Swart een zin herhaalde en groef de woorden op uit zijn geheugen. 'Ik hoor het. Hij is vijfendertig, maar ziet er uit als vijfenvijftig.'

‘Het is maar dat je het weet als hij vraagt hoe oud je hem schat.’

‘Doet hij dat: zijn leeftijd vragen?’

‘Niet iedereen heeft een vrolijke dronk,’ zei Swart. ‘Ik zal het woord wel doen.’

En de antwoorden vertalen, dacht Joop een kwartier later. Hij leunde zover achterover als hij kon om uit de walm van Tjibbe te blijven en begreep waarom Swart waarschuwend had gekeken toen hij een sigaret op wilde steken. Open vuur was verboden in de buurt van de visser die schrijlings op zijn stoel zat, armen over elkaar op de leuning, kin op een onderarm, neus vol blauwrode adertjes vlak bij zijn trui die vlekken vertoonde op de plaatsen waar hij na elke snuif met zijn bovenlip langs wreef. Joop verstond niet een van de woorden die hij sprak.

‘Eilanders,’ zei Swart ter verklaring. ‘Schiermonnikoogs Fries. Ik praat je wel bij. Zorg jij maar voor de drank.’ Dat deed hij en het ging snel. Tjibbes gemiddelde lag op ongeveer vijf woorden per glas en met elk woord kwam speeksel mee.

‘Dit gaat over het vissen,’ zei Swart. ‘Het zit niet lekker met de kokkels. En het jutten valt tegen. Er valt niks meer van de schepen, vandaag de dag.’

Joop voelde zich opnieuw buitengesloten. ‘Maak jij dat op uit de acht woorden die hij heeft gesproken?’

‘Stil,’ zei Swart. ‘Alleen luisteren. Je moet hem niet van de wijs brengen. Het bootje, Tjibbe.’

De visser dronk zijn glas leeg, zette het zorgvuldig naast de andere, zuiver op een rij en mompelde nog wat onverstaanbaars.

‘Precies wat ik je vertelde,’ vertaalde Swart. ‘Bootje. Volgens hem met twee mannen. Een tijdje voor de explosie.’ Hij vroeg iets in een dialect waar Joop niet van terug had. ‘Minuut of wat ervoor. Kunnen best passanten zijn geweest. Mensen maken graag een praatje als ze op het water zijn.’

Maar misschien waren het ook de waanvoorstellingen van een doorgewinterde innemer, bedacht Joop. Wie weet wat Tjibbe allemaal zag met zijn van alcohol doordrenkte blik. Straks zou hij zelf weer naar de overkant moeten, weer die bonkende zee op.

Hij deed zijn best de rest van het gesprek geduldig uit te zitten en vond dat hij daarin redelijk was geslaagd.

Swart had iets teleurgestelds toen ze buiten stonden. 'Je gaat?'

Joop keek naar de drempel en probeerde in evenwicht te blijven. 'Godver. Kruidenbitter na bier, hoort dat eigenlijk?'

'Wel als je tegen drank kunt.'

Joop keek verontrust naar de lucht en deed een paar passen de verkeerde kant op. Swart stuurde hem bij, legde uit waar hij langs moest en zei uiteindelijk dat hij mee zou lopen, hetgeen betekende dat hij vooruitliep, met stappen van een meter waar geen bijhouden aan was. Joop wist dat hij ergens iets verkeerd had gedaan, maar kon er niet op komen. De coördinatie tussen hoofd en maag was een beetje zoek en zijn voeten wilden steeds de verkeerde kant op.

'Weet je zeker dat je dit wilt?' vroeg Swart toen ze bij de boot waren.

Joop keek naar het donkere water en zag in gedachten de koppen op de golven die buitengaats op hem lagen te wachten. Zijn maag trok er door samen. 'Dit noem je geen storm?'

'Wij niet, jij wel. Blijf je of ga je terug?'

'Blijven?'

'Ik dacht eigenlijk dat je was gekomen om iets te horen over Bert en mij.'

Dat was wat hij verkeerd had gedaan. Te veel ongeluk, bitter en Tjibbe, te weinig Swart en dus te weinig Zoutkamp. Op die manier kwam hij nooit aan de belangrijke ingrediënten voor een mooie biografie. Hij wilde weg van het eiland, maar de noodzaak om op korte termijn lange verhalen te horen in een rustige kamer met uitzicht op zand werd groter bij elke blik op het water. 'Kan dat?'

'Tenzij je liever met de boot wilt.'

Joop zag het voor zich. Slingerende boot, wilde golven, kruidenbitter over de reling en wedden dat hij niet met de wind mee spuugde. De huiver liep over zijn rug.

'Nou dan,' zei Swart. 'Je kunt bij mij slapen, dat scheelt een hotel. Als er al een kamer vrij is. Tot en met de Duitse herfstvakantie zit alles meestal vol.'

~

'Wat je zou moeten doen,' zei ze, 'is een stel struiken rooien. Kan ik tenminste een stuk van de plas zien. Villa aan het water, noemen ze dat. Ik zie verdomme alleen maar takken. En bladeren. Je zou zeggen dat in de herfst het blad eraf valt, maar nee hoor, hier weer niet. Eeuwig groen in plaats van golven.'

'Kribbig?' vroeg hij.

Ze draaide zich met een ruk om. 'Zei je kribbig? Wat is dat voor een woord? Opgesloten. Ik durf niet eens naar buiten.'

'Niemand kent je hier.'

'Hoe weet jij dat? Je zou daarachter eens wat struiken moeten weghalen of ze met wortel en al uit de grond scheppen en aan de zijkant zetten. Luxe villa's staat in de advertenties van de makelaars, nou, ik noem het luxe kijkdozen, grond genoeg, maar geen enkele privacy.'

Hij zat op de bank waar je precies languit op kon liggen en klopte zacht op het leer. 'Hier ziet niemand je.'

'Daar zie jij me en je weet wat er van komt.'

Hij liet zijn tanden zien, keek trots. 'Als je een betere

manier weet om de dag door te komen... Of zal ik naar Leiden gaan?'

Ze schikte de luxaflex en liep naar hem toe. 'Als er één plaats is waar je je niet moet vertonen, dan is het Leiden wel.'

Hij bewoog zijn schouders, zette de televisie op een ander net en keek naar een dominee met zweet op de bovenlip, armen wijd, hoofd omhoog, mond wijd genoeg open om te laten zien dat er weinig plaats was voor nog een gouden tand. 'Zonder geluid zijn dit leuke uitzendingen,' zei hij. 'Straks gaan ze zingen. Dat doen ze bij die Amerikaanse diensten, daar zingen ze veel. Dat is nog leuker, al die monden die open en dicht gaan en dan zelf de tekst bedenken. Ik wil die foto's hebben, ik wil weten wat er precies op het rolletje heeft gestaan.'

Ze ging tussen hem en het beeld staan. 'Anneke staat erop, en dat kind van haar, ga daar nou maar van uit. Wat zou er nog meer op moeten staan?'

Hij stak zijn armen uit en bleef zo zitten tot ze net genoeg naar hem toe kwam om zich te laten beetpakken.

'Het gaat om het zeker weten. Ik kan er niet tegen als de zaken niet duidelijk zijn. Dat heb ik altijd gehad. Stilzitten is niks, je moet bewegen zeg ik altijd.'

Ze friemelde tot een hand tussen hen in zat. 'Volgens mij ben jij plaatselijk aardig aan het bewegen. Als er iets alarmerends op het rolletje had gestaan dan hadden we dat al wel gehoord.'

'Hoe dan?'

'Weet ik dat. De radio, de krant. Het stomste wat je kunt doen is je in Leiden laten zien.' Ze had de rits open. 'Vooral nu.'

Hij liet zich achterover zakken. 'Ik had het niet over nu, ik had het over vijf minuten.'

'In vijf minuten red jij het niet, na vanochtend. En vannacht. We houden ons een weekje rustig en gaan dan weg.'

Ze keek op toen ze twee plofjes hoorde. 'Wat doe je nou toch?'

'Ik doe mijn schoenen alvast uit.'

'Je schoenen? Wat denk je van die verrekte dominee die staat toe te kijken terwijl jij onder mijn jurk zit.'

Ze keken naar de televisie en schoten in de lach toen een koor in beeld kwam. Hij deed een greep naar de afstandsbediening, maar ze was hem voor en toen ze 'hallelujah' zei, vond hij dat zo leuk dat hij haar van hoofd tot voeten bezoende, geen plekje vergetend.

'Begrijp jij nou hoe je van een paar kleren zo'n zooitje kunt maken,' zei hij loom.

Ze blies zacht in zijn nek. 'Ik snap niet hoe het komt dat we niet van de bank zijn gevallen.'

'Pure techniek. Ik zou wel een sigaartje lusten.'

'Ik melk. Of chocola. Of peppillen. Iets met energie in elk geval.'

Hij liet zich van de bank glijden, maar hield haar borsten vast. 'Zonder pillen redden we ons uitstekend. Zo blijven liggen, dan haal ik een sigaar en sherry.'

'En dan?'

'Dan ga ik een kwartiertje naar je kijken. Gewoon kijken, zien hoe mooi je bent.'

Ze lachte tevreden. 'Je bent lief. Straks gaan we plannen maken. Wat we gaan doen met al het geld en zo.'

Hij gaf een klopje op haar buik en op het toefje schaamhaar dat de bikinilijn had overleefd. 'Over een paar dagen kunnen we niet meer op onze benen staan.' Het klonk trots.

'Wees dan maar blij dat je niet naar Leiden hoeft. We houden ons rustig en over een week gaan we weg en dan kunnen ze hier allemaal barsten.'

Dat zei ze, maar terwijl ze naar hem keek terwijl hij de kamer doorliep (strak voor een veertiger, die billen) vroeg ze zich af wanneer ze hem zou vertellen dat ze eerst nog even naar Kaapstad moest.

~

Drie kwartier op het toilet van de veerboot, onderweg twee keer de auto uit om over te geven en een keer voor diarree (waar waren de greppels als je ze nodig had?), anderhalf uur we-gaan-allemaal-tegelijk-naar-huis file en dan ook nog een boodschap van een kersverse weduwe.

'Chris is dood. Bel me maar. Als je wilt.' Tussen 'bel me maar' en 'als je wilt' zat een pauze, maar het ging niet om de pauze, het ging om de suggestieve klank van de stem en die was duidelijk. Komen, er moet worden getroost. Misschien was het een persoonlijke interpretatie vertekend door te veel wind, golven, Schiermonnikoogse tongval en enkele maanden onthouding (dat laatste vooral), maar hij kon er niets anders van maken.

Joop dronk water, drukte voorzichtig tegen zijn maag en hoopte op een pijntje.

Ik wil wel, maar ik ben ziek, zeeziekte, te veel drank, schorre keel, ik denk dat ik maar naar bed ga. Dat zou hij moeten zeggen als hij belde, maar veel beter kon hij het telefoontje van Anneke vergeten. Niets doen voorlopig, hij kon altijd nog zeggen dat hij later was teruggekomen dan hij had verwacht. Dat hij afspraken had. Dat hij zijn aantekeningen moest uitwerken. Dat was verdomme nog waar ook, van die aantekeningen, als hij lang wachtte zou hij ze niet meer kunnen lezen, altijd hetzelfde. Voor hij ladderzat in het logeerbed van Swart was gedonderd, had hij zijn gastheer nog proberen uit te vragen over Zoutkamps relatie met Suzan en andere *human interest* om de biografie straks mee op te fleuren, maar nu al kon hij zich nauwelijks iets van de antwoorden herinneren. Wel dat Bert en Suzan inspirerend gezelschap waren geweest, dat ze bij Van der Werff graag geziene gasten waren. En dat Bert graag de Grote Volksschrijver met wie hij bevriend was, mocht citeren. Joop herinnerde zich opeens wel dat hij zelf toen schommelend overeind had willen komen, wat niet lukte, maar wel een paar onvolmaakte regels had kunnen declameren die de schrijver aan de kater had gewijd. Hij zocht het boek in zijn kast. Els had het gelukkig niet hebberig geconfisceerd bij de boedelscheiding. Het was het 'gedicht voor Jan W. Jonker'. Wie Jan W. Jonker was, wist Joop niet, misschien wel de trotse bezitter van een volledige vergunning. Hij las de tekst: 'Stel je voor dat de kater niet bestond./ Dan was alles nog veel erger./ Dan zou je nooit een kater krijgen,/ terwijl je die nu wel krijgt./ Het is dus toch wel goed zoals het is. Prijs God.'

Nader tot U, ja, maar hoe kwam hijzelf nader tot Zoutkamp? Van de om het leven gekomen politicus was bekend dat hij hem in de eerste periode van zijn burgemeesterschap ook flink had geraakt, maar hij had een of andere cursus gevolgd bij een kliniek of zo om volledig van de drank af te raken. Na zo'n dag als gisteren bedacht Joop elke keer weer dat hij misschien ook zoiets zou moeten doen. Maar ja, dan zou hij nooit meer een kater krijgen, terwijl hij die nu wel kreeg!

Over Lancee hadden ze het ook helemaal niet gehad. Stomweg vergeten. Als hij op die manier doorging, verknalde hij zijn hele opdracht en dan werd zijn financiële situatie wel zeer penibel. Hij had een fors voorschot bedongen bij Hamer, maar het tweede deel zou hij pas krijgen na acceptatie van de eerste versie van het manuscript. Als er tenminste ooit een manuscript kwam. Even hoorde hij een echo van de kijverige stem van Els, die informeerde waar de alimentatie bleef en wanneer hij het geld voor het schoolreisje nou eindelijk eens overmaakte.

Joop ging zitten en staarde voor zich uit. Toen kwamen de vragen. Over Bert Zoutkamp en het ongeluk met de boot. Over Chris Geerlings. Had het overlijden van Chris iets met het ongeluk van Zoutkamp te maken? Hoezo plotseling dood? Waar dood? Op welke manier dood? Daarvoor moest hij naar Anneke.

Hij hield zijn hoofd onder de kraan en stootte zijn kruin toen hij zich oprichtte. Een straaltje liep via zijn nek langs zijn rug en hij vloekte oprecht en onverveerd. Omdat het opluchtte ging hij er mee door, lekker uit de grond van zijn hart en ongeremd. In het appartement boven hem werd op de vloer gestampt. Te ongeremd was niet goed in de na-oorlogse Nederlandse bouwsels.

Dat was dus afgesproken, hij zou naar Anneke gaan, hij moest weten wat er met Chris was gebeurd, het troosten zou er eventueel bij komen, maar daar ging het niet om, het werk kwam eerst.

Hij at oud brood, dronk melk die over de datum was maar kikkerde er wel van op, zodat hij besloot zijn e-mail bij te lezen.

Of hij zijn abonnement wilde uitbreiden, vroeg zijn provider, speciale aanbieding. Of hij gebruik wilde maken van een aandelenemissie, vroeg zijn bank. Of hij zijn antivirusbestand wilde actualiseren, vroeg het antivirusbedrijf. Of hij volgende week wel zijn kinderen zou willen ophalen, vroeg Els, de Verschrikkelijke, Meedogenloze Els.

Het laatste bericht was de moeite waard.

'Zo, ouwe kerel. De foto's waar jij je hand op hebt gelegd – wedden dat je ze hebt gejat, haha – zijn gemaakt in een wijk aan de rand van Kaapstad. Een dure wijk, ver boven jouw prijsnivau, geloof me maar, met uitzicht op de Tafelberg. Het staat op een *compound*, je weet wel, met een slagboom met bewaking en zo. In het huis waar jij een oogje op hebt zit een Nederlander, Rob Leeuwenstein heet-ie, ik heb het voor je nagevraagt en dat heeft me een paar borrels gekocht en vier flappen van tien. Een wat ouwere vent die er net een paar weken zit en nu iets in Nederland schijnt te regelen. Iets met zijn vrouw daar of zo. Als je meer wilt weten mail je me maar, ik stuur je wel een overzicht van de omkosten, haha, alsof jij die ooit gaat betalen. Doe de groeten aan Max en Milan van ome Erik.'

Onder het bericht stond een computerhandtekening:

Erik M. van Oosterom, Business consultant/Real estate broker

'Scharrelaar,' mompelde Joop. 'Scharrelconsultant, maar hoe vertaal je "scharrel"?'

Hij printte het bericht en herlas het, terwijl hij zijn ogen om de taalfouten en de toffejongensstijl liet heen zeilen. Leeuwenstein. Een oudere vent die weer even naar Nederland was. Hoeveel Leeuwensteinen waren er eigenlijk?

Hij bedacht een opzetje voor een reactie, maar besloot een dag te wachten. Te veel feiten in te korte tijd en bij twijfel onthoudt u. Dat laatste, onthoudt u, was goed. Vooral als het om Anneke ging, maar hoe kwam hij dan te weten of ze nog iets van een Leeuwenstein had gehoord of gezien?

Hij pakte de hoorn, toetste drie cijfers, legde de hoorn neer. Anneke bellen was niks. Als ze zou zeggen: 'Waarom kom je niet even,' dan zou hij gaan en als ze het niet zou zeggen dan was hij kennelijk niet welkom.

Hij ging naar de wc, merkte dat hij kon plassen zonder zijn billen stijf tegen elkaar te knijpen en voelde zich opgelucht. Zie je wel, als je thuis was had je nergens last van, nog even en hij zou de wereld weer aan kunnen. Hij keek naar beneden en probeerde met het laatste beetje een naam in de pot te schrijven. 'Wed …' Toen was het op, maar de rest dacht hij erbij: '…uwentrooster'. Na een weekeinde Schiermonnikoog was een mens toe aan een verzetje. Hij zou naar haar huis kunnen gaan en kijken: als alle lichten uit waren dan zou hij teruggaan en kon hij morgen altijd nog zien. Zo zou hij het aanpakken.

Hij was bij de deur toen hij zich bedacht. Bellen, dat was het beste.

'Met mij, ben je nog op?'
'Fijn dat je belt. Ik kan niet slapen. Chris is dood.'
'Wat lullig. Ik bedoel: sorry, verschrikkelijk. Ik hoorde het op de voicemail. Een ongeluk?'
'Kogel. Terwijl hij zat te ... Hij zat op de wc of hoe ze dat daar noemen. Ze kwamen het vanmorgen vertellen. Mieke was er niet, en ik wilde iemand bellen en toen dacht ik aan jou, vind je het gek?'
'Tuurlijk niet. Zeg... eh, ik begrijp dat nu waarschijnlijk je hoofd er helemaal niet naar staat, maar ik weet wat meer over de foto's uit Kaapstad. Het huis is van iemand die Leeuwenstein heet.'
'Leeuwenstein,' zei ze.
'Ja, precies. En die man die in De Doelen logeerde, dat was dus ook een Leeuwenstein. Volgens mijn zwager was het een wat oudere man. Hij zou een tijdje in Nederland zijn. Dat klopt helemaal. Hij zou hier iets regelen of zo. Iets met zijn vrouw.'
'Iets regelen?' vroeg Anneke. 'Hij maakte verdomme foto's van Bertje en mij. Wat had-ie in godsnaam met ons te regelen? En bij dat hotel was er weer een andere Leeuwenstein, dat weet je.' Haar stem klonk schril en lichtelijk overspannen.
Helemaal van de kaart, natuurlijk, dacht Joop. Sprak vanzelf. Haar man doodgeschoten op een weinig verheffende locatie, met de broek op zijn enkels.
'Eh... gaat het?' vroeg Joop.
'Wat? Ja., sorry. Ik moet steeds weer aan Bertje denken en dat hij helemaal geen vader meer heeft, geen opa en geen vader.'
Joop meende een inviterende bijklank in haar stem te horen en waagde het erop. 'Zal ik langskomen?'
'Doe maar.'
Ineens kreeg hij haast.

In de auto zittend drong het pas tot hem door. Hij knipte de lichten uit en gaf een tik tegen het schakelaartje van de binnenlamp. Langzaam duwde hij het portier open en zo zacht als hij kon liet hij zich naar buiten glijden.

Zo zacht als hij kon.

Glijden uit een auto waarvan de scharnieren piepten en de veren kreunden.

Aan de overkant van de straat zag hij een beweging. Een gestalte was een ogenblik te zien in het licht van een lantaarn en verdween in het donker.

Werd hij gevolgd? Door wie dan? Hij bleef roerloos staan en luisterde of hij voetstappen hoorde. Niets, alleen het verkeersrumoer op de achtergrond en de hond die hem elke nacht wel een keer uit de slaap haalde, klein hondje, grote bek, met een geluid dat tot de grenzen van de gemeente moest reiken. Hij was benieuwd wanneer iemand dat kreng nou eens zou vergiftigen.

Meer dan een minuut bleef hij staan, lang genoeg om zichzelf te overtuigen. Natuurlijk werd hij niet gevolgd. Wie zou hem moeten volgen? Hij liet zich terugzakken op zijn stoel, startte en reed weg.

Joop Meijer, trooster van weduwen en wezen.

Jezus Christus.

5

VOOR ZIJN BED stond een kleine, donkere man met een snorretje naar hem te kijken. Joop probeerde overeind te komen, maar dat lukte niet. Tot zijn schrik zag hij de snor langzaam maar zeker uitgroeien tot een monster met grijparmen die langer en langer werden en hem dreigden te smoren. Hij schreeuwde terwijl hij vocht voor zijn leven, maar de uiteinden van de snor slingerden zich als de armen van een enorme octopus rond zijn lichaam en trokken hem de afgrond in.

Vloekend en half jankend vond hij zichzelf terug op de grond naast zijn bed, gewikkeld in zijn dekbed en worstelend als een gek om zich daaruit los te maken. Naakt en bezweet stond hij eindelijk weer op zijn benen. Tot overmaat van ramp keek hij per ongeluk in de spiegel die naast het bed hing. Snel greep hij zijn ochtendjas, om zijn lichaam te verbergen. Door zijn hoofd flitsten de fantasieën over Anneke die hij aan het begin van deze nacht had toegelaten. Hij dankte god dat ze hem zo niet zag met dit fletse, wat vadsige, zweterige lichaam. Misschien ging hij er wel te vanzelfsprekend vanuit dat vrouwen op hem vielen. Alleen veroveringen telden, voor lul staan niet, want dan lag het aan zo'n vrouw; dat wreef zijn vorige vriendin – de derde serieuze na Els – hem onder zijn neus voordat ze hem dumpte. Je hebt geen benul van vrouwen, en hoe ze jou zien, had ze gezegd. Je denkt veel te vaak dat we huilerige en afhankelijke dingetjes zijn, ongelooflijk gecharmeerd van jou. Waar haal je dat toch vandaan?

Daar moest Joop ineens aan denken en dat allemaal door

die verdomde groeisnor. En die spiegel, natuurlijk. Hij liep snel naar de badkamer, terwijl hij de onaangename gedachten van zich af schudde en onder de douche stapte.

K-for militair door Servische kogels gedood, las hij een half uur later in de krant. De verdiensten van Chris Geerlings werden breed uitgemeten en het bericht eindigde met de mededeling dat de majoor in zijn eigen kamp op weg naar de latrine door sluipschutters was doodgeschoten. Niet echt een heldendood.

Joop koesterde geen tedere gevoelens voor de majoor, van wie hij alleen de stem kende door die twee telefoongesprekken die hij voor Anneke had aangenomen. Kortaf, beetje een commandostem. Misschien logisch als je vanaf het slagveld – bij wijze van spreken – naar huis belt en twee keer een vreemde kerel aan de telefoon krijgt. Annekes stem had toen trouwens ook niet echt liefdevol geklonken. Zoals ze 'Ja, ik mis je ook,' had gezegd, alsof het om een gebruiksvoorwerp ging dat ze ergens had laten slingeren.

Jezus, er viel niets te grijnzen. Hij mocht wel eens wat meer respect opbrengen voor de majoor, al was het postuum. Misschien zat er onder dat uniform van Chris een mooi stoer en toch gevoelig lichaam en was hij heel creatief in bed. Ophouden nu, met die gedachten. Hij zette een grote pot koffie en ging achter zijn bureau zitten om zich voor te bereiden op het interview met Suzan Venema.

De vraag was of ze veel te vertellen had. Tenslotte waren zij en Zoutkamp nog maar drie jaar getrouwd. Eigenlijk moest hij bij de eerste vrouw van Zoutkamp zijn voor interessante informatie over de mens Zoutkamp. Josien Wieldraaijer hield het nu nog af, maar wie weet. Soms werden weduwen ineens erg loslippig. Kon je Josien weduwe noemen? Hij verloor zich even in bespiegelingen over die vraag.

Bij het ordenen van zijn aantekeningen stuitte hij natuurlijk op die besnorde Indische octopus, die op Schiermonnikoog gesignaleerd was met een koffertje en die hij al eerder gezien had tijdens de tenaardebestelling van de schamele overblijfselen van Bert Zoutkamp. Over hem zou Suzan hem meer kunnen vertellen, want als hij zelfs op hun vakantieadres op bezoek kwam, dan moest hij een goede bekende van de Zoutkampjes zijn.

~

Ineens was ze weduwe. Het zal je maar gebeuren; in één klap je levenspartner en vader van je baby kwijt. Verschrikkelijk, toch? Maar het lukte Anneke niet echt verdrietig te worden. Oké, ze had gejankt, maar dat was meer van woede.

Het kan niet allebei tegelijk, had Mieke gisteren over de telefoon gezegd; word eerst maar eens goed kwaad.

Dat had Mieke geweten. Anneke was als een gek tegen haar gaan schreeuwen, vervolgens had ze haar woede toch weer gericht op Chris, zijn belachelijke vertoning als militair, zijn uniform, zijn plichtsbesef, zijn onverschilligheid jegens haar, enzovoort, twintig minuten ongeveer en daarna liep de ruimte die de woede vrij had achtergelaten vol met verdriet, en huilde ze, dit keer met volle overgave.

De volgende ochtend kwam haar moeder op de koffie. Josien was echt gesteld geweest op Chris. De eerste degelijke vrijer van haar dochter. Een flinke man, doortastend, kon verantwoordelijkheid dragen, man om op te bouwen. Anders was hij niet als K-FOR-militair naar Kosovo gestuurd. Daar gingen alleen maar echte kerels heen.

'Je zou eens trots op hem moeten zijn. Weet je wie mij gisteravond laat nog belde?'

'Geen idee.'

'Onze minister-president.'

'Hendrikse?'

'Om je te bedanken voor het offer dat je hebt gebracht.'

'Ik?'

'Ja, voor het Vaderland. En ik ook, natuurlijk, mijn enige schoonzoon en de vader van mijn kleinkind. En hij was heel aardig en zorgzaam.'

'Wie?'

'Wout Hendrikse, natuurlijk, oom Wouter. En we hebben nog gepraat over vroeger, toen je vader en ik nog bij elkaar waren en we goed bevriend waren met Wout en Trudie. Hij is zo eenvoudig gebleven, Wout, terwijl hij tot het hoogste ambt is geroepen.'

'Nou, geroepen...'

'Als je vader niet door die kakmadam bij mij was weggelokt, dan had hij Wouter kunnen opvolgen. Besef je dat wel? Dan had hij nog geleefd en was hij nog steeds de kroonprins van de Partij, aanstaande lijsttrekker, mogelijk toekomstig minister-president.' Ze zei het alsof ze hem alsnog op het bordes naast Beatrix zag staan.

'Mam, hou op.'

Anneke was bezig Bertje in zijn jasje te helpen, in de hoop hem zo snel mogelijk met oma en al de deur uit te werken voor een mooie wandeling. Ze werd gek van Josien als die over haar vader begon.

Maar Josien was nog niet klaar. 'Je zult toch even naar me moeten luisteren, kind. Wout heeft me een boodschap voor jou doorgegeven, naast de condoleances, natuurlijk.'

Anneke liet zich met Bertje weer op de bank zakken. Gelaten keek ze naar Josien, die op de punt van haar stoel zat.

'Het gaat over die journalist, Joop Meijer.'

Anneke zette zich schrap.

'Ja. En?'

'Oom Wouter wil liever niet dat je met hem praat.'

'Waarom niet? Joop Meijer schrijft een biografie over papa. Lijkt me een aardige, betrouwbare man. Hij wil graag wat foto's uit het familiealbum...'

'Wout denkt dat Joop Meijer op iets anders uit is. Je weet toch dat je vader ervan is beschuldigd wat slordig met gemeentegeld om te gaan? Met mijn huishoudgeld deed hij dat ook al. Daarom is hij met die verschrikkelijke Suzan getrouwd.'

'Mam, wacht even. Je haalt alles door elkaar. Wat zei Hendrikse precies?'

'Dat je niet meer met Meijer mag praten omdat hij erop uit is je vader en de partij door het slijk te halen. Dat is zijn belangrijkste doelstelling: roddels en sensatie. Hij lijkt misschien heel aardig, maar vergis je niet. Mannen!' Ze sloeg haar ogen in wanhoop op naar het plafond.

Bertje begon te huilen. Hij lag al klaar voor een wandeling met oma en nu sloeg zijn moeder onverwacht en te stevig haar armen om hem heen. Hij probeerde zich los te werken, maar gelukkig redde zijn oma hem uit de beklemming en nam hem op schoot.

Anneke stond op. Onaangenaam getroffen. Natuurlijk waren journalisten op zoek naar incidenten die toegedekt bleven vanwege landsbelang of partijbelang. Maar de vraag was wat Joop van haar wilde. Misschien had hij inderdaad een dubbele agenda. Was hij bezig haar in te palmen om haar allerlei opzienbarende gegevens over haar vader te ontfutselen? Víel er wat te ontfutselen?

Anneke ging voor haar moeder staan, die wat hulpeloos omhoog keek naar het kwade gezicht van haar dochter: 'Is het waar, mam, zijn er dingen die niet bekend mogen worden? Geheimen, zal ik maar zeggen.'

Josien sloeg haar ogen neer en knikte. 'Natuurlijk is er altijd wel wat.'

'Wat dan?'

'Daar praat ik liever niet over. In de politiek moet er weleens iets geregeld en geritseld worden. Dat kan nu eenmaal niet anders. En die Joop Meijer gaat net zo lang wroeten en peuren tot hij alles boven water heeft. En daar heeft hij jou voor nodig. Hij gebruikt je, kind.'

Anneke antwoordde niet. Ze keerde zich van haar moeder af en viel terug op de bank.

Langzamerhand voelde ze zich weer kwaad worden, maar deze woede was niet gericht op haar vader en ook niet op wijlen haar echtgenoot. Ze had gedacht dat Joop Meijer een soort vriend was, tenminste iemand die ze kon vertrouwen. Maar hij probeerde alleen maar van haar te profiteren.

'Klootzak!' riep ze.

'Ja, kind, je hebt het niet getroffen met je vader,' zuchtte Josien.

~

Suzan Venema's profiel kwam buitengewoon goed uit in de deuropening van het statige huis op de Prins Mauritslaan. Alvorens Joop Meijer de laatste hardstenen trede nam, bleef hij even naar haar staan kijken. Suzan glimlachte. Joop keek bewonderend naar haar op, terwijl hij besefte dat soortgelijke scènes zich veelvuldig op deze stoep moesten hebben afgespeeld.

Ze ging hem voor door de marmeren gang, opende een zware, eiken deur naar een fraai en toch doelmatig ingericht vertrek, met een prachtige lichtval door de hoge ramen en gemeubileerd met een aantrekkelijke mengeling van antiek en modern meubilair. Suzan nodigde hem uit te gaan zitten in een comfortabele fauteuil.

'Bevalt het u hier?' vroeg ze, weer met die Mona Lisaglimlach, haar hoofd enigszins schuin. Een houding die niet anders dan bevestiging verwachtte.

Hij keek haar aan. Ze had het soort gebeitelde schoonheid die intrigeerde en daardoor aantrekkelijk was. Maar je wist nooit precies wat daarachter school.

Ze wachtte zijn antwoord niet af, maar liep naar een tafeltje waarop een koffiekan stond met toebehoren. Suzan schonk koffie. God wat schonk die vrouw mooi koffie.

'Ik heb niet veel tijd,' zei ze nadat ze met haar kopje op de punt van de bank was gaan zitten. 'Bovendien... Nou ja, u begrijpt.'

'Natuurlijk, mevrouw, u heeft een zwaar verlies geleden.'

Misschien was ze toch kwetsbaarder dan hij dacht, want hij zag haar ogen vochtig worden. Jammer dat ze niet ging huilen. Misschien had hij dan naast haar kunnen schuiven, zijn arm om haar heen kunnen leggen om haar te troosten. Die rol was hem wel toevertrouwd.

Maar ze stak een sigaret op en hij was te laat om haar vuur te geven.

'Bert en ik hebben drie gelukkige jaren gehad, samen,' stelde ze vast, 'en daar zal ik altijd met dankbaarheid aan terugdenken.'

Ze vertelde dat haar man, en zijzelf natuurlijk met hem, het er zo moeilijk mee had dat Anneke haar vader niet meer wilde zien, en dat het heel verdrietig was dat hij nu het naar hem vernoemde kind niet had mogen kennen.

Toch een snik.

'Ach, wat kan ik u verder vertellen,' vervolgde ze. 'Ik heb besloten terug te gaan naar de Verenigde Staten. Daar ben ik opgegroeid, daar heb ik gestudeerd, ik heb er gewerkt.'

'Nieuwe start?'

'Ja. Misschien kan ik daar opnieuw beginnen. Weg van alles dat me aan Bert herinnert. Weg van alles dat me zo dierbaar is, maar wat ik zonder zijn aanwezigheid, zijn warmte, zijn liefde niet kan verdragen.'

Ze keek hem met vochtige ogen aan. 'Kunt u dat begrijpen?'

Joop knikte geroerd.

Ze schonk nog een kopje koffie in.

Joop begon te beseffen dat hij door zijn gevoeligheid voor deze mooie dappere vrouw ver verwijderd was geraakt van het doel van dit bezoek. En toen hij dat eenmaal had bedacht, was hij in staat het romantische waas over zijn hersenen weg te trekken, rechtop te gaan zitten en aan het werk te gaan.

'U zult Schiermonnikoog wel missen?'

'Natuurlijk, de heerlijke, ontspannen weekends die we daar hebben doorgebracht. De zee rondom ons, de stilte. Het was ons paradijs. Hoe is het mogelijk dat daar juist dat verschrikkelijke ongeluk...'

'Het is onbegrijpelijk,' beaamde Joop. 'En wat een geluk dat u niet ook aan boord was.'

'Een geluk bij een ongeluk, dat kunt u wel zeggen, maar soms denk ik dat ik beter samen met hem...'

'Dat zou hij niet gewild hebben,' haastte Joop zich te zeggen.

Ze keek hem dankbaar aan.

'Er is nog iets dat ik u vragen wil,' ging hij verder. Hij vertelde dat hij Karel Swart had gesproken over een kleine, besnorde man, die de dag van het ongeluk haar en haar man op Schiermonnikoog had bezocht. Een vriend van hen, had Karel gezegd. Hij droeg een koffertje.

Ze schrok zichtbaar. 'Nee, nee, dat was geen vriend. Het was een of andere hoge ambtenaar. Dat gebeurt wel vaker. Dan komen ze belangrijke ministeriële stukken afleveren. Heel vervelend vonden we dat altijd. Soms gaf Bert ze zó weer mee terug. Hij vond dat hij zijn privacy moest beschermen, zeker als we het weekend op Schier waren.'

'Maar dit keer nam hij ze mee aan boord.'

Ze keek op haar horloge. 'Ik heb u gewaarschuwd dat ik niet veel tijd heb.'

'Geen idee hoe hij heet, die ambtenaar?' vroeg Joop. 'Ik wil hem graag spreken.'

'Als ik al die hoge ambtenaren van Bert moest kennen...'

'Maar u herinnert zich die man toch nog wel? Ik heb hem ook gezien bij de begrafenisplechtigheid van meneer Zoutkamp. Het was een kleine man, Indisch, dacht ik.'

'Sommige ambtenaren waren erg op mijn man gesteld, anderen mochten hem niet en werkten hem zelfs tegen. Mijn man was iemand met karakter, begrijpt u?'

'Deze man had een snorretje. Denkt u nog even na?'

Ze stond op. 'Dat beloof ik u.'

'En zou ik wat foto's mogen bekijken?'

'Natuurlijk, graag, maar ik moet ze nog uitzoeken. Een andere keer?'

Even later stond hij weer op de stoep. Met de pest in zijn lijf liep hij naar zijn auto. Het gesprek had niets opgeleverd, behalve dan dat Zoutkamp volgens Suzan zijn privacy wel degelijk beschermde, terwijl hij voortdurend met grote overtuiging had uitgedragen dat in zijn positie privacy en werk onvermijdelijk door elkaar liepen, zeker als het om onkosten ging.

En over die snor, die hem godbetert een nachtmerrie had bezorgd, was hij ook niets wijzer geworden. Gewoon een hoge ambtenaar. Misschien had hij ooit wel eens persoonlijk een brief aan de MP afgeleverd en was hij brutaal genoeg om hem op de begrafenis van de overblijfselen van Zoutkamp aan te spreken. Een verklaring die Joop echter allerminst bevredigde.

Hij stapte in zijn auto.

En natuurlijk was hij te schijterig geweest om dóór te vragen.

Geïrriteerd begaf hij zich in het drukke stadsverkeer. Ondanks alle verkeersellende bewoog hij zich bij voorkeur per auto, ook al kon hij de afstand van hier naar zijn huis in een half uur fietsen. Maar van fietsen krijg je rare benen en bovendien beschouwde hij zijn auto als kantoor.

Zijn mobieltje jengelde in zijn jaszak *langzaldielevenindegloria*, cadeautje van Els om hem aan de verjaardagen van Max en Milan te herinneren.

Het was Max. 'Papa, ik wil Harry Potter zijn.'

'Dat is goed, jongen.'

‘Maar Milan wil ook Harry Potter zijn, en dat wil ik niet.’

Joop zuchte. ‘Óm de beurt dan. De ene dag ben jij Harry Potter en de volgende dag Milan.

‘Mag ik dan beginnen?’

‘Goed.’

Max verbrak de verbinding. Joop wist dat hij nu als autoriteit zou worden gebruikt. Papa zegt zelf… Hoe lang nog? Hij zette zijn telefoon af.

Thuis zocht hij het nummer van de weduwe Colijn in Krabbendijke. De telefoon ging bijna tien keer over voor ze opnam. Het duurde enige tijd voor hij haar duidelijk kon maken wie hij was en waarvoor hij belde. Aanvankelijk dacht ze dat hij haar een abonnement voor *NRC Handelsblad* wilde aansmeren. Ze bleef maar herhalen dat ze de *Provinciale Zeeuwse Courant* las.

‘Het heeft te maken met uw zoon, die destijds zo tragisch om het leven is gekomen.’

‘Ruurd,’ zei ze schor.

‘Ja, Ruurd. Ik doe… eh, ik doe onderzoek naar de Nederlandse politieke situatie in de jaren zeventig en…’

‘Ach, al die politiek. Het is toch allemaal ellende, dat heb ik ook altijd tegen Ruurd gezegd, maar die jongen wilde niet luisteren.’

‘Nee,’ zei Joop meelevend, ‘zo zijn die jongens nou eenmaal. Vaak komen ze pas later in rustiger vaarwater, maar waar het om gaat, is dat ik door dat onderzoek terechtgekomen ben bij allerlei studentengroepen, ook in Nijmegen, en…’

‘Waarom moest hij ook helemaal naar Nijmegen, tussen al die roomsen?’

‘En nou heb ik gehoord van een collega, dat u nog allerlei materiaal heeft uit die tijd. Eigenlijk het complete archief van Ruurd, inclusief zijn dagboeken.’

‘Dat klopt,’ zei mevrouw Colijn.

‘Het klinkt misschien een beetje brutaal,’ zei Joop, ‘maar

als het kon, zou ik dat graag een keer inzien.'

Het bleef even stil. Joop had het idee dat hij de Westerschelde kon horen ruisen, maar het kon ook de Oosterschelde zijn.

'Ja,' zei mevrouw Colijn uiteindelijk. 'U mag wel komen, want ik heb niet zoveel aanloop. Maar alle spullen heb ik aan Bert meegegeven. Hij wilde het gebruiken voor een boek dat hij...'

'Bert?'

'Ja, meneer Zoutkamp, die zo...' Ze kon haar zin niet afmaken. Joop hoorde haar sniffen. Daar in Krabbendijke was het ook een en al treurnis.

'Ja, hij is zeer triest aan zijn einde gekomen,' zei Joop. 'Maar waarom heeft hij dat allemaal meegenomen?'

'Hij wou een boek gaan schrijven, eigenlijk net zoals u dus. Maar híj is een professor, een echte professor, dat kon je wel merken. Zo'n aardige man. Minister geworden, en toch dronk hij hier nog gewoon een kopje thee met me! Hij zou alles goed bewaren, zei hij, om de nagedachtenis van Ruurd in ere te houden.'

'Hij heeft dus ook die schriftjes met de dagboeken van Ruurd meegenomen? Wanneer was meneer Zoutkamp bij u op bezoek?'

'Ik weet niet meer precies. Een week of drie geleden, dacht ik.'

Joop brak het gesprek af met de vage mededeling dat hij binnenkort misschien nog eens langs zou komen.

'Meijer zei u toch, hè? Bent u misschien familie van die Meijer uit Kruiningen?'

'Ik geloof van niet, mevrouw. Tot ziens.' Hij meende haar nog iets te horen zeggen, maar legde snel de hoorn neer.

Joop bedacht dat hij opnieuw bij de weduwe Zoutkamp moest zijn, de ongenaakbare Suzan Venema, waar hij nota bene net vandaan kwam. De vraag was natuurlijk of Zoutkamp, in zijn ondoorgrondelijke opvattingen over privacy en openbaarheid, haar iets had verteld over zijn tochtje naar Krabbendijke en de prooi die hij daar vandaan had gehaald. In ieder geval zou hij proberen morgen een tweede afspraak met de weduwe te maken, voor ze met haar nieuwe leven ging beginnen.

Hij had nog steeds een vervelend gevoel over dat gesprek met haar. Alsof hij belazerd was, maar dat kwam misschien omdat hij zichzelf belazerde. Ze was wat jet-setterig en daar kon hij slecht tegen. Het imponeerde hem, stompzinnige idioot.

~

Anneke had de telefoon op de voicemail gezet, omdat ze even geen medeleven wilde en ze had Josien naar huis gestuurd, omdat ze gek werd van haar moeder. Alles draaide om Bertje. Josien ontwikkelde een plaatsvervangend moederschap dat Anneke vervulde van afkeer en schuldgevoel. Een ideale combinatie van emoties om een kind met een stevig geworteld gevoel van onzekerheid groot te brengen, dacht ze cynisch.

Ze had het idee dat de dood van haar vader haar moeder geen kwaad had gedaan. Integendeel. Josien hoefde niet meer jaloers te zijn op Suzan. En ze had haar kleinkind helemaal voor zich alleen.

Van Anneke verwachtte ze wel een rouwvolle houding. De dood van 'papa Chris' werd ieder uur door Josien beweend en ze verwachtte dat Anneke meedeed; moeder en dochter verenigd in gedeeld weduwschap. Eindelijk iets samen.

Na de zoveelste woede-uitbarsting van Anneke besloot haar moeder terug te gaan naar haar eigen huis.

'Ik hoop wel dat je de wens van Wouter Hendrikse eerbiedigt,' zei Josien bij het afscheid. 'Het is waar, je vader deed wel eens iets onverantwoordelijks. Ik heb hem vaak genoeg gewaarschuwd. Maar je moet je niet laten gebruiken door die Joop Meijer. Denk ook aan jezelf en aan Bertje. Laten we de nagedachtenis aan je vader zo zuiver mogelijk houden.'

Vreemd, hoe haar moeder nu plotseling zo begaan was met de zuivere nagedachtenis van de man die ze zo diep leek te haten. Misschien waren dat wel de wonderlijke werken van Wout Hendrikse. Na de korte toespraak knuffelde Josien haar kleinzoon minutenlang, kuste haar dochter en vertrok.

Het was nu wel erg stil in huis. Een aantal keren bedwong Anneke de neiging Joop Meijer te bellen, gewoon voor wat afleiding, om wat te drinken en misschien toch wat te praten. Bijvoorbeeld over die mysterieuze Leeuwenstein, die Bertje en haar had gefotografeerd.

'Gewoon doen,' had Mieke gezegd. 'Kan jou die Hendrikse schelen, die is waarschijnlijk bang voor stennis in de partij.'

'Ik weet zelf niet meer of ik Joop kan vertrouwen.'

'Dan onderzoek je gewoon of dat terecht is of niet.'

'Hoe?'

'Door een afspraak te maken en hem te confronteren met jouw wantrouwen. Blijf niet zo zitten kniezen. Doe wat! Ik kom wel oppassen.'

Maar Anneke wilde geen afspraak maken. Ze had wel wat anders aan haar hoofd, twee sterfgevallen om te verwerken en er moest veel geregeld worden. Die Joop Meijer had geen idee. Ze zou hem niet meer ontvangen. En hoe zat het met die foto's? Stom dat ze hem die gegeven had. Waartoe dienen foto's als ze in het geniep worden gemaakt? Chantage? Joop wilde foto's, had hij gezegd. Deze foto's?

De file op de Benoordenhoutseweg dreinde door met ongeveer dertig meter per minuut. Ongeluk gebeurd?

Joop zat er niet mee. In een file kun je lekker nadenken. Over Bert Zoutkamp, bijvoorbeeld, die naar Krabbendijke ging om een kopje thee te drinken met de moeder van een overleden jeugdvriend. En die daar met een smoes waardevol materiaal over de roerige jaren zestig in Nijmegen vandaan had gehaald. Een boek schrijven, Zoutkamp? Zeer onwaarschijnlijk, zeker nu hij op het punt had gestaan om Wout Hendrikse op te volgen als Grote Roerganger van de sociaal-democraten. Hoewel, die term was een beetje misplaatst, gezien de explosieve manier waarop de minister aan zijn einde was gekomen.

Zoutkamp, Schiermonnikoog, de man met het koffertje. Hij moest achter de identiteit van die zogenaamde topambtenaar zien te komen. Maar hoe? In een impuls schoot hij de file uit, nam een stukje rijbaan van de andere weghelft, die toch bijna leeg was, schoot een zijstraat in, scheurde door een rood stoplicht en wist voor het tweede nog nét, met gierende remmen, te stoppen. Een fietser schold hem uit met een overtuiging en taalgebruik dat Joop jaloers maakte.

'Ik ben topambtenaar,' riep hij vrolijk uit zijn raam.

Dat stimuleerde de man tot een nieuwe gloedvolle eruptie vol origineel Haagse klanken. Zwaaiend reed Joop door groen. Hij was helemaal opgeknapt. Wist wat hem te doen stond. Op naar de parlementaire redactie van *NRC Handelsblad*. Hij parkeerde in de buurt en meldde zich daarna bij de redactie.

Hij bofte: zijn collega Irene van Dalen, gepokt en gemazeld in de wereld van het Binnenhof en de Haagse Ambtenarij, specialisatie Binnenlandse Zaken en Justitie, was aan het werk. Maar aan de andere kant trof hij het niet, want ze zat voor een spoedklus en de deadline was zo nabij dat hij zich als prikkeldraad om haar heen slingerde.

'Wegwezen,' sprak ze toen ze Joop in het oog kreeg. 'Ik heb geen tijd.'

Joop herkende de positie waarin Irene zich bevond, wandelde weg, kletste wat met andere collega's, hoorde dat er een ongeluk was gebeurd op zijn route. Een spookrijder, je weet wel, zo'n idioot die op de verkeerde weghelft gaat rijden. Dood, natuurlijk. Hij moest even slikken, hoorde opnieuw de sappige scheldpartij van de fietser, dronk wat koffie, las de krant en zocht Irene weer op.

'Dag, schat van me,' riep Irene. 'Wat doe je hier nog op de krant?'

'Gelukt?'

'Natuurlijk. Laten we iets gaan drinken.'

'Ik wil eerst graag wat informatie.'

'Je bent toch bezig met die biografie van Zoutkamp? *Hot stuff*, jongen. Wat wil je weten?'

Joop beschreef de man, kennelijk een topambtenaar, die op Schiermonnikoog was gesignaleerd, daarna door Joop zelf op de begrafenis van Zoutkamp was gezien en die nog een keer zijn pad had gekruist op het stadhuis in Rotterdam.

Irene staarde naar het plafond. 'Klein, Indisch, snor,' herhaalde ze. 'En hij was op de begrafenis van Zoutkamp? In de buurt van Hendrikse? Dan staat hij misschien ook op een foto. Laten we even naar de fotoredactie gaan.'

Ze bekeken het digitale archief, foto na foto.

'Verdomd,' zei Joop, 'daar staat-ie. Ken je hem?'

Irene boog haar hoofd tot dichtbij de foto. 'Nee, nooit eerder gezien. Maar kijk, deze is afgedrukt, op de één. Die moet je gezien hebben. Je hebt zelf het stuk geschreven.'

Joop knikte enigszins beschaamd. Het gebeurde tegenwoordig wel vaker dat er plotseling iets wegviel uit zijn geheugen. Soms was hij bang dat meneer Korsakov al op bezoek kwam.

'En je weet echt niet wie het is?'

'Geen flauw idee,' zei Irene.

'Wie zou het wel weten?'

Ze haalde haar schouders op.
Joop kreeg een ingeving. 'Polak,' fluisterde hij.
'Wat zeg je?'
'Polak, die weet het gegarandeerd.'
'John?' vroeg Irene, 'van *Het Parool*? Ja, dat is een wandelende politieke encyclopedie.'
Vanaf de redactie belde Joop met Polak. Of hij de krant nog had met het verslag van de teraardebestelling van Zoutkamp? Natuurlijk. Polaks woning was zo'n beetje dichtgemetseld met oude kranten. Of hij kon zoeken naar dat *NRC Handelsblad*, het ging om de foto op de één?
Joop hoorde gestommel en geritsel en een nauwelijks onderdrukte vloek.
'Ik heb hem,' zei Polak. 'Maar ik begrijp er niks van. Waarom moet ik een krant opzoeken waar jullie er zelf nog honderden van hebben liggen?'
'Die man op de foto, schuin achter Hendrikse, die met die snor. Ik zou graag willen weten wie dat is. Naam, functie, dat soort dingen.'
'Moment.'
Joop stelde zich voor dat Polak een loep ter hand zou nemen.
'Ik zie het al. Verduyn, Cor Verduyn,' zei Polak. 'Werkt bij de BVD. Behoorlijk hoog, maar de rang weet ik niet precies. In ieder geval hoog genoeg om dicht bij Hendrikse in de buurt te komen.'
'Dat weet je zeker?'
Polak vroeg of Joop hem misschien niet vertrouwde, en die haastte zich om te zeggen dat hij dat zeker wel deed, voor meer dan honderd procent. 'Enorm bedankt voor je medewerking.'
'Verduyn, BVD,' zei hij tegen Irene, terwijl hij de hoorn neerlegde.
'Daarom kende ik hem natuurlijk niet.'
Joop stond op.

‘Wanneer ga je mijn biografie schrijven?’ vroeg Irene.
‘Dan moet je eerst ontploffen.’
Ze omhelsden elkaar en beloofden plechtig om binnenkort weer eens samen door te zakken. Onderweg naar huis verdween de opwinding over de identiteit van de kleine Indischman snel, want in feite was er niets opzienbarends aan. Zoutkamp was als minister Binnenlandse Zaken baas van de BVD, en die Verduyn kon in zijn hoge functie best enkele keren de MP zijn tegengekomen. Maar een ding stond vast en dat was heel jammer: de man zou zich als BVD-er nooit laten interviewen voor de biografie van zijn overleden baas.

Joops eerste daad thuis was het afluisteren van zijn voicemail. Els, natuurlijk, en zijn twee Harry Potters.

Joop ging even op de bank liggen om bij te komen. Zijn oogleden werden zwaar. De afgelopen nacht had hij met Anneke tot een uur of één zitten praten. Waarover? Over van alles. Over Els, over Max en Milan, over Bertje en vooral over grote Bert als vader. Veel had ze niet aan hem gehad, dat was duidelijk. Hij was zo’n vader die zich nooit met het huishouden bemoeide, maar zich wel met veel tamtam opwierp als vuurmaker tijdens een barbecue. Alleen lukte dat meestal niet en dat was dan de schuld van het hout, de wind of van Josien. Ten slotte was Anneke over Chris begonnen, haalde ze herinneringen op van het begin van hun relatie en was ze verdrietig geworden. Hij had een arm om haar heen geslagen.

Joop kwam overeind en schonk zich een borrel in, met het onaangename gevoel dat hij geen vat had op de situatie waarin hij zich bevond. En dat hij Anneke misschien helemaal verkeerd inschatte. Soms leek ze onschuldig en hulpeloos, maar de vraag was of er iets anders achter zat. Tegelijkertijd realiseerde hij zich dat hij zich niet te veel moest laten afleiden door dit soort vragen. Zijn opdracht leek duidelijk omschreven, maar hij kwam nu in een labyrint van verwikkelingen terecht waar hij eigenlijk geen boodschap aan had. Die Zoutkamp-biografie, daar moest hij zich met volle energie op storten.

⁂

Nee, dan Melle Hamer, dacht Anneke Zoutkamp. Daar had je wat aan. De uitgever zond een e-mail om blijk te geven van zijn medeleven en vroeg of hij wat voor haar kon doen. Ze antwoordde ontkennend en daarop schreef hij dat wat afleiding goed voor haar zou zijn. Even had ze gedacht dat hij haar zou uitnodigen met hem naar de bioscoop te gaan, maar hij had een ander voorstel. Alvast een stukje vertalen? Om er in te blijven? Om de gedachten te verzetten? En er was haast bij, dat ook nog, zodat ze zich afvroeg wie nu eigenlijk wie een dienst bewees.

De tekst werd binnen het uur gemaild, het eerste hoofdstuk van de nieuwe roman van Ulrike Schnellendorf, die veel succes had in Duitsland, Zwitserland en Oostenrijk. Een hype. Ze gunde Melle een bestseller, want vijftien van zijn auteurs waren overgelopen naar de concurrentie; uitgevers die alles uitgaven, zonder extra kosten voor editing, dus zonder zich druk te maken over de kwaliteit, volgens Melle. En die niet, zoals hij, een warm hart hadden voor hun auteurs.

Bertje sliep, goddank.

Ze had moeite zich op het manuscript te concentreren. Joop Meijer spookte door haar hoofd. Als hij haar belazerde dan had hij misschien ook wel wat met die stalker te maken, die oude Leeuwenstein. Die buiten stond te loeren en foto's te maken, terwijl Meijer onder valse voorwendselen haar huis binnendrong. Dat zou toch kunnen. Maar met welk doel?

Ze begon zich weer af te vragen wat in godsnaam het verband was tussen Kaapstad en die foto's van haar en

Bertje. Het enige waar ze nog aan kon denken was een ontvoering. Maar dat kon niets te maken hebben met de biografie van haar vader, waar Joop Meijer mee bezig was. Of was Joop Meijer iets op het spoor? Misschien greep hij dit aan om het contact met haar te verstevigen, zodat hij haar over haar vader kon uithoren. Het kon ook andersom zijn: hij werkte voor die Leeuwenstein en gebruikte de biografie als een excuus.

Bertje begon te huilen. Ze haalde hem uit bed en legde hem op de bank van de woonkamer om hem te verschonen. Hij kraaide vrolijk naar haar en ze keek vertederd naar het scheve lachje dat hij produceerde. Haar zoon. Ze kon het nog steeds nauwelijks geloven. Nadat ze Bertje weer gevoed en geknuffeld te slapen had gelegd sloeg de onrust toe.

Ze had geen zin om de hele avond alleen thuis te zitten. Ze nam een besluit. Ze moest en zou Joop Meijer spreken, vanavond nog. Ze belde Mieke. Die zat met een spoedklus.

Josien was niet erg happig. 'Nu nog? Ik was net van plan me alvast uit te gaan kleden en dan...'

'Ik kom je wel even met de auto halen. Je kunt hier toch ook tv kijken of een boek lezen? En ik moet er echt even uit. Voor mijn werk. Melle Hamer belde zonet.'

'Vanavond nog?'

'Ja,' loog Anneke met overtuiging.

~

Ze stonden hand in hand op het terras van zijn buitenhuis en keken over de struiken heen uit over de plas, die oplichtte door het schijnsel van een bijna volle maan.

'Misschien is dit laatste keer dat we hier samen zijn,' fluisterde hij.

Ze liet hem los.

'Laten we naar binnen gaan. Dit zijn gevaarlijke momenten. Wij kunnen ons niet permitteren sentimenteel te worden.'

'Maar schat, alles loopt naar wens.'

Eenmaal binnen sloot ze zorgvuldig de gordijnen.

'Er kan nog van alles fout gaan,' waarschuwde ze.

'Wat dan?'

'Is je nieuwe paspoort in orde?'

'Ja, alles voor de reis is geregeld en niets wijst er op dat we ons ongerust hoeven te maken over die foto's, of over dat ongeluk op de spoorbaan.'

Hij stak de gashaard aan en schonk voor ieder een glas whisky in.

Terwijl ze dicht tegen elkaar op de bank zaten vertelde hij dat de makelaar verwachtte dat zijn huis over een paar dagen verkocht zou zijn. Voor een goede prijs.

'Het duurt niet lang meer.'

Ze glimlachte eindelijk ontspannen. 'Schenk me nog eens in, voor ik me aankleed en wegga.'

Hij deed wat ze vroeg. 'Zal ik je brengen?'

'Te riskant.'

'Geen last van de alcohol met het rijden?'

'Ik weet een goed middel om de werking daarvan te neutraliseren.'

Ze waren schaars gekleed in makkelijke sportkleren, zoals altijd tijdens hun ontmoetingen. Ze dronken en kusten elkaar met de whisky nog in de mond. Even later gleden ze van de bank op het hoogpolig tapijt voor de vlammen van de haard.

~

Het lijkt interessant; werken voor de Binnenlandse Veiligheidsdienst, maar meestal was het stomvervelend. Zoals nu. Je parkeert je zogenaamd onopvallende grijze Volvo op een strategische plek, ergens in een straat of laan, of op een pleintje. Vaak in een nette wijk, want daar schijnen de meeste verdachten te wonen. En je houdt het aangewezen pand in de gaten. Kijken wie er in en uit gaan. Die journalist, Joop Meijer, was zojuist eindelijk thuisgekomen. Zou wel blij zijn na een hele dag van huis. Het liep al tegen half negen. Alle kans dat er nu niets meer te beleven viel.

Fred Stokman stapte uit om de benen te strekken en even op afstand langs het huis te lopen. Soms was je niet de enige die iemand in de gaten hield en ontdekte je een andere schaduw in het duister. Dat kon heel verwarrend zijn. Hijzelf was een keer per ongeluk op de vuist gegaan met een collega, nadat hij een biertje had gedronken met de huurmoordenaar die hij onopvallend moest schaduwen. Hij grinnikte, hoewel het helemaal niet leuk was geweest en hem een enorme douw had opgeleverd. Vandaar dat hij nog steeds veroordeeld was tot urenlang zitten loeren in zijn dienstauto.

Niks bijzonders te zien. En Meijer had zijn gordijnen gesloten.

Terug in zijn Volvo stak hij nog maar eens een sigaret op. Af en toe keek hij met een schuin oog in de krant.

Niet lang daarna werd zijn aandacht getrokken door een Volkswagen Polo, die hem aarzelend passeerde en even verder stopte voor het huis van Meijer. Er stapte een vrouw uit. Een jonge vrouw die naar het juiste huisnummer scheen te zoeken en daarna doelbewust op de deur van Meijer afstapte. Geen vaste bezoeker, dus. Hij pakte zijn verrekijker. Toen het buitenlicht aanging zag hij tot zijn verbazing dat de jonge vrouw niemand minder was dan de dochter van wijlen minister Zoutkamp.

Stokman greep zijn mobiel, bracht verslag uit aan zijn chef. Die gromde als een terriër en beet hem toe op zijn post te blijven.

Eerst dacht hij dat het Max en Milan waren, die door hun moeder onverwacht voor zijn deur werden gedropt. Ook al was het niet zijn weekend. Soms deed Els dat gewoon als ze wist of hoopte dat hij thuis was, onder het motto: vader ben je fulltime. Maar eigenlijk was het daar nu te laat voor en bovendien belden de jongens drie, vier keer achter elkaar en roffelden ze woest tegen de voordeur. Deze bel klonk heel beschaafd, maar wel dringend. Wie kon dat zijn? Hij trok snel zijn schoenen aan, schoot in zijn jasje en liep naar voren. Nadat hij het buitenlicht aan had gedaan, opende hij de deur.

Ze leek weinig op het bedeesde vrouwtje dat hij in haar gezien had. Ze wachtte niet op zijn uitnodiging binnen te komen, maar passeerde hem in het smalle gangetje zonder te groeten en liep zijn woonkamer binnen.

'Het is hier een grote rotzooi.' Hij wist niets anders te zeggen.

'Ja, dat zal wel,' antwoordde ze.

De dubbelzinnigheid in haar stem irriteerde hem. 'Is dit een overval?'

'Zo kan je het noemen.'

Ze keken elkaar aan. Haar ogen gloeiden. Als hij nu zou zeggen: wat ben je mooi als je boos bent, dan zou ze hem zonder twijfel vermoorden. Het beviel hem wel.

'Zeg het maar,' zei hij. 'Wat zit je dwars?'

Ze barstte los. Ze wilde weten waar hij op uit was. Waarom hij zich aan haar had opgedrongen met die rotsmoes van een biografie over haar vader. Hij maakte misbruik van de wetenschap dat zij met hem gebrouilleerd was geweest. Nou, dat was nu over! Ze had zelfs haar zoontje naar hem genoemd. Was dat het soms? Had hij het gemunt op Bertje, samen met die louche kerel die aan de overkant van de gracht foto's had staan maken? En wat was het verband met de Tafelberg en Kaapstad? Ze kende die Leeuwenstein helemaal niet en haar vader was nooit in Zuid-Afrika geweest, voorzover zij er nog van wist.

'Voorzover ze wist...' herhaalde ze terwijl ze zich uitgeput op een stoel liet vallen.

'Kopje thee?' vroeg Joop.

'Wat weet ik eigenlijk over die man? Nee, geef me maar een borrel. En wat weet ik eigenlijk over jóu? Hendrikse heeft mijn moeder gebeld om te zeggen dat ze mij moet waarschuwen voor jou.'

'Hendrikse? De premier?'

'Ja.'

'Wat een eer.'

'Ik mag eigenlijk niet meer met je praten.'

'Vandaar dat je hierheen bent gekomen,' zei Joop cynisch. 'Waar slaat dit allemaal op!'

'Dat vraag ik me juist af. En ik wil ook wel eens weten waar jij nu eigenlijk echt op uit bent. Mijn vader door het slijk halen omdat hij een keer privé een taxi heeft gedeclareerd bij de gemeente of zoiets onbenulligs? En wat moet ik met al die Leeuwensteinen van jou die mij het leven zuur maken? Gaat het om ontvoering, chantage?'

Joop stikte bijna van verontwaardiging, hij stotterde zelfs bij een poging orde te brengen in deze brei van belachelijke beschuldigingen en verwijten. Ten slotte hervond hij zijn waardigheid. Hij legde uit dat het hem ging om het schrijven van een biografie over haar vader, dwong haar naar de aantekeningen op zijn bureau te kijken en te constateren dat er niets smoezeligs bij zat; dat hij natuurlijk ook enkele verhalen over declaraties kende, zelfs een anonieme brief had ontvangen, maar dat hij daar op een journalistiek verantwoorde wijze onderzoek naar zou doen. Als zij twijfelde aan zijn integriteit, dan was het inderdaad beter niet met elkaar te praten en zou hij haar met alle genoegen terug naar de voordeur begeleiden.

Ze kalmeerde. 'En die Leeuwensteinen?'

‘Geen idee. Die staan helemaal buiten mijn onderzoek. Bedenk wel dat ik door jou met ze in aanraking ben gekomen.’

‘Misschien kende je ze al?’

‘Nee,’ zei Joop ernstig, ‘geen van beiden. De vraag is nu of je me gelooft of niet.’

‘Ik weet het niet.’

Joop maakte een wanhoopsgebaar.

‘Liever wel,’ zei Anneke. ‘Als ik mag kiezen.’

‘Het staat je vrij.’

‘Laat ik er maar vanuit gaan dat die ene Leeuwenstein terug naar Zuid-Afrika is gegaan en dat die andere zijn zoon is. Zoiets. Vergeet het maar.’

‘Oké.’

‘Gek dat me over dit alles drukker maak dan over de dood van Chris.’

‘Misschien is dat nog niet helemaal tot je doorgedrongen.’

Anneke schudde haar hoofd. Het was niet echt een goed huwelijk, vertelde ze. Chris wilde eigenlijk helemaal geen kind. Hij wilde gewoon een vaste basis, met een vrouw die voortdurend zat te wachten en stralend klaarstond als hij terugkeerde van zijn nobele missies. Een thuisfront wilde hij. Kinderen hoorden niet aan het front. Hij had voorgesteld dat ze een hond zou nemen, maar dat wilde ze niet. Een herdershond zeker.

‘Ik wilde ook geen kinderen,’ bekende Joop. ‘Mijn vrouw wel.’

‘Waarom wilde jij geen kinderen?’

Joop voelde dat hij bloosde. ‘Ik was bang dat het ten koste van onze intimiteit zou gaan en dat kinderen te veel aandacht van mij zouden vragen.’

‘Arme jongen. En?’

‘Nu denk ik er anders over, geloof ik,’ zei hij enigszins tot zijn eigen verrassing.

Er hing even een stilte, waarin hij zich niet op zijn

gemak voelde. Terwijl hij een sigaret opstak zag hij hoe Anneke naar hem keek. De spanning was van haar gezicht geweken. Ze glimlachte naar hem. Hij realiseerde zich dat het ijs was gebroken en hoe gelukkig hem dat maakte.

Hij vroeg of ze al gegeten had.

'Nee.'

'Hier vlakbij is heel aardig eetcafé, waar we nog wel terecht kunnen.'

ℐ

In de Volvo pakte Stokman zijn mobiel toen hij de journalist vergezeld van Anneke Zoutkamp naar buiten zag komen.

'Volgen,' luidde de instructie. 'Hou ze in de gaten, meld je onmiddellijk als je weet waar ze heengaan, of wat ze doen.'

Langzaam reed hij achter het stel aan.

Een kwartier later kon hij melden dat hij in een etablissement zat, een aantal tafeltjes van hen verwijderd en dat ze kennelijk van plan waren iets te gaan eten.

'Oké. Direct waarschuwen als ze daar vertrekken.'

ℐ

Anneke verontschuldigde zich, ze wilde even haar moeder bellen. Ze voelde zich lichtelijk schuldig tegenover haar, want die zat natuurlijk op haar te wachten en rekende op nog een gezellig uurtje samen voor het slapen gaan. Daar zou het nu te laat voor worden. Bovendien had Anneke daar absoluut geen zin in.

Maar Josien luisterde geduldig naar haar uitleg; Anneke en haar uitgever waren nog steeds aan het praten over werk, en dat was heel belangrijk voor haar, want in de toekomst zou ze meer tijd hebben om te vertalen en dat zou haar helpen om over het verlies heen te komen. En nu was ze door de uitgever uitgenodigd een hapje te gaan eten.

Veel te veel smoes, daar zou ze zelf niet instinken, dacht ze.

Haar moeder was onder de indruk. 'Geniet maar een beetje, kind, maar drink niet te veel. Bertje is schattig geweest en slaapt nu als een roos.'

~

Joop dacht ondertussen aan Hendrikse. Waarom wilde de MP hem beletten met Anneke te praten? Er schoot hem maar één reden te binnen. Anneke wist iets dat onder het tapijt moest blijven of onder de pet, zoals iedereen tegenwoordig zei. De vraag was vervolgens of Anneke zich daarvan bewust was. Zo ja, dan zou ze geen open kaart met hem spelen, dus dan moest hij op zijn hoede zijn. Hij kon zich dat eigenlijk nauwelijks voorstellen. Maar was hij nog wel in staat haar voldoende objectief te beoordelen?

Nu, bijvoorbeeld, was ze haar moeder aan het bellen. Dat had ze tenminste gezegd.

'Alles in orde,' hoorde hij achter zich. Ze schoof weer aan tafel.

'Mijn moeder is een schat. Ik zou dat meer moeten waarderen. Als ze wist dat ik hier met jou zat...'

'Heb je enig idee waarom de MP niet wil dat je met me praat?'

'Nee, volgens mij draait alles om dat declaratiegedrag van Pa. Dat deugde niet. Nou dat zal wel. Misschien is dat dure poppenhuis dat hij me een keer voor mijn verjaardag gaf, waar ik trouwens nooit mee heb gespeeld, betaald uit een subsidiepot voor daklozen, maar meer zou ik niet weten.'

'Je was gesteld op hem?'

'Ja, tot die trutmadam op de proppen kwam.'

Ze bestudeerden de kaart en bestelden.

'Wat die Leeuwensteinen betreft,' begon Anneke. 'Als je

dat contact toch hebt, via je zwager, dan zou ik graag willen dat je binnenkort nog eens naar ze informeert. Misschien dat hij meer te weten kan komen. Wie weet, woont die ene Leeuwenstein, die van die foto's, nu weer gewoon in dat huis. Dat zou me geruststellen.'

Joop beloofde het. 'Mag ik één vraag stellen?' vroeg hij quasi timide.

'Ja.'

'Heeft je vader vroeger thuis wel eens gepraat over Ruurd, een jeugdvriend uit Krabbendijke?'

'O, ja. Een studievriend van mijn vader. Zijn beste vriend, volgens mij, tijdens de mooiste tijd van zijn leven. Vooral die logeerpartijen in Krabbendijke. Mijn vader was dol op de moeder van Ruurd, misschien ook omdat zijn eigen moeder al vroeg was gestorven. Als mijn vader over die periode vertelde, straalden zijn ogen. Hoezo?'

'Je weet dat Ruurd verongelukt is in 1971?'

Ze knikte.

'Kort geleden,' zei Joop, 'niet lang voor dat ongeluk bij Schier, is je vader de moeder van Ruurd gaan opzoeken.'

'Wat aardig van hem.'

'Ja, en hij heeft brieven en papieren, allerlei spullen uit die tijd meegekregen, ook de dagboeken van Ruurd.'

'Spannend. Waar is dat allemaal?'

'Geen idee.'

'Suzan zal het wel hebben,' zei Anneke. 'Jij bent er natuurlijk ook in geïnteresseerd.'

'Natuurlijk,' zei Joop. 'Ik zal proberen het van Suzan los te krijgen en dan geef ik het eerst aan jou.'

Anneke glimlachte. 'Dit gaat tenminste om een gezamenlijk belang.'

Ze dronken elkaar toe, opgelucht.

Joop vertelde dat hij van plan was later de moeder van Ruurd een keer te bezoeken, in het kader van de biografie, om via haar zijn beeld van de jonge Zoutkamp wat beter in te kleuren. Het ging tenslotte toch om de mens achter de politicus. Had Anneke zin om mee te gaan?

Dat leek haar heel leuk, maar ze kon Bertje niet voortdurend bij Josien parkeren.

Ze dronken koffie, zonder calvados, want Anneke moest nog rijden.

Helaas, dacht Joop. En heel inefficiënt, want de volgende morgen zou ze hier vlakbij, op vliegveld Valkenburg, het lichaam van Chris moeten identificeren. Maar ze was niet ontvankelijk voor zijn suggestie te blijven slapen, hoewel dat heel makkelijk zou kunnen; hij in het bed van de kinderen en zij in zijn bed, of omgekeerd...

Ze liepen terug naar de auto van Anneke en kusten elkaar vluchtig op de wang. Hij zwaaide haar na, neuriënd... *a kiss to build a dream on and my imagination...* voelde zich weer achttien. Een geparkeerde Volvo verderop, belemmerde het zicht op haar achterlichten. Hij had die auto wel eens eerder in de straat zien staan. Lekkere wagen wel.

Kennelijk was hij vergeten de voordeur dubbel af te sluiten. Gek eigenlijk, maar dat kwam natuurlijk omdat hij er met zijn hoofd niet bij was. En wat een troep had hij achtergelaten, dacht hij nog net toen hij binnenstapte, maar op hetzelfde moment voelde hij een doffe dreun op zijn hoofd en tolde de ruimte om hem heen, terwijl hij in elkaar zakte. En zag hij een paar broekspijpen die over hem heen stapten en voelde hij een trap tegen zijn schouder. Zo is het wel genoeg, zei een stem. Wegwezen. Nog een andere schim die boven hem hing. Weer die snor? Weer die nachtmerrie?

Hij wist niet hoe lang hij buiten westen was geweest. Terwijl hij overeind kwam, met knallende koppijn, werd het hem duidelijk dat hier geen sprake was van een nachtmerrie. Het was erger, het was werkelijkheid.

Zijn vloer leek een druk betreden sneeuwlandschap. Overal notities, losse bladen aantekeningen, teksten, interviews, verslagen. Ook zijn administratie lag over de grond verspreid. Alle laden van zijn bureau waren leeggehaald. Zijn DVD-speler stond er nog wel prominent, net als de rest van zijn apparatuur en ook de paar antieke voorwerpen, uit de erfenis van zijn ouders. Een beetje inbreker had die wel op waarde geschat.

Hij overwoog even de politie te bellen, maar zag er meteen van af. Er was iets anders aan de hand. Maar wat, verdomme, zochten ze bij hem?

Hij schonk zich een glas whisky in en stak een sigaret op. Zijn lichaam voelde alsof het van een gletsjer was gedonderd, maar zijn hoofd was weer helder. Akelig helder. Natuurlijk had dit allemaal te maken met Zoutkamp, dat was nu wel duidelijk. Maar de vraag was wat voor rol Anneke hierin speelde. Zat er toch een andere bedoeling achter haar onverwachte bezoek vanavond dan hij had gedacht?

6

SHIT! STAK DE stoeprand plotseling naar voren? Erik van Oosterom gaf een driftige ruk aan het stuur van zijn metaalblauwe BMW Z3. Na zes maanden was hij er nog steeds niet aan gewend dat het verkeer in Zuid-Afrika links reed, en nu was hij hardhandig met de linker stoeprand in aanraking gekomen. Of misschien was hij wel met te hoge snelheid door een gat in de weg gereden. In ieder geval moest hij beter opletten. De wegen waren een kraterveld en het verkeer was een volslagen jungle.

Erik reed over Victoria Road van het centrum van Kaapstad naar het zuiden. Rechts sloegen de brekers van de Atlantische Oceaan tegen het smalle strand, links rees de spectaculaire Tafelberg omhoog. Het was prachtig weer. Erik, opnieuw losjes met een hand aan het stuur en zijn gebruinde rechterarm achteloos leunend uit het geopende raam, genoot. Hij had het niet slecht getroffen. Sportwagentje, heerlijk klimaat, beetje werken, beetje cruisen. Dadelijk, nam hij zichzelf voor, zou hij langs het strand van Sandy Bay gaan, een eindje verderop naar het zuiden. Een naaktstrand, waar hij al menig keer gescoord had. In de tijd van de Apartheid, had hij van vrienden gehoord, was het strand *slegs vir blanke* geweest, maar dan wel decent gekleed natuurlijk; tegenwoordig was Sandy Bay *for men only*. Erik raakte al opgewonden bij de gedachte aan de gebruinde jongens die hij er zou treffen, en even streek hij met zijn hand langs de opzwellende bobbel in zijn spijkerbroek.

Kom nou, Van Oosterom, eerst aan het werk en daarna ontspannen. Joop, zijn ex-zwager, had hem nog wat informatie gevraagd over dat geheimzinnige huis in Camps Bay. Die Joop! Hij had ook altijd wat anders. Erik had geen idee waarover het ging, maar hij voldeed graag aan het verzoek, want hij was erg op Joop gesteld. Joop had hem door dik en dun gesteund toen Erik plotseling van zijn vrouw was gescheiden en bekend had dat hij al jaren heimelijk een dubbelleven als homoseksueel leidde. Zijn ouders wilden aanvankelijk niets meer met hem te maken hebben. Een zoon die de pik van mannen afzoog, dat paste niet in de familie. Joop had geen last van dergelijke vooroordelen. Geen wonder, vermoedde Erik, op de redactie van die krant waar hij werkte, was natuurlijk de helft van de journalisten homoseksueel.

Het was een moeilijke periode geweest, maar gelukkig waren zijn ouders dankzij Joops bemiddeling bijgedraaid. Alleen zijn zus Els had hem laten vallen als een baksteen. Wat een takkenwijf! dacht Erik, terwijl hij behendig een gat in de weg ontweek. Een kreng, een secreet, een verongelijkte burgertrut die alleen maar om haar sociale aanzien op de tennisclub gaf. Hij kon Joop geen ongelijk geven dat hij van die frigide ijspegel gescheiden was. Dat ze ooit kinderen had gekregen! Het had hem verbaasd dat ze het nog zo lang met elkaar hadden uitgehouden.

Joop was anders. Een workaholic, een beetje getikt met die bezetenheid waarmee hij zich op de politiek stortte, maar hij liet je niet in de steek. Ook niet toen Erik in zakelijke problemen was geraakt. Hij moest om zichzelf grinniken. Zakelijke problemen? Oplichting zul je bedoelen, Van Oosterom.

Erik had de laatste tijd gehandeld in onroerend goed langs de Franse Rivièra. Dat was grandioos verdienen geweest, omdat met de aanstaande komst van de euro zoveel Nederlanders van hun zwarte geld af wilden. Ze waren bang voor de fiscus en bereid ieder bedrag neer te tellen voor een vakantiehuis in de Provence. Villa met uitzicht op de Méditerrannée – ha, ha, hij wist precies wat klanten die contant geld in hun zakken voelden branden, wilden horen. Hij was in staat geweest geitenstallen te verkopen als aantrekkelijke beleggingsobjecten met achterstallig onderhoud en het spectaculaire uitzicht op zee verzon hij er gewoon bij. Twee jaar lang was het goed gegaan, totdat de fiscus bij hem aanklopte en de BTW wilde afrekenen.

Jaren eerder had Erik van Oosterom in zijn onderhoud voorzien met de verkoop van Zuid-Afrikaanse gouden Krugerrands aan goedgelovige burgers. Hij hield daar een leuke provisie aan over; de beleggers bleven zitten met munten die steeds minder waard werden naarmate de goudprijs verder daalde. Voor Joop, die hij in die tijd leerde kennen, was dit een bewijs geweest dat het kapitalisme niet deugde. Maar door die handel in Krugerrands had Erik contacten gelegd in Zuid-Afrika. Zodra de belastingdienst hem op de hielen zat, had hij een enkele reis Kaapstad geboekt.

Het was voor Erik een verrassing geweest dat zich in Kaapstad zo'n uitbundige gayscene had ontwikkeld sinds de val van het apartheidsregime. Het ging er zelfs wilder aan toe dan in Amsterdam. De dark rooms waren hier nog *darker*. Natuurlijk, hij wist donders goed dat aids in Zuid-Afrika net zoveel voorkwam als verkoudheid in de herfst in Nederland, en hij wilde nog lang van het leven genieten, dus hij keek goed uit. De condooms lagen binnen handbereik in het gekoelde dashbordkastje van zijn sportieve BMW.

Erik draaide Camps Bay Drive op. Camps Bay was een villawijk met een paar *compounds*: ommuurde vestingen met royale huizen, omgeven door tuinen met bloeiende bougainvilles, geurige jasmijn, rode flamboyants en stekelige suikerbossies. Hij stond voor de toegangspoort. Twee paramilitair uitgedoste bewakers, het geweer in de aanslag, hielden hem in de gaten. De mensen die hier woonden, zorgden wel voor hun eigen veiligheid. Hij liet zijn *business card* zien en vertelde dat hij voor een klant het huis van meneer Leeuwenstein moest beoordelen. De bewaker keek hem peinzend aan. Toen Erik een biljet van twintig rand tevoorschijn haalde, bleek hij bereid om de slagboom naar boven te halen.

Terwijl hij de compound op draaide, zag hij boven de laatste rij villa's de afgeplatte Tafelberg. Niet gek, mijmerde hij. Beroepsmatig probeerde hij de gangbare huizenprijzen te schatten. Vanwege de zorgvuldige bewaking, de ligging en de komst van steeds meer gekleurde professionals naar dit voormalige blanke getto (hoewel je het zo niet scheen te mogen noemen), waren de prijzen hier aardig gestegen. Op zijn blocnote zocht hij het huisnummer dat de makelaar hem had doorgegeven. Die man had hem ook verteld dat het huis gehuurd was door het Nederlandse consulaat. Erik had er niet veel aandacht aan geschonken, maar vreemd was het wel. Voor alle zekerheid had hij het consulaat gebeld om de informatie na te trekken, maar de diplomatieke onderknuppel die hij na lang aandringen te spreken had gekregen, wist van niets.

Nummer 24. Erik parkeerde zijn auto en liep naar het hek. Tot zijn teleurstelling zag de villa er verlaten uit. Maar in de tuin was een zwarte jongen bezig afgevallen bladeren van het *fynbos* bijeen te harken.

'Hallo *sir*, bent u de baas hier?' riep Erik. Hij kende de taal van de post-Apartheid.

De jongen draaide verlegen met de steel van de hark in het rond.

'Ik ben makelaar en heb belangstelling voor dit huis,' probeerde Erik. Hij liet zijn blik van boven naar beneden over de jongen gaan. Hij zag er aantrekkelijk uit.

'*Yes, sir,*' antwoordde de tuinjongen.

Dat schoot niet op. Uit zijn binnenzak haalde Erik opnieuw een biljet van twintig rand. Toch prettig dat het Zuid-Afrikaanse geld zo snel in waarde daalde, dacht hij. Zijn spaargeld in dollars werd met de dag meer waard, zonder dat hij er iets voor hoefde te doen. Hij stak zijn hand door het hek.

'Als je me wilt binnenlaten, kan ik rustig rondkijken. Ik zal het niet aan je baas vertellen.'

De jongen pakte aarzelend het geld aan en opende het hek. Erik liep in de richting van de voordeur.

'Ik dacht dat u misschien familie was van Mr. Lewsten,' zei de jongen verlegen. Hij raffelde de naam af.

'Nee,' lachte Erik geruststellend, 'geen familie. Is meneer Leeuwenstein thuis?'

De jongen schudde zijn hoofd. Meneer Leeuwenstein was nu al langer dan twee weken weg, zei hij.

'Jammer. Ik zou hem graag een keer ontmoeten. Een klant van me is geïnteresseerd in dit huis. Ik kan toch wel even binnenkomen?'

De jongen leek eerst te twijfelen. Toen hield hij de voordeur voor hem open.

Even later stonden ze beiden in een ruime woonkamer. Het uitzicht was oogstrelend. Aan de ene kant lag beneden de oceaan, aan de andere kant rees de Tafelberg omhoog.

Erik probeerde de zwarte jongen op zijn gemak te stellen. 'Werk je hier al lang?'

'Drie weken, sir. Mister Leeuwenstein heeft me in dienst genomen.'

De kamer was voor de verhuur gemeubileerd, er stonden zes stoelen, een eettafel en een boekenkast die helemaal leeg was. Op één plank stonden wat foto's.

'Is dit mister Leeuwenstein?' Erik hield een foto omhoog van een wat oudere heer met grijs haar, een kort getrimde baard en een donkere bril.

'Yes, sir, dat is hem.' De jongen keek verschrikt om zich heen, alsof hij zojuist een geheim had verraden.

'Vertel me eens, wat doet Mr. Leeuwenstein hier eigenlijk?'

'Ik weet het niet, *sir.* Hij heeft me verteld dat zijn vrouw binnenkort zou komen en dat ik de tuin goed moet onderhouden omdat zijn vrouw van bloemen houdt. Daarna is hij weggegaan, hij zei voor een paar dagen. Ik dacht dat hij deze week terug zou komen, maar misschien heeft hij zijn plannen veranderd.'

De jongen begon makkelijker te praten. Erik lachte hem bemoedigend toe. Ondertussen keek hij verkennend om zich heen. Het huis was duidelijk nog niet bewoond. Die Leeuwenstein had tegen de wand een paar onuitgepakte dozen neergezet en nog niets aan de inrichting gedaan. Hij liep naar de keuken, zag dat er een lege fles rode Stellenbosch-wijn op het aanrecht stond en ontdekte twee flessen mineraalwater in de ijskast. Hij keerde terug naar de woonkamer, waar de tuinjongen ongemakkelijk stond te wachten.

'Kun je een glas water voor me halen? Met ijsblokjes,' vroeg Erik.

'Zeker, sir.' Terwijl Erik het klokkende geluid van het water hoorde, pakte hij de foto van een vrouw die op de plank in de boekenkast stond en keek er een moment naar. Ook al viel Erik niet op vrouwen, hij zag onmiddellijk dat ze er aantrekkelijk uitzag. Hij stak de foto in zijn zak. Daarmee kon hij Joop laten zien dat hij zijn werk als onderzoeker grondig verricht had.

Even later kwam de jongen terug met een glas water in zijn hand.

Erik pakte nog eens twintig rand uit zijn binnenzak. 'Dank je wel voor de rondleiding. Je bent heel behulpzaam, ik weet zeker dat Mr. Leeuwenstein tevreden over je is.'

'Dank u, sir.'

Vijf minuten later gingen ze samen naar buiten. Erik

keek naar het ranke postuur van de jongen, terwijl hij voor hem uit liep naar het hek. Werkelijk heel begeerlijk, schoot door zijn hoofd.

'Houd je van sportauto's?' vroeg hij.

'Yes, sir!' zei de jongen verrast. Hij draaide zich half om.

'Wat zou je er van vinden als ik je uitnodigde om een ritje te maken? Je hebt zo te zien lang genoeg gewerkt in de tuin. Dan gaan we iets drinken en daarna naar het strand van Sandy Bay. En noem me maar Erik.'

'Okay, sir, ik heet Thabo.' Voor het eerst lachte hij met die brede, aantrekkelijke mond van hem.

Erik sloeg joviaal een arm om zijn schouder. 'Mijn auto staat hier om de hoek,' zei hij. Hij voelde een beginnende staat van opwinding. Dank je wel, Joop, dacht hij. Je gaat me een goddelijke middag bezorgen.

Joop Meijer voelde zich beroerd. Vreselijk snotverkouden ellendig. Zijn neus lekte als een ouderwetse kraan waarvan het leertje vergaan was, zijn voorhoofd voelde als een gewatteerde deken en zijn ogen traanden onophoudelijk. Op de autostoel naast hem lag een pak papieren zakdoeken en op het matje daaronder stapelden zich de natgesnoten proppen op. Zeker toch kou gevat op Schiermonnikoog, mompelde hij tegen zichzelf. Ondervoed en te veel drank, dan krijg je dat.

Zijn auto stond half verscholen geparkeerd achter een kraanwagen op de Dokter van der Stamstraat in Leidschendam. Het was nog vroeg, maar de bouwvakkers waren al druk in de weer, de kraan draaide onophoudelijk bouwmaterialen omhoog. Aan de overkant van de straat lag een kantoorgebouw met een brede naamplaat voor de ingang waarop 'Ministerie van Binnenlandse Zaken en Koninkrijksrelaties' stond te lezen. Mij leid je niet om de tuin, glimlachte Joop. Dit was het kantoor van de Binnenlandse Veiligheidsdienst.

In een opwelling had hij gisteravond besloten om hier een kijkje te gaan nemen. Als Polak gelijk had en Verduyn werkelijk bij de BVD werkte, dan was het misschien mogelijk om hem betrappen als hij het gebouw binnenging. De kans was niet groot en als hij hem niet zou zien, dan had hij nog niets bewezen. Maar het was de moeite van het proberen waard.

Hij had er alleen niet op gerekend dat hij snipverkouden zou zijn. Hatsjie! Zou die dokter naar wie deze straat genoemd was, hem van zijn verkoudheid kunnen afhelpen?

Nog een geluk dat die klap gisteravond niet zo hard was aangekomen. Alles stond hem nog helder voor de geest. Hij had geen verstand van de werkwijze van veiligheidsdiensten, maar de inkijkoperatie in zijn appartement leek hem een typische actie van een geheime dienst. Het had hem nog moeite gekost om het gebouw te vinden. Toen hij 's avonds nog eens naar John Polak had gebeld om het adres van de BVD te vragen, had die uitgelegd dat de Dienst was ondergebracht in een saai kantoorgebouw op de hoek van een straat die Oude Trambaan heette. Het was op de grens van Voorburg en Leidschendam en het kon niet missen. Nou, mooi wel. Joop was gestopt voor een betonnen kolos die aan de beschrijving voldeed. Pas na een minuut of vijf kwam hij erachter dat het een kantoor van KPN Telecom was. Het BVD-gebouw stond op de volgende hoek, negen verdiepingen hoog, opgetrokken uit saharagele baksteen met petroleumblauwe gevelplaten. Het had wat uiterlijk betreft net zo goed een gebouw van de Sociale Verzekeringsbank kunnen zijn. Het enige opvallende was dat er een soort slotgracht om het gebouw heen liep, die Joop deed denken aan de Waterlinie. Naast de ingang wapperde fier de Nederlandse vlag.

Vanuit zijn auto zag Joop de medewerkers naar binnen gaan, sommigen liepen van het station, anderen kwamen met de fiets of de auto. Mannen en vrouwen, die eruitzagen alsof ze voor hun kledingadviezen naar Peek & Cloppenburgh waren gegaan. Onopvallend, anoniem en doorsnee Nederlands.

Verdomme! De ruiten van zijn auto begonnen te beslaan. Joop zette de motor aan en liet de *fan* op de hoogste stand de wasem wegblazen. Hij snoot zijn drupneus nog eens en deed alsof hij verdiept was in *De Telegraaf*. Gelukkig duurden zijn aanvallen van verkoudheid nooit lang.

Toen werd Joops aandacht getrokken door een groepje mannen dat pratend van het parkeerterrein naar de ingang liep. Dat was hem! Een klein mannetje met een snor en hoed op, Indisch type. Hij klemde een aktetas onder zijn arm. Het was dezelfde man die Joop bij de begrafenis van Zoutkamp in de nabijheid van premier Hendrikse had gezien.

Wat schoot hij op met die vaststelling? Niets. Maar het zette de gebeurtenissen wel in een ander perspectief. De inval in zijn appartement, de dood van Zoutkamp, de vermoedens van Karel Swart op Schiermonnikoog: de BVD was er telkens in de persoon van Verduyn bij betrokken geweest. Hij was de laatste die Bert Zoutkamp op Schier had gesproken. Suzan misschien ook? Zij was niet meegegaan met de motorboot toen die in brand vloog. Zou de BVD haar gewaarschuwd hebben? Nee, die gedachte was te dol voor woorden.

In een opwelling besloot Joop om Verduyn te bellen. Dat deed hij met politici tenslotte ook altijd als hij iets van ze wilde weten: gewoon de directe confrontatie. Wat hij aan Verduyn zou vragen, wist hij nog niet precies, maar hij vertrouwde op zijn verslaggeversintuïtie.

Hij prikte het nummer van de centrale dat Polak uit zijn onmetelijke archief had opgediept.

‘Binnenlandse Veiligheidsdienst, goedemorgen.’

‘U spreekt met Meijer van *NRC Handelsblad*. Ik zou graag willen spreken met de heer Verduyn.’

‘Momentje, ik verbind u door.’

Er klonk behangmuziek.

‘Momentje, nog.’

Joop keek naar het digitale klokje op het dashbord van zijn auto. Twee, drie minuten tikten voorbij.

‘Bedankt voor het wachten. Het spijt me, meneer, er werkt hier geen Verduyn. Weet u zeker dat de naam klopt? Er is hier wel een meneer Van Duin. Maar als u van de pers bent, moet ik u toch doorverbinden met de woordvoerder.’

‘Nee, laat maar,’ zei Joop haastig. ‘In ieder geval bedankt voor uw moeite.’ Hij klikte zijn gsm uit.

Zo ging dat dus. Hij had Verduyn nog geen kwartier geleden het gebouw zien binnenlopen en toch werkte er geen Verduyn bij de BVD.

Verduyn zag hoe de bestuurder van de mosgroene Alfa Romeo 147 moest manoeuvreren om de kraanwagen aan de overkant van de straat te ontwijken. Hij keek de auto na terwijl deze de Oude Trambaan overstak en op de Voorburgseweg linksaf sloeg. Typische journalistenauto, dacht Verduyn misprijzend, uitgeroepen tot de Europese auto van het jaar door de vakpers en weggeschreven als kreukelbak door de Consumentenbond. Een grijze Volvo van de Dienst trok op van het parkeerterrein en reed in rustig tempo achter de Alfa van Joop Meijer aan.

Verduyn bekeek de bewegingen vanuit een kamer op de zesde verdieping van het BVD-gebouw, pal boven de luifel van de ingang. De ruiten waren voorzien van *one way*-glas, zodat hij wel naar buiten kon kijken, maar zelf niet gezien kon worden.

'Dat loopt niet lekker, Stokman.' Nijdig trok de kleine indischman aan zijn sigaret, de rook diep inhalerend. De jongere collega die naast hem stond, knikte zwijgend met zijn hoofd.

'We hebben een tap op zijn telefoon thuis en op zijn gsm,' vervolgde Verduyn. 'Maar we weten verdomme niet hoe hij mij op het spoor is gekomen.'

'Hij is journalist, hè,' zei Stokman.

'Dat verklaart nog niet dat hij ons hier in alle vroegte in de gaten staat te houden. Journalisten staan niet vroeg op, is mijn ervaring. Tenminste, niet vrijwillig.' Verduyn wees naar de plek waar Joops auto had gestaan. Hij knipte de peuk van zijn sigaret op de grond en trapte deze met zijn voet uit.

Stokman haalde zijn schouders op. Hij vond zijn baas een driftkikker. 'In zijn appartement waren geen aanwijzingen te vinden dat hij zich met gevoelige zaken bezighoudt. We hebben alles grondig overhoopgehaald,' zei hij neutraal.

'Ja, en jullie hadden verdomme niet gezien dat hij thuiskwam, zodat ik op de gang bijna tegen hem aanliep. Je had hem ook nooit die mep moeten verkopen!'

'Sorry. Ik wilde hem alleen met zijn gezicht tegen de muur duwen om te voorkomen dat hij je zou herkennen.'

'Nou, dat is je dan goed gelukt. Hij heeft me kennelijk herkend en hij weet zelfs mijn naam. Hoe zou hij die hebben opgeduikeld?'

Verduyn stak een nieuwe sigaret op.

'Laten we het er vooralsnog op houden dat Meijer inderdaad bezig is met een biografie over Zoutkamp. Alleen: dit kan een dekmantel zijn voor andere activiteiten. We moeten hem dus goed in de gaten blijven houden. Permanente observatie. Ik wil dat je daar...'

Een telefoon op het bureau van Verduyn ging over. Hij griste de hoorn van het apparaat.

'Ja?' zei hij, geërgerd dat hij werd onderbroken.
Het bleef even stil. Daarna maakte Verduyn wat ongearticuleerde klanken. Zijn gezicht stond op steeds zwaarder weer. Hij viste een sigaret uit zijn jaszak, die hij met één hand aanstak.
'Oké, ja. Zoek het uit.' Daarna klikte hij het gesprek weg.
'De zevende verdieping,' zei hij tegen Stokman. Met zijn wenkbrauwen keek hij naar boven. 'Ze zijn op de hoogte gesteld door onze liaison op het consulaat in Kaapstad dat iemand geïnformeerd heeft naar de villa aan Camps Bay Drive. Een of andere idioot die zich Oostrum of zoiets noemde. Hij deed zich voor als makelaar met een klant die geïnteresseerd is in het pand. Zegt die naam jou iets?'
Stokman schudde zijn hoofd.
'Zoek verdomme voor me uit wie die Oostrum is. Of hoe hij ook mag heten. We kunnen geen nieuwsgierige types bij die villa gebruiken. Sta niet uit je neus te vreten, Stokman, doe wat!'
Grommend ging Verduyn achter zijn bureau zitten. Stokman liep zonder een woord te zeggen zijn kamer uit.

'En, heren, heeft u een keuze kunnen maken?'
De serveerster zette twee glazen jus d'orange op tafel.
'Wat is het lunchmenu van de dag?' vroeg Hugo de Vries. Hij zat met zijn rug naar het raam.
'We hebben vandaag de huisomelet met gorgonzola en een salade van hertenham met frambozendressing.'
'Voor mij de salade. Als die herten maar niet van de koninklijke jacht op de Kroondomeinen komen,' grapte de andere man aan het tafeltje. Hij lachte nerveus.
'Ik sluit me daarbij aan,' zei De Vries. En, tegen zijn overbuurman: 'Proost.'
Hugo de Vries, stadsverslaggever van het *Algemeen Dag-*

blad, had met Klaas Lokhof, hoofdambtenaar van de afdeling Financiën van de gemeente Rotterdam, afgesproken in Het Bolwerk aan de Oude Haven.

Het eetcafé was ondergebracht in Het Witte Huis, een van de weinige gebouwen in het centrum van Rotterdam die in het bombardement van 1940 overeind waren gebleven. Later was de karakteristieke hoogbouw met scheepvaartkantoren bijna ten prooi gevallen aan de aanleg van de spoortunnel onder de Nieuwe Maas, maar het architectonische monument had alle aanslagen op zijn bestaan overleefd. Het Witte Huis was nu een locatie voor yuppenbedrijven, met uitzicht op de rivier en het oude binnenhaventje en met gezellige cafés op de begane grond.

Vanaf het stadhuis aan de Coolsingel was deze plek in een kwartiertje lopen te bereiken en het was voldoende ver weg om de kans op onverwachte ontmoetingen met andere ambtenaren uit te sluiten. De Vries woonde zelf om de hoek. Dit was zijn stamkroeg.

Tussen de middag was het er meestal druk, maar nu zaten er slechts enkele gasten. De Vries en Lokhof hadden een tafeltje in de hoek bij het raam gekozen, waar ze ongestoord konden praten. De Vries' hond Toby lag zo te zien volledig uitgeteld onder een belendend tafeltje.

De serveerster zette de hertensalades met een mandje vers boerenbrood op tafel.

'Nog wat te drinken?' vroeg ze, terwijl ze de lege glazen pakte.

'Geef mij maar een glas rode wijn,' zei Lokhof.

'Laten we een fles nemen. Een flesje rode huiswijn, graag,' verbeterde De Vries de bestelling.

Hij keek Lokhof aan. Ze kenden elkaar al jaren, dat was het voordeel van langdurig dezelfde positie bekleden op de redactie. Zo had Hugo de Vries zijn netwerk opgebouwd in de lokale Rotterdamse politiek en dat had hem de reputatie gegeven van een redacteur die wist wat er speelde in de havenstad. Met Lokhof had hij een bijzondere relatie, die stand hield omdat ze zich alletwee aan hun ongeschreven code hielden: Lokhof zei tegen niemand dat hij vertrouwelijke informatie aan De Vries doorspeelde en De Vries onthulde nooit dat Lokhof zijn *deep throat* was.

Deze afspraak was tot stand gekomen op verzoek van Joop Meijer. Hugo had aangeboden om Lokhof een beetje te bewerken, zodat hij tóch een keer met Joop over Zoutkamp zou willen praten. Ze hadden het al een halfuur over de dood van Zoutkamp en Lokhof was onafgebroken aan het woord, als een op springen staande bron, die plotseling was aangeboord. De hertensalade raakte hij nauwelijks aan, zijn glas daarentegen des te meer. Hugo de Vries schonk geregeld bij.

'Wat vind jij van de nieuwste geruchten over de tijd dat Zoutkamp burgemeester was?' vroeg De Vries. Hij haalde zijn hand door zijn dikke, zwarte haar.

'Jij weet er meer van dan ik, Hugo, je hebt zo vaak over hem geschreven.'

'Dat is waar, maar het bleven geruchten – zonder hard bewijs. Ook nu weer, trouwens. En Zoutkamp heeft altijd glashard ontkend.'

'Je weet toch wat ontkenningen van hem voorstellen,' schamperde Lokhof, 'allemaal bluf! Die man is de grootste blufmachine die ik ken. Herinner je je nog dat hij aankondigde een proces wegens smaad te beginnen tegen het *AD* toen jij dat eerste stuk had geschreven? En toen had je het er alleen nog maar over dat er geruchten gingen.'

'Ja, natuurlijk! Zoutkamp zou de boete aan het dikhuidenverblijf van Blijdorp schenken,' vulde Hugo de Vries aan.

'Precies. Nooit meer iets van gehoord. Die olifanten staan nog steeds in de kou.'

Beiden schoten in de lach.

'Weet je wat het is, Hugo,' boog Lokhof zich naar voren,

'Zoutkamp is... was,' verbeterde hij zichzelf, 'een typische PvdA-regent. Al die voormalige nieuw-linksers, ze denken dat ze zich alles kunnen veroorloven. Zo zijn ze allemaal! Regenten! Nee, geen regenten, want die hadden nog een ouderwets gevoel van fatsoen dat ze de publieke zaak hoorden te dienen.'

Lokhof dronk zijn glas leeg en vervolgde: 'Die rooie jongens zijn machtsbeluste bestuurders. Ze hebben de touwtjes in handen, hier in Rotterdam, in heel Nederland trouwens. Moet je eens opletten, bij al die verzelfstandigde en geprivatiseerde overheidsdiensten, wie daar aan de top staan. Allemaal PvdA-ers.'

Hij sprak het uit alsof het een smerig woord was. Hugo de Vries vulde zijn glas bij.

'Dank je. En natuurlijk gaat er wel eens wat mis. Er raakt iets tussen de wielen. Er wordt hier en daar gesjoemeld, of de hand gelicht met de regels.'

'Dat gebeurt in ieder bestuur.'

'Ja, maar weet je wat het hier in Rotterdam was? Ze hielden elkaar allemaal de hand boven het hoofd, net als vroeger het CDA! Ze zorgden er voor dat schandalen buiten de openbaarheid bleven en als er al eens wat uitlekt naar de pers,' Lokhof knikte richting De Vries, 'dan hebben ze genoeg vriendjes bij de omroepen in Hilversum om alles te ontzenuwen. Moet je eens opletten: dat soort schandaaltjes komt nooit in de media!'

'Volgens mij overdrijf je, Klaas.'

'Oh ja? Noem me één links schandaal dat de laatste jaren in de openbaarheid is gebracht!'

Hugo de Vries zweeg. Hij stemde tenslotte altijd PvdA, en zijn partij afvallen was nu ook niet de bedoeling. Hij vroeg zich af wat Lokhof zou stemmen. Volgens Hugo was hij een teleurgestelde sociaal-democraat. Partijloos geworden. Een zwevende kiezer. Misschien een prooi voor de lijst Fortuyn.

'Dat bedoel ik nou,' zei Lokhof triomfantelijk.

Hugo schonk de fles leeg. Hij had de indruk dat de gemeenteambtenaar enigszins aangeschoten begon te raken.

'Oké, je hebt je punt gemaakt. PvdA staat voor Partij van de Almacht.'

'*The Arrogance of Power*. J. William Fulbright, eind jaren zestig,' articuleerde Lokhof langzaam. Hij keek met een sentimentele waas van herinnering naar buiten.

'Dat is voor mijn tijd, Klaas, ik ben van na de Beatles.'

'Sorry, Hugo, maar dat boek heeft míj diep beïnvloed. Fulbright was een Amerikaanse senator die tégen de oorlog in Vietnam was. Ik ben nog altijd links en tegen het establishment. Vroeger waren dat de kapitalisten, tegenwoordig de PvdA-bestuurders.'

De serveerster vroeg of ze koffie wilden. Ze besloten tot een tweede fles huiswijn.

'Ik denk dat ik het gemeentehuis vanmiddag niet meer haal', zei Lokhof, zodra hij van een vol glas voorzien was. 'Proost. Op je onthullingen.' Zijn stem klonk niet helemaal vast.

Hugo de Vries wierp een paar stukjes brood neer voor Toby, maar de hond bleef slapen.

'Als je nou eens met Joop Meijer ging praten,' probeerde hij voorzichtig.

'Waar zie je me voor aan?' Lokhof herstelde zich onmiddellijk. De onkreukbare ambtenaar.

'Kom nou, Klaas. Je weet precies wat ik bedoel. Meijer is een gerespecteerde parlementaire journalist...'

'Fatsoenlijke journalisten bestaan niet,' zei Lokhof sarcastisch.

'Dat is jouw opvatting. Maar terzake. Je weet dat Meijer begonnen is aan een biografie over Zoutkamp. Jouw voormalige baas hier in Rotterdam. Je zou met hem moeten praten...'

'Daar denk ik niet over!'

'Maar jij was zijn rechterhand, je ging over de financiën op het stadhuis, je gaat er nog steeds over! Je was een van zijn vertrouwelingen. Als íemand iets over Zoutkamp en z'n...'

'Daar wil ik het niet over hebben!' Lokhofs stem trilde. 'Ik praat niet met die, die, eh, Meijer, en ik ben ook uitgepraat met jou!' Hij maakte aanstalten om op te staan en kwam enigszins wankelend overeind.

'Waarom heb je dan die anonieme brief met verdachtmakingen over Zoutkamps declaratiegedrag naar Meijer gestuurd?' vroeg Hugo op luide toon. Hij schrok van zijn eigen stemverheffing. Aan het andere eind van het restaurant draaiden de enige andere gasten zich om. Toby liet een zacht grommend blafje horen.

Lokhof ging weer zitten en boog zich naar voren. Zijn rood aangelopen gezicht was dicht bij dat van De Vries, die iets terugweek. De alcoholkegel was goed te ruiken. 'Ik heb geen enkele anonieme brief aan wie dan ook geschreven, Hugo. Ik klap niet uit de school. Dat je dat weet.'

'Oké, sorry, zo had ik het niet bedoeld,' bond De Vries in.

Lokhof kalmeerde ook. Zwijgend schonk hij de glazen bij.

'Weet je wat het is, Klaas,' pakte De Vries de draad weer op, 'Joop Meijer is een doorbijter. Hij heeft lucht gekregen van de onregelmatigheden van Zoutkamp. Ik weet zeker dat hij dat verder gaat uitzoeken. En jij zou hem daarbij kunnen helpen, al was het alleen maar om een keer met hem te praten en uit te leggen hoe de scheidslijnen tussen privé-uitgaven en uitgaven op kosten van de gemeentekas formeel zijn geregeld. Dat is neutrale informatie.'

Lokhof schudde zijn hoofd. 'Nee, dat doe ik niet. Ik zou maar slapende honden wakker maken.'

'Hoe bedoel je?'

'Nou, als ik begin te vertellen, dan vallen er financiële lijken uit de kast.'

'Hoezo?'

'Hugo, je bent toch niet op je achterhoofd gevallen?' Lokhof sloeg de wijn naar binnen en schonk zijn glas opnieuw bij. 'Iedereen weet toch dat het een zooitje was met de declaraties op het stadhuis... Maar dat kan ík niet naar buiten brengen! Dat kan ik niet doen, dat mág ik niet doen.'

'Wat bedoel je, Klaas?' Nu boog Hugo zijn hoofd over de tafel.

Lokhof fluisterde: 'Al die PvdA-ers in het gemeentebestuur, ze houden elkaar de hand boven het hoofd. Zoutkamp, Peeters, ze deden allemaal mee, allemaal. De een meer dan de ander, maar Zoutkamp heeft het hele stel meegezogen. De cultuur van het stadhuis was ermee doordesemd. Ze declareerden er op los en het gemeentelijke havenschip leek wel een varend bordeel. Onder elkaar spraken we over de politiek van graaien en naaien.'

'Is dat niet een beetje overdreven?'

'Maar ze zullen het altijd ontkennen. Je komt er nooit doorheen.'

'Er moet toch een boekhouding zijn? Je moet toch ergens bewijzen kunnen vinden? Of op zijn minst bonnetjes,' drong De Vries aan.

'Nee, Hugo, geen bewijzen, geen boekhouding, geen bonnetjes. Dit is het geheime genootschap van de rode bestuursbrigade. Al die linkse pakkendragers beschermen elkaar, want ze weten maar al te goed: als er één door de mand valt, vallen ze allemaal.'

Lokhof keek nerveus om zich heen. De mensen achter in het restaurant concentreerden zich op hun maaltijd. Dat stelde hem kennelijk gerust. 'Sorry, ik heb iets te veel verteld, ben misschien een beetje doorgeslagen' zei hij met een dikke tong. 'Vergeet het. En beloof me dat dit onder ons blijft.'

'Uiteraard, we houden vast aan onze gebruikelijke afspraak.'

Hugo wenkte de serveerster om af te rekenen. Ze legde de bon op tafel. Hij wilde betalen.

Lokhof legde zijn hand op de rekening. 'Wacht even, ik betaal mijn eigen consumpties', zei hij zonder ruimte voor discussie. Hij telde de helft van het bedrag neer. 'Neem jij het bonnetje maar mee, dan kun je dat bij je krant declareren. Vertel mij wat, zo krikken journalisten hun schamele inkomen toch een beetje op?'

Lokhof ging moeizaam staan, trok omstandig zijn jas aan en liep wankelend naar de deur.

'En onder geen beding een gesprek met Meijer!' riep hij over zijn schouder.

Een Lockheed P-3 Orion kwam laag overvliegen, maakte een trage bocht boven de geestgronden en liet het landingsgestel uitklappen.

'*Oh, my God,*' dacht Anneke Zoutkamp, terwijl ze vanuit haar auto naar het viermotorige propellervliegtuig keek. 'Dit is dus Chris' laatste vlucht!'

Ze voelde een golf van verdriet opwellen, voor het eerst sinds ze had gehoord van het tragische ongeluk in Kosovo. Het was alsof nu pas echt tot haar doordrong dat haar echtgenoot dadelijk niet springlevend van de vliegtuigtrap zou komen, maar languit, met de benen naar voren.

Anneke was op weg vanuit Leiden naar het Marinevliegkamp Valkenburg. Daar zou de kist met het stoffelijk overschot van eerste luitenant Geerlings in een korte militaire ceremonie aan de nabestaande worden overgedragen.

Een matroos bij de poort van het militaire complex vroeg naar het doel van het bezoek. Anneke stamelde dat ze haar dode man kwam ophalen. De jonge militair keek haar niet-begrijpend aan, controleerde het nummerbord van Annekes auto met een lijst van bezoekers en gebaarde dat ze door kon rijden naar het VIP-gebouw.

‘Mevrouw Geerlings?’

Anneke knikte. Dit was niet het moment om te zeggen dat ze normaal haar meisjesnaam voerde. Ze had haar auto geparkeerd en liep met korte passen over het ruwe asfalt naar de entree van de barak. Ze had maar beter geen schoenen met hakken aan kunnen doen.

‘Gecondoleerd met het overlijden van uw man. Ik besef dat dit een moeilijk moment voor u is. Ik zal u vanmiddag waar mogelijk terzijde staan. Mijn naam is De Fels.’

De luitenant ter zee ging gaf Anneke een hand en begeleidde haar naar de VIP-room.

‘Hier ontvangen we gewoonlijk staatshoofden of andere hoge gasten,’ zei De Fels. ‘Het is ongebruikelijk dat het stoffelijk overschot van een landmachtofficier door de Marine Luchtvaartdienst wordt getransporteerd, maar in dit bijzondere geval doen we het graag. We hadden toch een Orion in de buurt van Kosovo die terugkwam en dit vliegveld is voor u een stuk dichter bij dan dat van Eindhoven. En u bent de dochter van de minister van Binnenlandse Zaken. Nogmaals gecondoleerd, overigens. U heeft in korte tijd veel verdriet te verwerken gehad. Ongelooflijk. Kopje koffie?’

De marine-officier deed haar best om Anneke op haar gemak te stellen. Ze was een vrouw met kortgeknipt haar, gedisciplineerd en voorkomend. Ze had een onberispelijk marinepak aan met een kraakhelder wit overhemd. Haar ronde hoedje hield ze in haar hand.

‘Graag,’ zei Anneke. Ze nam het kopje met het marinewapen aan en keek een moment om zich heen. Donkerblauwe stoelen, een lage tafel, een foto van de koningin aan de muur, een kastje met wapenschilden. In de hoek stond een vitrine met het oranje vaandel van de Marine Luchtvaartdienst. Uit een kamer op de gang hoorde ze het bonkende ritme van een populaire muziekzender. Buiten klonk het gebrom van de turbopropmotoren van een vertrekkend vliegtuig.

Anneke voelde zich ongemakkelijk. Wat deed ze hier op dit marinevliegeveld? Ze had nooit belangstelling gehad voor de ceremoniële kant van het militaire bestaan van Chris, en trouwens evenmin voor zijn praktische werk bij de krijgsmacht, ook al ging dat om vredesmissies. Ze hoopte dat de overdracht van de lijkkist snel achter de rug zou zijn.

'Als u gereed bent, gaan we naar de hangar,' zei De Fels. Haar rustige manier van optreden kalmeerde Anneke.

Even later liepen ze samen naar het gebouw van Vliegtuigsquadron 320. Anneke schrok toen ze naar binnen stapte. Op de kale betonnen werkvloer stond een peloton militairen stram in de houding. Ze hadden opdracht gekregen zich te kleden in tenue-6, het marine-uniform met witte handschoenen, plus voor de officieren grootkruizen en sabels. Achter een plastic lint zag Anneke twee grijs en geelgroen geschilderde vliegtuigen met half gedemonteerde motoren. Her en der stonden metalen ladders en karretjes met onderdelen, alsof ze in een enorme werkplaats was terechtgekomen.

De commandant van de marinebasis kwam op hen af. De Fels salueerde en stelde Anneke aan hem voor.

'Mijn oprechte deelneming,' zei de commandant. Hij begeleidde Anneke naar een rijtje stoelen dat vooraan was neergezet. Luitenant De Fels kwam naast haar zitten en legde een moment haar hand op haar arm ter geruststelling.

Op een gebaar van de commandant gingen ze staan. De officieren en schepelingen salueerden. Een rolluik ging omhoog en vier marinemannen duwden een karretje naar binnen waarop een kist stond, bedekt met de Nederlandse vlag en daarop de officierspet en de onderscheidingen van Chris Geerlings.

'O, mijn God,' mompelde Anneke. 'Chris.' Ze kneep in de hand van De Fels en probeerde uit alle macht zich goed te houden. Ze was verrast door haar eigen emoties, ze wist maar al te goed dat haar verhouding met Chris niet bepaald hemelbestormend was geweest. Strak keek ze naar de vlag en naar de kist die daaronder verborgen ging, ze dacht terug aan het geluk toen ze hem had leren kennen, aan de romantische verwachtingen die ze had gekoesterd toen ze besloten te trouwen, aan de verwijdering toen Chris uitgezonden werd, aan de ruzies die ze steeds vaker en de intieme momenten die ze steeds minder vaak hadden beleefd. Maar toch. Hij was haar man geweest, haar minnaar, de verwekker van Bertje. En nu lag hij daar, koud en verstijfd, verpakt in een houten kist die van rijkswege was verstrekt. Dit was afscheid voor altijd.

De commandant hield een korte toespraak. Anneke hoorde het nauwelijks. Iets met Kosovo, het vaderland en minister Zoutkamp. Ze probeerde de gedachte aan een veld-wc, een latrine, ver van zich te houden, maar zag toch een houten hok voor zich, waarin het erger stonk dan in een weken niet schoongemaakt campingtoilet. Had er een emmer water in gestaan om door te kunnen spoelen? Een rolletje wc-papier? Misschien een pak oude kranten.

De commandant bracht haar terug in de werkelijkheid. Nadat hij zijn toespraakje beëindigd had, kwam hij op Anneke af, condoleerde haar nogmaals, draaide zich een halve slag om, klapte met zijn hakken en salueerde naar de kist die voor hen stond. Een minuut lang bleef het stil in de hangar. Alleen een vogeltje dat op een hoge dwarsbalk zat, tsjilpte onbekommerd door. Toen gaf een officier een commando. De grote hangardeur rolde open en een begrafenisauto reed achterwaarts naar binnen. De kraaien van de begrafenisonderneming namen de kist over van de marinemensen. Even later reed de limousine naar buiten – met het stoffelijk overschot van Chris Geerlings.

De officieren en manschappen verspreidden zich, terug naar hun barakken of weer aan het werk. Samen met de commandant en De Fels liep Anneke naar buiten. Ze voelde zich op een vreemde manier opgelucht. Deze ceremonie was tenminste achter de rug.

'Als u wilt kunt u met ons nog iets eten,' bood De Fels aan.

'Nee dank u,' antwoordde Anneke. 'Ik ga liever naar huis. Maar bedankt voor het aanbod, en ook voor de manier waarop u me heeft opgevangen. U bent werkelijk bijzonder vriendelijk voor me geweest.'

De commandant nam met een korte handdruk afscheid van haar en verontschuldigde zich.

'Geen dank,' zei De Fels. 'We zijn natuurlijk het nodige gewend bij de krijgsmacht als het op slachtoffers aankomt, maar dit zijn altijd emotionele momenten. Niet alleen voor de nabestaanden, ook voor ons. Het doet je beseffen hoe kwetsbaar je bent en hoeveel risico onze mannen en vrouwen lopen. Ik wens u alle sterkte.' Luitenant ter zee De Fels gaf haar een hand, die ze iets langer dan gebruikelijk vasthield. Ze keek haar bemoedigend aan.

Wonderlijke vrouw, dacht Anneke terwijl ze uit de poort van het vliegkamp reed. Correct in haar optreden, maar met meer betrokkenheid dan ze had verwacht. Haar werk tussen al die mannen moest niet gemakkelijk zijn, en toch sloeg ze zich daar met een professionele vanzelfsprekendheid doorheen. Het was waarschijnlijk de mentaliteit van de marine: niet lullen, maar poetsen.

Op de provinciale weg sloeg ze rechtsaf. Ze dacht aan wat haar thuis te wachten stond. Josien aflossen met de zorg voor Bertje, werken aan de vertaling van Schnellendorf. O, ja, ze moest dadelijk de begrafenisondernemer bellen om de crematie van Chris verder te regelen. Ze dacht aan zijn irritatie op afstand, toen hij Joop Meijer twee keer aan de lijn had gekregen. Alsof hij bang was dat zij in zijn afwezigheid...

'Den Haag 16, Leiden 4,' stond op het verkeersbord bij de rotonde van de N206. Ze kwam in de verleiding om dadelijk op de A44 rechtsaf richting Den Haag te gaan, in plaats van rechtdoor naar Leiden. Nee, wat een belachelijk plan, ze moest naar huis. Vastberaden gaf ze gas, reed harder dan de toegestane maximumsnelheid en riep luidkeels: 'Je bent verdomme net weduwe, An. We-du-we.'

Met een routinegebaar wipte Joop Meijer een paar ijsblokjes in een hoog glas. Hij schonk zichzelf een stevig glas droge vermouth *on the rocks* in en deed er een schijfje citroen bij tegen zijn verkoudheid. Het was wel drank, maar het werkte, hield hij zichzelf voor, want zijn druipneus was minder aan het worden.

'Op je gezondheid,' mompelde hij tegen zichzelf.

Na zijn observatiebezoek aan het BVD-gebouw was hij naar de Koninklijke Bibliotheek gegaan, waar hij in het archief had gezocht naar materiaal over Zoutkamp. Nu zat hij met stapels aantekeningen aan zijn werktafel. Met viltstiften probeerde hij er een systeem in aan te brengen door de teksten per thema van verschillende kleurencodes te voorzien. Het werd een wirwar van gekleurde strepen in de kantlijn en al gauw zagen zijn aantekeningen eruit als het schilderij *Victory Boogie Woogie* van Mondriaan. Er was alleen geen overwinning in zicht, want het palet van strepen werkte allesbehalve verhelderend.

Joop kauwde op de namen. Zoutkamp, Verduyn, Hendrikse. Minister, BVD-agent, premier. Koning, keizer, schuttermajoor. Dat schoot dus niet op. Hij probeerde het anders. Den Haag, Schiermonnikoog, Leiden. Wat hoorde in dat rijtje niet thuis – Leiden, daar woonde Anneke. Arme vrouw, in korte tijd haar vader én haar echtgenoot verloren. Ze was op een bijzondere manier aantrekkelijk. Hij wist wel waarom: ze leek zoveel natuurlijker dan die ongenaakbare, ijzige Els. Onbegrijpelijk dat ze met een beroepsmilitair was getrouwd.

Joop probeerde zich de gebeurtenissen van de afgelopen dagen voor de geest te halen. Had die inbraak in zijn appartement iets te maken met zijn onderzoek voor de biografie van Zoutkamp? Misschien. Waarom dook die BVD-agent telkens op? Geen idee. Was het een ongeluk geweest met de boot bij Schiermonnikoog, of toch een explosie? Complotten bestaan niet in de politiek, hield hij zijn jongere collega's op de redactie altijd voor. Gebeurtenissen konden onafhankelijk van elkaar plaatsvinden, zonder dat ze op enige manier met elkaar samenhingen. Hij moest niet in sjablonen van een samenzwering gaan denken. Bovendien, in deze vreedzame polder met zijn alles verzachtende dorpspolitiek gebeurde zoiets niet. Hier werden overtollige of niet meer te handhaven politici op een beschaafde manier naar een provinciaal commissariaat of een riante burgemeesterspost verbannen.

Nee, de minister van Binnenlandse Zaken was verantwoordelijk voor de BVD. Verduyn kon dus heel goed kabinetsstukken naar Schier hebben gebracht. En als een minister om het leven komt bij een ongeluk, moet de BVD dat natuurlijk grondig onderzoeken. Terroristische aanslagen waren ook in Nederland niet langer uitgesloten. Zo klonk het volstrekt logisch.

Maar waarom had premier Hendrikse Zoutkamps exvrouw dan op de mouw gespeld dat hij achter malversaties van Zoutkamp aanzat – met het doel Anneke bij hem weg te houden? Dat was mooi niet gelukt, maar de vraag was wat Hendrikse bezielde. Misschien wel partijbelangen.

Hendrikse kende hem ten slotte al jaren uit het Binnenhof- en Nieuwspoortcircuit. Had de BVD zijn spullen soms overhoop gehaald om te onderzoeken hoeveel compromitterend materiaal hij over Zoutkamp verzameld had? Dan viel er dus tóch iets te verbergen en was men er kennelijk voor beducht dat hij op het punt stond een staatsgevaarlijke intrige te ontrafelen.

Hij schudde de gedachte van zich af. Allemaal flauwekul. Hij was begonnen aan een biografie over Zoutkamp voor Melle Hamer en hij moest zich niet inbeelden dat hij de binnenlandse veiligheid aan het ondermijnen was door geheime staatszaken boven water te halen. Nou ja, boven water halen was in dit verband geen gelukkige woordkeuze, maar hij was geen onderzoeksjournalist met een subversieve missie.

Joop zette zijn computer aan en muisde naar zijn e-mail. Twee berichtjes kwamen binnen. De aanbieding van beleggingstips klikte hij ongezien weg, daar had hij slechte ervaringen mee. Hij moest zich toch eens afmelden bij die service. De andere mail was van Erik van Oosterom uit Kaapstad.

> Ha die Jopie,
> je hebt me een fatastiese middag bezorgd met een zwart vriendje op het strand. Stuur me nog maar eens om zo'n boodschap, ik weet er wel raad mee, ha ha.
> Wat die villa betreft, die is dus via het Nederlandse konsulaat hier gehuurd voor die Leeuwenstein, waar ik je al eerder over mailde. Misschien een diplomaat – hij is een paar weken weg en had alweer terug moeten zijn. Binnenkort komt ook zijn vrouw. Ik weet dit allemaal van de tuinjongen. Hij heeft me het huis laten zien. Het uitzicht is magistraal, verder is het afgezien van wat meubels die meeverhuurd worden nog niet ingericht. In de lege boekenkast stond deze foto, waarschijnlijk van de aanstaande vrouw des huizes. Echt zo'n diplomatenkutje.

Groeten uit Cape Town, Jan van Riebeeck had eens moeten weten wat hier tegenwoordig te beleven valt voor ferme jongens en stoere knapen.

Erik

<attachment- pittigvrouwtje.jpg>

Geile bok, dacht Joop, terwijl hij het attachment aanklikte. Het duurde even voordat de foto opgeladen was. Toen bleef hij ademloos naar het beeldscherm van zijn computer staren: voor zijn ogen lichtte een foto op van Suzan Venema.

Suzan Venema! Hoe kon die in godsjezusnaam op een foto staan uit Kaapstad? Wat had die idioot van een Erik nu weer uitgehaald? Misschien was dit een slappe nichtengrap. Nee, dat was uitgesloten. Erik kon onmogelijk op de hoogte zijn van het bestaan van Suzan Venema. En dan nog zou hij het niet in zijn hoofd halen om doelbewust een foto van haar te e-mailen vanuit Kaapstad.

Suzan Venema. Ze keek hem verleidelijk lachend aan. De foto was ergens buiten genomen op een onbestemde plek in de zon, en ze straalde van geluk.

Maar wat deed een foto van Suzan Venema, die hij gisteren in Den Haag had gesproken, op een boekenplank in een villa in Kaapstad, nog wel in een villa die was gehuurd door die mysterieuze Leeuwenstein? Hij begreep niet wat Suzan Venema in hemelsnaam met Leeuwenstein te maken kon hebben. En met welke Leeuwenstein – daar waren er inmiddels twee van opgedoken. Of misschien was het wel een Zuid-Afrikaanse Leeuwenstein die toevallig zo heette en verder nergens iets mee te maken had.

Het rommelde in Joops hoofd, het voelde alsof onder zijn hersenpan een wedstrijd aan de gang was om het wereldrecord omgevallen dominosteentjes te verbeteren. En plotseling, terwijl virtueel in zijn hoofd een hele serie steentjes met veel geraas omviel, verscheen er een vaag patroon. Ja, hij zag het beeld nu duidelijk contouren krijgen! Natuurlijk! Er bestond een verband tussen Zoutkamp en Leeuwenstein, en het verbindende element heette Suzan Venema.

Nog voordat hij verder kon fantaseren, werd hij opgeschrikt door het geluid van de deurbel.

~

Toen Joop de voordeur open deed, keek Anneke Zoutkamp hem enigszins verlegen aan.

'Ik hoop niet...' begon ze. Ze had haar jas half openhangen en Joop zag onmiddellijk dat ze stemmig gekleed was.

'Wat kom jíj doen?' bracht hij verbluft uit. Hij probeerde de foto van Suzan Venema van zijn netvlies te verdrijven.

'Ik geloof dat ik je stoor.'

'Nee, helemaal niet, kom binnen.'

Joop hield de deur voor haar open. Even later stonden ze in zijn werkkamer.

'Let niet op de rotzooi.' Joop veegde haastig de papieren zakdoekjes van zijn bureau in de prullenmand. 'Ik ben nogal verkouden.'

'Ik... eh, ik ben een oorbel verloren, en ik dacht dat die misschien gisteren hier op de bank is gevallen,' zei Anneke met een zenuwachtig lachje. 'Nou ja, ik was toevallig in de buurt en ik besloot even langs te rijden, kijken of je thuis was. Ik kom van het vliegveld Valkenburg waar ik de kist van Chris in ontvangst mocht nemen. Ik had ontzettende behoefte aan aanspraak en dacht, ik kijk of je thuis bent.'

'Wat aardig van je. Ja, wat zeg je op z'n moment... Gecondoleerd, denk ik. Was het te doen?'

'Ja hoor,' probeerde Anneke monter te zeggen. Ze was meer onder de indruk geweest dan ze wilde bekennen. 'De militairen waren ontzettend behulpzaam. Ze hielden een kleine plechtigheid en ik voelde echt verdriet. Het is toch... de dood van Chris, het geeft een vreselijk gevoel van leegte. Toen ik de kist daar zag staan, besefte ik pas werkelijk dat hij niet meer terugkomt. En Bertje, hij heeft ineens geen vader meer. Mijn kleine baby...'

Anneke begon zachtjes te huilen. Joop sloeg een arm om haar heen en drukte haar tegen zich aan om haar te troosten. Ze legde haar hoofd tegen zijn schouder. Meelevend streelde Joop haar rug. Zo bleven ze minutenlang staan, in de gedeelde intimiteit van het verdriet.

'Het spijt me voor je, het moet een moeilijk moment zijn geweest.'

'Ja,' antwoordde Anneke. Ze probeerde zich te herstellen. 'In ieder geval bedankt dat je me zo helpt. Sorry voor al dat gehuil van me.'

'Welnee, daar moet je je niet voor verontschuldigen. Je zult nog heel wat verdriet te verwerken krijgen.'

Met tegenzin maakten ze zich van elkaar los. Joop pakte een Kleenex uit de doos op zijn bureau en gaf die aan Anneke. 'Hier, droog je tranen maar. Zal ik een borrel voor je inschenken? Daar kikker je van op.'

'Graag!' zei Anneke door haar tranen heen. Ze veegde haar gezicht af, schoof een stapel kranten opzij en ging op de bank zitten.

'Ik ben bezig mijn verkoudheid met droge vermouth te bestrijden. Is dat ook iets voor jou?' riep Joop uit de keuken.

'Ja, lekker.'

Even later zaten ze ieder met een glas op de bank. Op de tafel stond een bakje met cashewnoten.

'Sterkte. Dat zul je wel nodig hebben.'

'Dank je, je bent een enorme steun voor me. En op jouw gezondheid.'

Een moment zwegen ze. Toen vervolgde Joop: 'Kun je nog een schok aan?'

'Hoezo?'

'Vlak voordat je aanbelde, overkwam me iets krankzinnigs. Ik opende een e-mail van mijn ex-zwager, je weet wel, Erik uit Kaapstad, die ik gevraagd had over die villa bij de Tafelberg. Je zult niet geloven wat hij me heeft gestuurd.'

Anneke zette haar glas neer.

'Kom mee, dan laat ik het je zien.'

Samen liepen ze naar Joops computer. Hij tikte de spatiebalk aan om de *screensaver* te deactiveren en daar verscheen het verleidelijke gezicht van Suzan Venema.

'Waar komt die foto vandaan?' vroeg Anneke. Ze voelde zich overrompeld, alsof ze net de wederopstanding van haar overleden man had gezien.

In een paar woorden vertelde Joop over Eriks bezoek aan de villa van Leeuwenstein in Kaapstad en wat hij daar had aangetroffen.

'Dit is absurd. Hier begrijp ik helemaal niets van.' Anneke ging op de punt van het bureau zitten. 'Weet je zeker dat het geen *spam* is, ongewenste mail die toevallig aan jou is toegestuurd, misschien door die fotowinkel waar ik de foto's heb afgehaald?'

'Nee, dat kan niet. De foto kwam als attachment bij het mailtje van Erik. En trouwens, waarom zou een portret van Suzan Venema als spam verstuurd worden?'

'Daar heb je gelijk in. Heb je een idee wat dit dan wel te betekenen heeft? Het is heel raar, want door dat fotorolletje van Leeuwenstein dat ik in Leiden heb afgehaald, zijn we achter die villa in Kaapstad gekomen.'

'Precies, en dat heeft mij aan het denken gezet. Volgens mij lopen er twee lijnen: Leeuwenstein met Suzan Venema. En Suzan Venema met Bert Zoutkamp. Het verbindende element is Suzan. Maar wat heeft zij met die Leeuwenstein, en wat hebben Leeuwenstein en jouw vader met elkaar te maken?'

'*You tell me.*'

Joop aarzelde een moment. 'Dan is er nog iets, wat ik je eigenlijk gisteren al had moeten vertellen. Toen ik op Schiermonnikoog was, heb ik met Karel Swart gesproken, een vriend van je vader die op het eiland woont. En weet je wat gek is, die Swart die twijfelde aan het ongeluk met de boot van je vader.'

'Hè?'

'Ja, hij suggereerde een beetje dat het misschien een soort aanslag is geweest. Tenminste, dat begreep ik uit wat hij zei.'

'Maar Joop, dat is absurd! Dat weiger ik te geloven. Mijn vader, de minister van Binnenlandse Zaken, opgeblazen? Nederland is toch geen bananenrepubliek!'

'Er waren natuurlijk verhalen over allerlei politieke toestanden, ook nog van zijn tijd in Rotterdam, of eigenlijk juist toen,' zei ze half tegen zichzelf, half tegen Joop. 'Josien heeft me er wel eens iets over verteld. Maar daarvoor breng je toch geen minister om het leven! De BVD, die kan niet eens fatsoenlijk terroristen vangen of radicaal-linkse extremisten schaduwen.' Ze schudde heftig haar hoofd. Haar blonde haar bewoog wild heen en weer.

'Je hebt gelijk. Het is te dol voor woorden,' gaf Joop toe. 'Misschien dat Swart ook maar een beetje fantaseerde, en dan ook nog op basis van de verhalen van die zwaar alcoholistische jutter, Tjibbe.'

'Tjibbe?' vroeg Anneke.

'Ja, zo heet-ie. Maar goed, stel dat het géén ongeluk was, wat dan wel? Weet je nog dat Hendrikse niet wilde dat jij met mij zou praten? Had je vader soms nog iets te verbergen?'

'Ik wou dat ik het wist, maar ik heb geen idee. Ik had hem zo lang al niet meer gesproken.' Anneke zuchtte diep. 'Jezus, ook dat nog. Ik voel me opeens draaierig worden.'

Joop bracht Anneke terug naar de bank en ging naast

haar zitten. Opnieuw legde hij zijn arm om haar heen. Hij vroeg zich af of hij het zich verbeeldde, maar ze leek een stukje naar hem toe te schuiven.

'Daar zitten we dan', zei ze na een tijdje. 'Ik zadel je wel op met mijn familieproblemen.' Anneke deed een vergeefse poging tot glimlachen.

'Nou ja, ik heb in ieder geval jou hierdoor ontmoet.'

'Alsof je daar wat mee opschiet. Ik ben één hoop ellende.'

'Kom op! We slaan ons er heus wel doorheen.'

Peinzend keek Joop voor zich uit. 'We moeten iets bedenken. Ik wil in ieder geval Suzan confronteren met de foto van Erik uit Kaapstad. Zíj moet daar een verklaring voor kunnen geven. Ze heeft tegen me gezegd dat ik altijd kon bellen als ik meer informatie van haar wilde. Nou, dit lijkt me daarvoor een uitgelezen moment. Dan kan ik haar meteen vragen of ze iets weet van die dagboeken van Ruurd Colijn uit Krabbendijke. Als jouw vader ze daar heeft opgehaald, moeten ze in het huis van Bert en Suzan aan de Prins Mauritslaan liggen.'

Joop stond op, liep naar zijn werktafel en zocht tussen zijn aantekeningen het telefoonnummer van Suzan Venema. Hij toetste het in, maar kreeg een bandje. 'Ze is er niet,' zei hij teleurgesteld.

Anneke stond op. 'Ik moet hoognodig naar huis. Ik ben al veel te lang weggebleven. Mijn moeder zit met Bertje. Een paar uur geleden had ik al terug moeten zijn.'

'Files,' mompelde Joop.

'Ja, zoiets.'

Ze raakte even zijn arm aan. 'Dank je wel voor je steun.'

'Graag gedaan. Die oorbel heb ik trouwens niet gevonden. Zal ik nog even zoeken?'

'Ik denk dat hij gewoon thuis ligt,' glimlachte ze.

Joop bracht haar naar de voordeur. Op de stoep gaven ze elkaar een vluchtige zoen op de wang.

Vanuit de geparkeerde grijze Volvo iets verderop, aan de overkant van de straat, viel dit nauwgezet te registreren.

~

Met een groen plastic gietertje bewaterde Caroline Vermeulen de planten op de vensterbank. Dat deed ze dagelijks met de grootste zorg en ze wist precies hoe ze de watervoorziening moest doseren om het beste uit haar planten te halen. De azalea's hield ze vochtiger dan de begonia's, de kaapse viooltjes kregen wat meer water dan de euforbia's en de sanseveria's die links en rechts op de hoeken stonden, hield ze nagenoeg droog. Maar deze keer lette ze niet goed op en schonk ze maar raak, zodat het water van de schoteltjes lekte en in dunne straaltjes op de grond drupte.

Caroline maakte zich zorgen om Klaas. Het was de zoveelste keer deze maand dat hij vroeg thuis was gekomen en op de sofa was gaan liggen, zogenaamd omdat hij moe was, maar ze wist wel beter. Bij binnenkomst in het halletje had ze direct geroken dat ze geen ademtest hoefde te doen om zijn promillage vast te stellen. Drank, dat was niets voor Klaas. In de vierentwintig jaar dat ze met elkaar samenwoonden, had Caroline hem nog nooit op drankmisbruik betrapt.

Er moest hem iets verschrikkelijk dwars zitten en Caroline meende te weten wat het was: de kwestie-Zoutkamp. Klaas had zijn vriendin altijd deelgenoot gemaakt van de zorgen die hij mee naar huis nam van zijn werk. Daarom was ze op de hoogte van het jarenlange gerommel op het Stadhuis, of beter gezegd, van de ergernis die dat bij Klaas had opgewekt. Vaak had ze hem aangespoord om met de pers te gaan praten en zijn verhaal niet op te zouten, maar naar buiten te brengen. Hij had het altijd afgewimpeld, met een verwijzing naar zijn loyaliteit als ambtenaar. Na de dood van Zoutkamp was zijn ongenoegen opnieuw bovengekomen en nu zat hij alweer uitgeblust en uitgekakt op de bank. Zo kende ze hem niet.

'Misschien moet je 's met die Meijer gaan praten. Straks krijg je nog maagbloedingen, als je al je frustraties voor je houdt,' zei Caroline verwijtend, terwijl ze met een dweil het gemorste water depte.

Klaas Lokhof keek naar de vrouw bij het raam. Hij was dol op haar, en dat niet alleen, hij hechtte veel waarde aan haar oordeel. Ze had een nuchtere kijk op al die politieke intriges waarmee hij in zijn werk te maken had, en dat was verfrissend. Meestal had ze gelijk, moest hij toegeven. Hij schonk zichzelf een glas wijn in. Na de huiswijn van Het Bolkwerk smaakte zijn eigen beaujolais des te beter.

'Weet je, Klaas, het komt tóch naar buiten,' vervolgde Caroline. 'Die journalist van het *AD* heeft er al 's een keer iets over geschreven, hoe heet hij, Hugo de Vries. Hij komt natuurlijk een keer met nieuwe onthullingen.'

'Maar ik kén die Meijer helemaal niet. Ik weet niet of hij wel te vertrouwen is,' verweerde Lokhof zich zwakjes.

'Nee, maar je weet wél dat Jeroen Peeters op de nominatie schijnt te staan om staatssecretaris van Binnenlandse Zaken te worden. Je vertelde gister nog dat dat al rondgefluisterd wordt op de Coolsingel. Nou vráág ik je, Peeters! Als íemand nauw bij al die toestanden op het stadhuis betrokken was, dan wel Jeroen Peeters. Je hebt je over hem zo vaak opgewonden! Dat kun je toch niet over je kant laten gaan?'

Caroline keek haar vriend vermanend aan, de dweil nog altijd in haar hand.

'De Rotterdamse maffia,' beaamde Klaas. 'Ze dekken elkaar allemaal af, dat is waar.'

'Bel dan die Meijer en vertel je verhaal! Je zei toch net dat de chauffeur van Zoutkamp dat anonieme briefje heeft geschreven? Die man durft tenminste iets te doen.'

Dat klopte. Lokhof was er met een simpel telefoontje achter gekomen dat Onno Reuvenhorst, de vaste chauffeur van Zoutkamp uit zijn Rotterdamse burgemeesterstijd, de auteur was geweest van de brief die Hugo de Vries ten onrechte aan hem had toegeschreven. Reuvenhorst, een ouderwetse sociaal-democraat met een MULO-diploma, een abonnement op *Het Vrije Volk* zolang dat nog kon en een speldje van de vakbeweging, had in al die jaren dat hij achter het stuur zat, heel veel gehoord. Dat moest je Zoutkamp nageven, hij deed in de beslotenheid van zijn dienstauto niet geheimzinnig over zijn uitgavenpatroon. Hij verwachtte alleen dat zijn ondergeschikten levenslang hun mond zouden houden.

'Toe dan!' spoorde Caroline hem aan. 'Reuvenhorst weet niet half zoveel van al dat gekonkel en al die toestanden als jij. Als Peeters staatssecretaris wordt, vergeef je jezelf dat nooit meer. Je moet de zaak aan het rollen brengen.'

Klaas Lokhof aarzelde. Caroline had gelijk, zoals ze altijd gelijk had in principiële kwesties. Hij kon het niet langer over zich heen laten gaan. Zoutkamp was dood en van de doden niets dan goeds. Maar hij kon een tipje van de sluier oplichten en dan zou de politieke carrière van Peeters, die zich als wethouder had ontpopt als een schaamteloze opportunist, in ieder geval geknakt zijn. Ja, hij moest met die journalist van de *NRC* gaan praten, al was het alleen maar om er voor te zorgen dat het Rotterdamse declaratieschandaal eindelijk bij een fatsoenlijke, landelijke krant ging rondzingen. Hij zou ze krijgen, die politieke opportunisten, die elkaar altijd de hand boven het hoofd hielden!

Hij zocht het visitekaartje van Joop Meijer in zijn portefeuille en toetste het omcirkelde telefoonnummer.

'Meneer Meijer, met Klaas Lokhof. Ik hoop niet dat ik u stoor, maar ik wil voorstellen dat we toch eens met elkaar praten... Ja, uiteraard, over Zoutkamp... Ik weet het één en ander te vertellen, ja... Op één voorwaarde, meneer

Meijer, namelijk dat ik nooit en te nimmer ergens met naam, toenaam of zelfs maar een verwijzing wordt genoemd. Zo werk ik ook met uw collega De Vries... Wat u wilt... Vandaag nog?... U heeft mijn adres... Ik zie u wel verschijnen. Tot straks.'

Trillend knipte hij de telefoon uit.

'Hij komt dadelijk langs,' zei hij met een afgeknepen stem.

'Goed zo, het zal je opluchten als je je verhaal kwijt kunt. Ik moet nog een paar boodschappen doen.'

'Dan zoek ik even wat spullen op, papieren en zo. Ik heb nog wel wat.'

Tot zijn schrik zag Joop Meijer dat een deel van de straat was afgezet met politielint. Er stond een ambulance. Hij parkeerde haastig zijn auto in een zijstraat en liep in de richting van het huis van Lokhof. Een agent hield hem tegen.

Twee ziekenbroeders legden een lichaam op een brancard. Daarnaast stond een vrouw, begin vijftig, te huilen als in een Griekse tragedie. Hartstochtelijk probeerde ze het lichaam van de man op de brancard aan te raken, maar de ziekenbroeders verhinderden dat met zachte hand en sloegen een zeildoek over het lichaam.

'Klaas, Klaas, Klaas,' hoorde Joop de vrouw jammeren.

'Wat is hier gebeurd?' vroeg Joop aan de agent.

'Een ongeluk, iemand schijnt uit het raam te zijn gevallen.' Hij wees naar de bovenste verdieping.

'Afschuwelijk. Hoe is het met hem?'

'Voorzover ik weet is hij morsdood,' antwoordde de agent. 'Maar ik mag verder geen vragen beantwoorden.'

Joop bleef aan de grond genageld staan. Klaas Lokhof, zijn bron, zijn eigen deep throat, dood, uit het raam gevallen.

De ziekenbroeders schoven de brancard in de ambulance, waarna deze zich langzaam in beweging zette. De agent haalde het rood-witte plastic lint een moment weg om de ziekenauto door te laten. Joop probeerde er langs te glippen.

'Sorry, meneer, u moet echt achter dit lint blijven,' zei de agent onverbiddelijk.

Er verzamelden zich meer buurtbewoners op straat om te kijken wat er aan de hand was. Een man met een beige regenjas werkte zich naar voren, stapte ongehinderd over het lint heen en liep naar de vrouw die nu alleen op straat stond.

'Owowowow,' kermde ze verwilderd.

'Kalm, mevrouw,' hoorde Joop de regenjasman tegen de vrouw zeggen. 'Het was een afschuwelijk ongeluk.'

'Niet waar!' gilde ze in totale ontreddering. 'Ik heb gezien wat er gebeurde!'

De man duwde haar met zachte drang de woning binnen.

7

JOOP STAARDE SOMBER naar de uniformen en stijve, zwarte pakken. Er zaten een paar vrouwen vooraan, verborgen onder zwarte hoeden. Anneke moest ertussen zitten, maar was van hieruit onherkenbaar. Een militaire begrafenis duurt toch al lang, met alle geroffel, de stijve buiginkjes, het gedoe met vlaggen en geweren, maar als het uitzicht dan ook geen enkele hoop biedt, wordt het zwaar. Joop keek naar de officier met knevel, die op harde toon aan de eerste toespraak begon. Zelfs nu klonk zijn stem bevelerig.

'Twaalf maart van dit jaar vertrok ons Bataljon, voor onze inzet in het kader van K-FOR. Vandaag, op de vierde oktober, dragen we majoor C. Geerlings ten grave...'

De datum bleef in Joops hoofd rondzingen. Er was iets met vier oktober, maar wat? Zijn agenda lag in de auto, maar de gelegenheid was er niet naar om even een sprintje te trekken. Joop wiebelde van de ene voet op de andere terwijl Chris, het onfortuinlijke slachtoffer van een verdwaalde Servische kogel (hoezo verdwaald? Schoten de Serven wellicht bewust op latrines? Een bataljon dat niet gerust de darmen kan legen, is moreel snel gebroken, toch?), werd herdacht door een hele rij sprekers. Joop kwam niet verder dan dierendag. Vier oktober, dierendag, maar hij had niks met dieren en nog minder met de dierenbescherming.

Ondertussen formeerde zich de stoet, met de kist aan kop, daarachter de familie en de hoogwaardigheidsbekleders, waarvan zeker de helft in uniform. Joop stond tussen het gewone volk, op het pad dat naar het graf voerde. De massa week uiteen om ruimte te maken. Anneke bleef verborgen onder de rand van haar hoed met voile.

Josien, haar zwarte omslagdoek ditmaal om haar schouders geknoopt, wierp een vernietigende blik in zijn richting. Joop deed een stapje terug, achter een brede schouder in camouflagestof. Hij moest zorgen dat hij uit de vuurlinie bleef als er zand in het graf werd gegooid. Bij de begrafenis van Zoutkamp, nog geen maand geleden, had Josien zich nogal laten gaan. De beelden van de door verdriet en wraakgevoel geteisterde, versmade weduwe waren direct op de buis gebracht, en in de televisieversie van *Oui met wie* werd een week later nog gespeculeerd over wat Josien nu precies had geroepen, terwijl ze woedend zand over de kist met de restjes van haar ex-man stortte.

De kist, bedekt met de Nederlandse vlag, werd gedragen door K-FOR-militairen, die zich kranig hielden. Hoe toepasselijk was nu de naam van de minister van Defensie, alsof hij destijds daarom voor die post in aanmerking was gekomen. De man naast Joop salueerde met trillend aangespannen hand. Anneke, achter de kist, bleef nog altijd verborgen onder de rand van de hoed. Zwart stond haar goed, dacht Joop onwillekeurig, zeker nu ze de deels in het wit gestoken Bertje in haar armen hield. De hoed met voile was waarschijnlijk uitgekozen door Josien, want die paste beter bij een zwarte omslagdoek dan bij de strakke, zwarte jurk die Anneke droeg. Gelukkig had ze er een zwart jasje overheen, anders zou ze er zelfs wat feestelijk uitzien.

Maar zij gedroeg zich kranig, iedereen deed dat. Het barstte hier van de jongelui in uniform, waartegen hun zachte, soms nog puisterige gezichten ontroerend afstaken. Ook zij hielden zich groot, al stonden bij velen van hen de waterlanders in de ogen. Het Nederlandse leger oogde op oefening best militair, maar als de dood acte de présence gaf, zag je opeens dat het verklede kinderen waren.

Joop realiseerde zich dat hij in jongensboekenwoorden dacht, misschien om zijn emoties te bezweren. Anneke sloeg haar ogen op en ze keken elkaar recht aan. Een kleine blos gloeide op Annekes wangen, haar ogen leken te schitteren achter de voile. Josien, die naast haar liep, volgde argwanend de blik van haar dochter, en verschoot van kleur toen ze merkte naar wie ze keek.

Joop werd gered door Bertje, die kraaide en met zijn kleine armpjes zwaaide. Een vlijmscherp babynageltje bleef in de voile haken. Annekes hoed gleed van haar hoofd op Bertje, die begon te huilen. Anneke maakte hem los van de voile, drukte de hoed stevig op haar hoofd en Bertje tegen zich aan, voor ze verder stapte. Josien verviel door het huilen van haar kleinzoon in haar grootmoedergedrag, en koerde geruststellende onzinwoordjes.

Joop herademde, het moment was voorbij. De stoet moest het kortstondig oponthoud aan de kop absorberen, en dat bracht een paar hoofden waakzaam in beweging: de gorilla's van Hendrikse. Die schuifelde zelf achter de naaste familie in de stoet. Toen Joop de ministeriële blik over zich voelde glijden, verdiepten de droge plooien in het gezicht van Hendrikse zich even tot de uitdrukking van vanzelfsprekende distantie, die hij de laatste tijd vaak aan het volk toonde. Hij zou voor de man en de vrouw in de straat nooit 'ome Wout' worden, zoals Den Uyl 'ome Joop' was geworden.

Hendrikse hier. Het kon, natuurlijk. Hij was een vriend van de familie Zoutkamp, die de laatste maand zo zwaar was getroffen, en ook het leger zou zijn aanwezigheid op prijs stellen. De MP zág je tenminste, terwijl de minister van Defensie in gezelschap van een of meer anderen volmaakt onzichtbaar was.

Joop schoof zijdelings in de stoet en wandelde mee. Het was windstil. De zon prikte met moeite een oranje gaatje in de grijze lucht, het rook naar de herfst, schimmelig en fris tegelijk.

Morgen zou Klaas Lokhof worden begraven. Zijn lichaam was de vorige dag vrijgegeven, nadat de schouwarts 'meervoudige botbreuken, inwendige verwondingen waaronder een ruptuur van de lever, een schedelfractuur en massaal bloedverlies uit diverse inwendige en uitwendige verwondingen' had geconstateerd.

Het kwam als een 'zelfdoding' in de boeken. De donkere gestalte die Caroline achter Lokhof meende te hebben gezien, werd toegeschreven aan de 'shock' waarin zij raakte toen ze haar geliefde te pletter zag slaan op het plaveisel, tenminste, dat was de uitkomst van het onderzoek van de Rotterdamse recherche, dat in de kranten 'gedegen' werd genoemd. Maar Lokhof had zijn duik gemaakt vlak voor hij Joop 'een heleboel' zou gaan vertellen. En dat 'gedegen' onderzoek was binnen twee dagen afgerond... Kortom, iemand deed zijn best om gedonder te voorkomen. Bovendien had Joop aan Lokhof niets suïcidaals kunnen ontdekken. Hij had Hugo de Vries gebeld. Die vertelde dat hij vlak daarvoor met Lokhof had gepraat.

'Ja, hij was een beetje van de kaart, dronk ook te veel, niks voor hem. Maar zelfmoord? Nee, daar geloof ik niks van. Hij zat wel ergens mee. Als er íemand iets wist over al die financiële strapatsen, dan was het Klaas Lokhof wel, maar hij was loyaal, misschien wel te loyaal. Of te schijterig, natuurlijk. Trouwens,' had De Vries eraan toegevoegd, 'wanneer een echte Rotterdammer wil springen, dan doet hij dat natuurlijk van de Euromast.'

Hendrikse was een *control freak*, gek op het voorkómen van gedonder. Zijn beroemde systeem van achterkamertjespolitiek, dat in heel Europa furore dreigde te gaan maken, was daarop gebaseerd. Ging er onverhoopt toch iets fout, dan trok de MP zijn afstandelijke gezicht en ging er een echelon lager iemand soepel door de knieën, waarna het gedonder werd besproken als het slechte weer: vervelend, maar onvermijdelijk en de volgende keer kopen we een grotere paraplu.

Joop hield het grijze achterhoofd van Hendrikse in het oog. Zijn kop eraf als het niet allemaal draaide om de dood van Zoutkamp. De gedoodverfde opvolger van Hendrikse blaast zichzelf op. Iemand die alles kan en, eindelijk, wil vertellen over Zoutkamps ruime declaratiegedrag als burgemeester, valt dood. Wat je noemt gedonder in de dop.

Joops gedachten schoten heen en weer als een kogel in een flipperkast, van de Euromast weer naar Zuid-Afrika en de foto van Suzan Venema, die Erik zo handig had buitgemaakt. Wat zou die Leeuwenstein daarmee hebben gewild? Via Kaapstad kwam hij weer terecht in Leiden, de Oude Vest. De vraag was waarom Leeuwenstein foto's maakte van Anneke en haar baby. Hij stalkte haar. En wat is stalking? Een emotioneel misdrijf, edelachtbare. Wat heeft dat nou met politiek te maken? Een ander probleem was natuurlijk waar die Leeuwenstein was gebleven. Hij zat niet meer in De Doelen, maar was kennelijk evenmin terug op zijn thuisbasis in Kaapstad. En om het allemaal gecompliceerder te maken, was er dan ook nog die andere Leeuwenstein.

'Meneer de journalist!'

Joop schrok op en keek in de felle ogen van Josien. 'Hoe durft u zich hier te vertonen!'

Ze had hem kennelijk opgewacht. Bertje, toonbeeld van onschuld, lag in haar armen en graaide naar de kwastjes van haar zwarte omslagdoek. Dit werd een openbare executie.

'Mevrouw, gecondoleerd met het verlies...'

'Huichelaar! Jij blijft uit de buurt van Anneke!'

Bertje schrok van het scherpe geluid, en draaide zijn hoofdje eerst naar zijn grootmoeder en vervolgens naar Joop. Waarschijnlijk zag hij alleen maar vage vlekken, maar hij gaf Joop een klein, lief glimlachje. Joop pakte even een handje. Max en Milan waren ook zo klein en onschuldig geweest, al was dat nu nauwelijks meer voorstelbaar.

'En laat haar kind met rust, schooier!'

Josien draaide zich nijdig om en beende langs de stoet naar voren, terwijl de kwastjes van haar omslagdoek vrolijk dansten. Joop glimlachte geforceerd, maar niemand reageerde. Ook de man die even tevoren zo energiek had gesalueerd, keek met een strak gezicht voor zich uit, maar zijn soldatenkistje kwam bij de volgende stap met volle kracht op Joops rechtervoet neer.

Joop klemde zijn kaken op elkaar en liet zich een paar rijen terugvallen. Hij bewoog zijn tenen. Niets gebroken. Hij zou hem krijgen, die klootzak. Hendrikse zat hierachter. Hendrikse had Josien wijsgemaakt dat Joop een moddergraver was, in plaats van een fatsoenlijk biograaf. Waarom? Was Zoutkamp zo rot, dat hij zelfs morsdood nog een bedreiging vormde voor de zittende minister-president? En die had nog wel zulke gloedvolle woorden gesproken bij zijn begrafenis. Misschien waren die woorden wel de plaatsvervangers van krokodillentranen.

De saluutschoten galmden in de vochtige lucht, de kist zakte langzaam, de aarde werd dit keer rustig in het graf gestrooid. Hendrikse condoleerde Anneke en Josien, en maakte aanstalten te vertrekken. Joop zag aan de blikken van de gorilla's over welk pad Hendrikse zou worden afgevoerd, en zijn ingesleten journalistentiming deed hem als vanzelfsprekend opeens vlak voor de MP uitkomen.

'Meneer Hendrikse, het spijt me dat ik u op een zo droeve gelegenheid tref, maar heeft u een ogenblik?'

Hendrikse had de cameraploegen vlak achter Joop al opgemerkt. Hij keek Joop aan met de kalme blik van een hagedis, veilig in zijn verwarmde terrarium in de dierentuin.

'Meneer Meijer?'

'Juist. Ik werk aan een biografie van Bert Zoutkamp, en die biografie is niet compleet zonder de visie van zijn jeugdvriend, partijgenoot en politieke strijdmakker, dus ik...'

'Het lijkt mij niet zo kies om nu daarover te spreken,' zei

Hendrikse, en hij maakte een beweging alsof hij door wilde lopen.

'Volgende week is ook prima, meneer Hendrikse. Het gaat om een biografie, niet om krantenkoppen.'

Hendrikse hield de cameraploegen in de gaten, ervaren als hij was in het voorkomen van pijnlijke scènes.

'Hoe staat de familie Zoutkamp tegenover uw... eh, initiatief?' vroeg hij onschuldig.

'Onwennig, maar niet onwillig,' zei Joop duidelijk. 'Het schijnt dat er mensen in hun omgeving twijfelen aan mijn integriteit. Maar dat is tijdelijk, weet ik uit ervaring.'

Hendrikse gaf geen sjoege. Joop liet het volume van zijn stem iets oplopen. 'U kende Zoutkamp ook in zijn wilde jaren.'

Joop wist dat de kale verslaggever van de commerciëlen dat gehoord had, hij zag het aan de blik van de minister-president.

'Ik heb geen idee waar u op doelt, meneer Meijer. En nu...'

'Jawel. De tijd van fluwelen jasjes, broeken met wijde pijpen en lang haar. Dat stond u niet zo slecht als Bert, trouwens. De wilde jaren zestig. De wereld moest veranderen, en snel ook. Dat zijn nou zaken waarover ik graag met u van gedachten zou wisselen om de ontwikkeling van Bert Zoutkamp tot invloedrijk politicus beter te kunnen schetsen. Hoe ver ging onze minister van BZ destijds in zijn sympathie voor de links-radicalen? Bestond er bijvoorbeeld een BVD-dossier over hem en heeft hij daar als minister inzage in gehad?'

Joop had het idee dat hij misschien te ver ging, maar hij moest Hendrikse zien te strikken en dat ging alleen als hij met saillante dingen kwam. 'Dergelijke lussen in Zoutkamps levensloop hebben uitleg nodig,' ging hij door. 'U bent daarvoor de aangewezen persoon.'

Hendrikse keek Joop vriendelijk aan. 'Ik wil, zeker in dit

stadium, eerst heel zorgvuldig met de familie van Bert van gedachten wisselen, voor ik overweeg met u in zee te gaan, meneer Meijer. En misschien...'

'Die woorden werden ook gebruikt door mensen die wisten hoe de boot van Zoutkamp werd onderhouden,' zei Joop haastig. 'Heel zorgvuldig. Misschien was het Uyltje defect. Maar hoogstwaarschijnlijk was die boot tiptop in orde. Er schijnt een koffertje aan boord gebracht te zijn, en toen is de minister, verantwoordelijk voor de terreurbestrijding, opgeblazen. Dat roept vragen op, vindt u niet, interessante vragen.'

De nurkse, afstandelijke plooien groeven zich diep in het gelaat van de MP. Zo keek hij ook altijd bij persconferenties als er een zijns inziens domme of overbodige vraag werd gesteld. 'Wij zijn uitgesproken,' snauwde hij, en hij liep door naar de kale commercieel, die met zijn microfoonkabel worstelde. De gorilla's gleden als oceaanstomers langs Joop en blokkeerden iedere vervolgactie.

'Dit is een begrafenis, Joop!'

Verdomd, dacht Joop, Langendoen. Evert Langendoen was op de School voor Journalistiek een legendarische figuur geweest: lang, mager, krom en toen al behoorlijk gerimpeld. Zeker één, en mogelijk anderhalve container hasj was tijdens zijn opleiding verdwenen in het gruwelijk stinkende pijpje dat hij altijd bij zich droeg. 's Ochtends zweeg Langendoen narrig, maar als rond het middaguur dat pijpje eenmaal begon te roken, zat hij glimlachend de lessen uit en barstte los uit het niets, over de ware toedracht van de moord op JFK en de werkelijke opdracht van King Kong. Dan was geen complottheorie te onwaarschijnlijk en geen oplossing te wild. Evert liep alweer jaren rond bij de RVD, in slobberige, afgedragen Van Gils-pakken. Zwijgen kon hij nog altijd als de beste.

'D'r is gedonder, Evert,' zei Joop. 'Niet liegen.'

Evert Langendoen prutste aan zijn das. 'Een minister

verongelukt. De discussie over de opvolging van Hendrikse binnen de partij opnieuw opgerakeld, een dooie K-FOR-militair, en jij vindt het gek dat de MP geen zin heeft in *a walk down memory lane*?'

'Maar stel dat Zoutkamp wel is opgeblazen? En wat houden ze zo krampachtig onder de pet?'

Evert lachte ontspannen en sloeg een arm om Joops schouder. Joop voelde een oude angst. Als Evert vroeger een arm om je schouder sloeg, zat je uren aan hem vast.

'Niemand heeft Zoutkamp opgeblazen. Het was een ongeluk. Maar de nasleep, met die opvolging, dat is gedonder, ja. Albert Kaasman ziet nu zijn kans schoon en Ineke Kervenhout schijnt ook in de startblokken te staan. Een puinhoop bij de NS, gedonder met tolpoortjes, rekeningrijden, noem maar op, maar toch wil ze de eerste vrouwelijke premier van Nederland worden. Gelukkig is dat gedonder in de partij, dus daar heb ik niks mee te maken. Maar Hendrikse krijgt het druk.'

'Maar hij...'

'De RVD is er niet voor niks. Als jij een gesprek wilt, dan dien je een verzoekje in, zoals iedereen. Dag Joop!'

'En wanneer spreek ik hem dan?'

Evert Langendoen keek op zijn bijna prehistorische horloge.

'We hebben de vierde vandaag, plus twee weken... reken maar uit.'

'O kut,' zei Joop zacht, 'o kaleklootplettende, kankerende klerezooi.'

Hij liet Evert met zijn rekensom achter en draafde over het mos. Vier oktober. De verjaardag van zijn zoon! Joop verbeet de pijn in zijn voet. Hij had Milan beloofd om met hem zijn verjaardag te vieren. In het huis van Els. Hij biepte zijn Alfa open en reed met gierende banden weg. Waar was ook al weer een winkelparadijs waar je met de auto terecht kon?

'Je bent hartstikke gek dat je met die vent praat!' siste Josien. 'Als zelfs Wout zegt dat hij een schooier is!'

Het flesje in Annekes hand trilde. Bertje lag met rode wangetjes te drinken, maar hij was onrustig en Anneke was bang dat hij weer zou gaan huilen. Ze keek naar de chauffeur van de wagen, die door Defensie beschikbaar was gesteld. Hij leek alleen op het verkeer te letten.

'Ik heb niet met hem gepraat, moeder,' zei ze met moeite. 'En hij is geen schooier.'

'Denk aan de reputatie van je vader. En aan die van mij! Zoiets slaat ook op mij terug, heb je daar wel aan gedacht? Nee, zeker.' Josien streek over haar rok en keek gemaakt kwetsbaar voor zich. 'Je hebt wel met die Meijer gesproken. Ik ken jou.'

Bertje schrok op, draaide zijn hoofdje en begon klagelijk te piepen.

'Dank je, ma,' siste Anneke. Haar lichaam reageerde nog altijd op Bertjes huilen, haar tepels richtten zich op en haar melkklieren gloeiden van energie. Dat Bertje voor haar melk allergisch was, moest wel aan Chris liggen.

'Moet je nou toch zien, je kan hem niet eens fatsoenlijk voeden.' Josien, naast haar op de achterbank, maakte aanstalten om Bertje op haar schoot te sjorren en even, even zag Anneke voor zich hoe haar moeder haar borst zou ontbloten om met een gerimpelde tepel haar kleinzoon gerust te stellen. 'En hij heeft vast en zeker dauwwurm of eczeem.'

'Blijf van hem af!' Anneke probeerde de speen weer in Bertjes mond te krijgen, maar hij bleef zijn hoofdje wegdraaien en huilen.

'Dat spul is koud,' zei haar moeder. 'Dan krijgt hij last van zijn buikje.'

'Mam...!'

Josien zweeg, maar niet langer dan een minuut. 'Echt waar, het is ook voor je eigen bestwil, je eigen belang. Praat niet meer met die man. Hij wil alleen maar de nagedachtenis van je vader besmeuren. Via via heb ik dat ook gehoord van Jeroen Peeters, je weet wel, de wethouder. Meijer komt het stadhuis niet meer binnen in Rotterdam.'

Anneke voelde haar handen trillen.

'Je bent alleen maar bang dat jouw naam straks ook nog door het slijk wordt gehaald!'

'O God, het zal toch niet hè?' Josien keerde haar scherpe gezicht naar Anneke en haar blik priemde als vanouds. 'Je komt op voor die Joop Meijer, een of andere onbetrouwbare journalist. En dat terwijl de vader van je kind vandaag is begraven!'

'Wat heeft dat er nou mee te maken,' zei Anneke, terwijl ze naar Bertje keek om haar verwarring te verbergen.

'Jij moet niet aan andere mannen denken. Je hebt Bertje.'

'Schreeuw niet zo,' snauwde Anneke. 'En ik denk niet aan "andere mannen". Die Joop Meijer is gewoon een aardige, sympathieke man. Niet elke man is zoals papa, die...'

Bertje begon nu voluit te blèren.

'Geef hem dan toch aan mij!'

'Hou je mond,' gilde Anneke. De auto zwenkte. Haar moeder stak haar neus omhoog en zweeg gekwetst. Het duurde even voor Bertje de speen accepteerde, en de rust eindelijk weerkeerde.

'We zijn er,' zei de chauffeur, inmiddels van de schrik bekomen.

'Ik nog niet,' klonk het akelig kalm naast Anneke. Josien bleef voor zich kijken, ook toen Anneke, met Bertje op haar arm, de fles in zijn mond, haar tas over haar schouder en die vervloekte zwarte hoed onder haar elleboog geklemd, naast de auto stond. De tranen sprongen Anneke in de ogen. Bertje was ondertussen in slaap gevallen.

De bank. Een paar flesjes bier. De afstandsbediening en voedsel. Chips, pinda's, twee stokbroden, harde worstjes, Franse kaas en vooruit, nog een zak chips. Els had geen party-food voor volwassenen in huis gehad. De enige niet-zoete snack was een zak chips. Maar kinderen aten verbijsterend snel chips, ook als ze *Doom III, The Final Demolition* speelden op de Sega.

Joop grijnsde vermoeid, maar tevreden. Els had hem dan een middag laten hongeren, hij had met het haastig aangeschafte *Doom III* formidabel teruggeslagen. Milan, Max en alle vriendjes hadden niet meer naar de andere cadeaus omgekeken, omdat ze met de bijgeleverde, geavanceerde *Doom III*-joystick (die Joop aan een futuristische dildo deed denken), nu dan eindelijk de mogelijkheid hadden om lasergerichte ammunitie te *locken* aan ver verwijderde *targets*, terwijl ze tegelijkertijd met conventionele wapens de op kortere afstand opduikende Zombies, Ninja's en Arabieren konden bestoken. *Doom III* voldeed kortom aan alle eisen van een grondig *piss-Els-off*-cadeau.

Joop keek nu naar de deur van buurvrouw Broere. Kniezend zou ze door haar krakerige compartimenten krabbelen. Laatst had iemand hem nog gezegd dat het Haagse woordenboek een simpele structuur kende: alle woorden begonnen met een 'kanker' en dat moest je uitspreken zoals Haagse Harry dat deed. Voor hem waren er meer k-woorden. Zoutkamp was ondertussen het z-woord geworden. In verband met Zoutkamp was het een welbestede dag geweest. Joop had de sleutel al bijna in het slot, toen hij bedacht dat hij de vorige keer bij thuiskomst een dreun op zijn hoofd had gekregen.

Hij voelde aan de deur. Dicht. Hij dacht aan koffertjes die ontploften, en draadjes die naar de voordeursloten van rondneuzende journalisten leidden. Ten slotte drukte hij zijn lichaam tegen de muur, stak met gestrekte arm de sleutel om het hoekje in het slot en draaide hem om.

Toen hij voorzichtig zijn huis verkende, bleek er van inbraak of anderszins vuil spel helemaal niets. Het rook een beetje muf in huis, maar dat was alles.

Hij wilde zich op de Zoutkamp-documenten storten, maar belde toch eerst het nummer van Suzan Venema, de zo moeilijk bereikbare weduwe van Zoutkamp.

'Met Suzan.'

Omdat hij nauwelijks had verwacht haar aan de lijn te krijgen, schrok hij even. 'Joop Meijer hier,' wist hij uit te brengen. 'Ik heb nog wat vragen.'

'U bent die journalist, nietwaar? Het kan nu wel even, Joop.'

Ze leek zijn naam met enig welbehagen uit te spreken: warm en geïnteresseerd.

'Als het niet te lang duurt, natuurlijk.'

'Ik kom eraan.'

❧

'Wat wilde u nog meer weten, meneer Meijer?' Suzan Venema keek hem aan met dezelfde mengeling van distantie en schalksheid die haar zo goed had doen uitkomen naast de joviale, maar ook wat ongelikte Bert Zoutkamp.

'Alles, natuurlijk,' zei Joop. 'Ik ben tenslotte aangesteld als zijn biograaf.'

Ze glimlachte, en ditmaal won de schalksheid het van de distantie.

'Dat begrijp ik, maar mijn privacy is me heilig. Bovendien heb ik niet veel tijd.'

'Vanwege uw vertrek naar Amerika, natuurlijk. Wanneer gaat u eigenlijk?'

'Dat houd ik, bijvoorbeeld, voor mezelf, meneer Meijer. Iets drinken?'

De naam op het etiket was onuitspreekbaar: de dure smaak van wijlen de minister reikte tot diep in de Schotse hooglanden. Jammer voor hem, dat hij er na zijn ontwenningskuur zelf niet meer van had mogen genieten.

'Ik hoorde dat Bert bezig was met het verzamelen van autobiografisch materiaal.'

Ze glimlachte, maar haar ogen deden niet mee.

'Hoe komt u daar nou bij?'

'Hij is laatst bij de familie Colijn in Krabbendijke geweest, om het archief van Ruurd op te halen. Misschien heeft u die naam wel eens gehoord.'

'Ik heb geen idee...'

'Ruurd is... was een jeugdvriend van Bert. Ook al overleden voor zijn tijd. Hij droomde van erkenning, later, dus noteerde hij alles wat er in zijn kleine wereldje gebeurde in schoolschriftjes. Bert heeft onlangs een koffer vol opgehaald, omdat hij met zijn autobiografie bezig was. Dat heeft-ie tenminste gezegd.'

Suzan Venema's slanke, stevige lichaam drukte op alle mogelijke manieren afstand uit.

'Dit gesprek gaat een vervelende kant op, meneer Meijer.'

Joop nam een slokje single malt. Volgens Els ging je er vreselijk van stinken. Hij nam nog een slokje.

'Alle streken van Ruurd Colijn zijn allang verjaard, en onder ons gezegd, ik vraag me af of hij ooit meer heeft laten ontploffen dan die ene ouwe bouwkeet van Defensie. Het gaat mij niet om de "polietieke aksies" die hij met zijn clubje heeft ondernomen.'

'Waar gaat het dan wel om?'

'Waarom was Bert met die autobiografie bezig? Wilde hij zijn carrière afronden?'

'Ik kan u niet van dienst zijn,' zei Suzan fronsend. Van haar schalksheid was weinig meer over. Ze loog, maar hij had niets om haar mee onder druk te zetten. Tenminste, niets dat met haar en Zoutkamp te maken had. Maar dat gold niet voor de kwestie Leeuwenstein.

'Ik ben bij toeval in het bezit gekomen van een foto.' Hij graaide in zijn binnenzak. 'Kijkt u eens.'

Joop reikte haar de uitgeprinte foto aan. Haar handen trilden licht toen ze zichzelf zag en de foto trilde zachtjes mee. Ze legde hem op haar schoot en nam een teugje whisky.

'U ziet ongetwijfeld dat mij dit raakt, meneer Meijer.'

Joop knikte zo ernstig mogelijk.

'Bert heeft deze foto gemaakt. En als ik mezelf zo zie, gelukkig, omdat ik mijn geliefde kon spreken, kon aanraken...'

Ze boog haar hoofd en bedekte haar ogen. Ze snoof een keer, stond op pakte een Kleenex uit een doos naast de bank.

'Als u nog meer van dat soort verrassingen voor me in petto hebt...'

'Nee,' zei Joop onschuldig. 'Het spijt me. Maar ik ben nou eenmaal bezig met een biografie.'

'Bert staat niet op deze foto. Wat moet u er dan mee?'

Joop moest zich bedwingen niet even snel een slokje te nemen. Kom op, Jopie. Improviseren!

'Die foto is gevonden in een villa in Kaapstad. Hoe kwam-ie daar terecht?'

Suzan keek hem ijzig aan. 'Wat manipuleert u allemaal, wat construeert u allemaal? Zoiets verwacht ik niet van een serieuze biograaf. Ik zal u even uitlaten.'

'Die villa is gehuurd op naam van Leeuwenstein. Is dat een bekende van u?'

Suzan Venema bleef even stil. Toen stond ze op. 'U moet gaan,' zei ze zacht, maar er leek iets door te trillen in haar stem. Ergernis, woede, angst?

Joop dronk zijn glas leeg. 'Kunnen we een vervolgafspraak maken?'

'Dat lijkt me niet opportuun. Ik zal u even uitlaten.'

Suzan stond op en ging hem voor naar de hal, terwijl haar hakken nijdig klikten. Joop keek naar haar slanke kuiten, waarover een intrigerende kousnaad naar boven liep.

Met een lege maag wachten in een auto is verbijsterend oncomfortabel, merkte Joop al snel. Verveling, kou en honger staken na drie minuten al de kop op, maar toen Suzan Venema in een zandkleurig mantelpakje met bijpassende koffer naar buiten kwam en met een geagiteerd loopje in de richting van haar rode Mercedes sportwagen beende, was hij alle ergernis kwijt.

Hij liet niet meer dan één auto tussen hen komen in de stad, maar toch moest hij twee rode stoplichten nemen om haar bij te houden, en hij werd bij alletwee geflitst. Hopelijk had zij even weinig ervaring in gevolgd worden, als hij in volgen.

Op de A44 trapte ze het gas flink in. Joop verloor haar twee keer uit het oog, maar gelukkig zijn er niet zo idioot veel rode Mercedes-twoseaters.

Plotseling schoot ze, met een manoeuvre die minimaal twee brave huisvaders de doodsangst op het lijf joeg, van de linkerbaan in één ruk de afrit naar de Kaag op. Joop glimlachte terwijl hij soepeltjes achter haar aan ging. Hij moest op de lege tweebaansweg meer afstand houden, maar de Mercedes was nu goed zichtbaar. Dat volgen ging hem niet slecht af.

De Kaag. Hij vroeg zich af wat ze hier zocht, want Suzan Venema leek hem niet het type om rust te vinden bij het water. Het is hier mooi genoeg, dacht Joop, terwijl hij over het wijde landschap uitkeek. Als om te benadrukken dat ze de thuisbasis van de KLM naderden, kwam in de verte een vlucht zwanen langzaam los van het wateroppervlak en steeg majestueus de blauwe lucht in, draaide langzaam af en kwam zijn kant op, nog altijd hoogte winnend boven een rode Mercedes...

Joop vloekte. Ze had de afslag Kaagdorp genomen, de afslag die hij nu passeerde, met honderd in het uur. Hij kon pas keren bij de volgende afslag, en toen was de rode Mercedes allang verdwenen.

In de grijze Volvo, twee wagens achter hem, reikte Stokman naar zijn telefoon.

*

'Met mij,' zei Verduyn zacht.

'Joop Meijer volgde Suzan Venema,' zei Stokman. 'Maar hij kan er nog niet veel van. Ze was los bij de afslag Kaagdorp.'

'Waar gaat ze naartoe?'

'Kaagdorp, dus. Ik zit nu achter Meijer op de A44. Hij gaat naar huis, denk ik.'

'Je hebt Venema laten lopen?!'

'Ik moest een keuze maken.'

'Dat zullen we de volgende keer beslist voorkomen!'

Verduyn smakte de telefoon op de haak.

'Houden we dit wel in de hand?' Hendrikse stond voor het raam en keek over de stad uit.

'We hebben al aardig wat hobbels genomen,' probeerde Verduyn, maar Hendrikse draaide zich driftig om.

'Gezeur. Die Meijer sprak me aan op de begrafenis vanochtend. Hij suggereerde dat Zoutkamp slachtoffer van een aanslag zou kunnen zijn. Straks zet hij dat nog in de krant.'

'Dan ontkennen we dat.'

'Wie? Jij?'

Verduyn leunde achterover in zijn stoel. 'Als het echt nodig is, kan alles.'

Hendrikse keek pissig. 'Het kan maar beter helemaal niet in de krant komen,' zei hij. 'Want dan wordt er gewroet, en dan komen ze vroeger of later zo'n hobbeltje tegen. En dan moet er iemand hangen.'

En dat zul jij niet zijn, natuurlijk, dacht Verduyn gemelijk, maar hij hield zijn gezicht neutraal, terwijl hij de minister-president nogmaals verzekerde dat het zo'n vaart niet zou lopen.

'Met Melle,' hoorde Joop uit de verte. Hij knipperde met zijn ogen en staarde verward naar de televisie, waar twee bekende Nederlanders met grote hamers een spijker in een hakblok sloegen. Joop hoestte en keek naar de hoorn in zijn hand. Hij had automatisch de telefoon aangenomen.

'Hamer, Melle Hamer,' klonk het uit de hoorn. 'Hallo?'

'Hee, hallo.' Joop schraapte zijn keel. 'Sorry, ik was in gedachten.'

'Ik kan ook morgen terugbellen, maar ik wilde even vragen hoe het gaat.'

'Goed. Prima.' Joop stelde scherp op zijn horloge. Halfnegen. Waar heeft hij het in godsnaam over?

'Je bent toch wel begonnen met schrijven?'

Joop drukte zich geschrokken overeind. 'Natuurlijk. Nooit te lang wachten met schrijven. Ik ben ten slotte geen historicus, maar gewoon journalist. Ik houd me aan de deadline, maak je niet bezorgd.'

'Prima, prima.' Joop hoorde het zacht krakende geluid van een brandende Gauloise.

'Hee, over de voetnoten nog even. We richten ons absoluut niet op de wetenschappelijke markt, dat wilde ik nog even helder hebben. Dus geen eindeloze verwijzingen en een duimendik aanhangsel.'

Joop herademde. 'Het gaat om het verhaal, dat begrijp ik. Ik zei al dat ik geen historicus ben.'

'*That's it.* Een paar verwijzingen zijn genoeg om het een serieus uiterlijk te geven, maar dat mag het leesplezier nooit in de weg zitten.'

'Je kent me,' zei Joop. 'Ik heb geen pretenties.'

'Weet ik, weet ik,' zei Melle. 'Maar als je ziet wat ik soms onder ogen krijg, ga je aan alles twijfelen.'

Staande aan het aanrecht dat wel wat Vim of Jif of hoe het tegenwoordig ook mocht heten, kon gebruiken, dronk Joop twee glazen water. Melle moest maar even wachten op zijn verhaal, want het hoofdstuk Suzan Venema was nog lang niet ingevuld. Wat had zij met Leeuwenstein te maken? De man die Anneke en haar kind fotografeerde, en over een villa beschikte in Zuid-Afrika. Dus er was sprake van twee Leeuwensteinen, van wie er één in Zuid-Afrika woonde; een dooie minister, zijn geliefde met een geheim, misschien zelfs wel een staatsgeheim, BVD-er Verduyn met een verdacht koffertje en een minister-president die hem persoonlijk zwart maakte. Maar de BVD blies geen ministers op. Die hield mensen in de gaten. Betrokkenen. Lastposten. Horzels.

Joop staarde naar zijn telefoon. Voetnoot bij het hoofdstuk over de totstandkoming van deze biografie: 'Pas na het gesprek met Melle Hamer realiseerde ik me dat mijn telefoon hoogstwaarschijnlijk werd afgeluisterd. Dus Lokhofs telefoontje dat hij uit de school wilde klappen over Zoutkamp ook.'

Alsof hij, door naar het apparaat te kijken, het zelf had opgewekt, rinkelde de telefoon. Shit. Opnemen? Dat was een risico. Niet opnemen? Dat viel ook op, voor een journalist. Bovendien was hij veel te nieuwsgierig.

'Meijer,' zei hij neutraal.

'Jezus, eindelijk zeg. Ik ben vanaf zeven uur bezig, hoor je dat ding soms niet?' Els, voormalige zon in zijn leven, die al snel, heel snel was gedoofd, moeder van zijn kinderen.

'Ik heb het druk, Els, dus hou het kort.'

'Het gaat om de jongens,' zei ze op een wat vergenoegde toon. 'Hun meester is ziek, en ze hebben op school niemand om het over te nemen, want daar zorgt mevrouw Adelmund niet voor, dus ze zijn morgen vrij. Jij mag ze opvangen.'

'Bekijk het even. Ik heb het druk.'

'Ik ook schat,' zei ze, met de zekerheid van een winnaar. 'En op mijn lijstje staan nog drie dagdelen "Joop". Voor drie keer dat ik mijn werk in de steek moest laten om de jongens op te halen omdat jij ze weer eens was vergeten.'

'Het kan niet.'

'Morgenochtend halfnegen moet ik de deur uit. Ze spelen zelfs 's nachts met dat idiote schietspel van jou, dus ze hebben een fantastisch humeur als ze uit bed komen.'

*

Anneke liet zich uitgeput op de bank zakken. Zachtjes, want Bertje sliep. Eindelijk. Zijn lange middagdut had hem de energie gegeven om tot negen uur wakker te blijven, en hij begon onmiddellijk te huilen als Anneke hem neerlegde. Ze had vier uur lang met hem rondgezeuld. In haar lange, zwarte jurk, waarvan ze de ritssluiting niet los kreeg. Ze tastte opnieuw naar de rits, maar kreeg alleen maar meer pijn in haar arm. Het kon haar ook niets meer schelen, ze was op, af, uit.

Ze moest even in slaap zijn gevallen, want ze stortte bijna van de bank toen de bel ging. Vrijwel tegelijk hoorde ze Bertje weer een keel op zetten. Ze liep wraakzuchtig naar de hal.

'Het spijt me,' zei Josien, onmiddellijk toen de deur openging. Ze keek haar dochter aan. 'Ik heb me de hele middag geschaamd.'

Anneke had een rotopmerking op haar lippen, maar toen ze de tranen over de wangen van haar moeder zag lopen, begon het ook bij haar te stromen en vielen ze elkaar in de armen.

'Ik pak Bertje wel,' zei Josien toen ze zich losmaakte.

Josien deed niets liever dan met Bertje rondlopen, zag Anneke even later, toen ze de wijn op tafel zette. En Bertje gedroeg zich prompt als een engeltje.

'Mam?'

'Ja?'

Josien keek niet eens naar haar.

'Ik moet er eens uit, mam.'

Josien deed kiekeboe met Bertje.

'Ik heb vanochtend mijn man begraven, ik zit vast met die vertaling, ik word gek. Ik bel Mieke even.'

'En dan pas ik wel op deze kleine schat, hè?' kirde haar moeder tegen Bertje. 'Dan kan mammie er eens uit!'

Josien ging vlak voor haar moeder staan en draaide haar de rug toe.

'Mam? Kan je me even helpen met die rits?'

~

De mogelijkheid drong pas tot haar door toen ze in de auto zat, op weg naar Mieke. Ze was vlak bij het huis van haar moeder. Ze had nog altijd een sleutel. Gewoon, voor de zekerheid. En haar moeder zou nu zeker niet thuiskomen. Anneke voelde opeens haar hart in haar keel. Niet zeuren, dacht ze. Gewoon doen.

Nog geen kwartier later zat ze op haar knieën voor het oude dressoir dat in haar moeders logeerkamer stond. Ze ging met haar hand langs de achterkant, tot ze op het spijkertje stuitte. De sleutel hing er nog altijd. Dit soort gewoontes ging gelukkig nooit verloren.

De albums roken muffig, de foto's waren kleiner dan in

haar herinnering. De vakantie in Duitsland. Disneyland, Florida. Volgens haar vader had ze het geweldig gevonden, maar op de foto's zag ze een ongelukkig meisje dat haar ogen dichtkneep tegen de zon. Verder terug, toen haar moeder nog hetzelfde lichaam had als Suzan Venema nu. Haar vader met een idiote bos krullen, juichend op een partijbijeenkomst. Haar zusje, terwijl ze met uitgestrekte armpjes boven op een stoel stond, op haar tweede verjaardag.

Anneke pakte haar telefoon.

'Mieke? Met An, zeg, ik kan niet komen. Ik leg het nog wel uit.'

⁂

Ze hield van zijn rug. Ze hield ervan om haar nagels erin te zetten en ze genadeloos over zijn huid te trekken als ze haar hoogtepunt naderde. De rode striemen waren haar handelsmerk, haar logo, het bewijs dat hij van haar was.

'We moeten hier weg.'

Hij draaide zich af van het raam.

'Het land uit. Wegwezen.'

'We kunnen het land niet uit.' Ze dwong zich om kalm te blijven, inwendig woedend dat zij de sterkste moest zijn. 'Dan zijn we alles kwijt.'

Hij draaide zich weer naar het raam, maar bleef met zijn hoofd schudden. 'Je weet welk risico we nemen als we hier blijven.'

Ze liep naar hem toe, en drukte haar naakte lichaam tegen hem aan. 'We verdwijnen. Maar nog niet uit Nederland.'

'Dan vindt hij ons,' zei hij.

Ze beet hem zacht in zijn nek. 'Nee. Ik heb alle reden om er even uit te willen zijn. Geen telefoon, geen afspraken, niks. Jij doet hetzelfde. We huren iets in het oosten van het land of zo, ver van de Randstad.'

Hij keek haar in de ogen. 'En de verkoop van mijn huis?'

'Dat laat je de makelaar doen.' Ze glimlachte. 'We gaan onderduiken. Het huis niet uit.'

Ze zag dat hij haar belofte begreep, dat ze vierentwintig uur per dag zijn wensen zou vervullen.

Joop was bezig het aanrecht schoon te maken toen de bel ging. Els, dacht hij onmiddellijk. Met de jongens, slaapdronken en chagrijnig omdat ze zogenaamd weet dat ze 's ochtends niet op mij kan rekenen en ze daarom alvast de avond tevoren brengt. Verdomme. Hij rukte de deur open, klaar om haar (in het Frans, want Max en Milan kenden alle Engelse vervloekingen inmiddels beter dan Joop zelf) uit te maken voor sekreet, stoephoer en smetbak. Anneke schrok kennelijk zo van zijn enigszins verwilderde uiterlijk dat ze de kartonnen doos uit haar handen liet glippen.

'Sorry, ik eh...' hakkelde Joop. 'Wat leuk om je weer te zien.'

'Echt?' vroeg ze ongelovig, en toen moesten ze allebei lachen.

'Ik heb je wat beloofd,' zei ze. 'En beloftes moet je nakomen, beweerde mijn vader altijd.' Ze raapte de doos op.

'Ben je nog bij Suzan Venema geweest?'.

'Ja,' zei Joop. 'Ze schrok zich rot toen ik haar die foto liet zien en de naam van Leeuwenstein noemde. Bijna alsof ze bang was, maar dat liet ze ook weer niet echt merken. Zo is ze wel. Misschien wordt ze ook wel gestalkt of zo. Of er is iets met chantage, ik weet het niet.'

Joop vertelde verder over Suzans vlucht naar de Kaag, want daar leek het op, een vlucht. 'Die Leeuwenstein heeft op een of andere manier dus ook te maken met Suzan Venema.'

'Waar zou hij nu zijn?' vroeg Anneke.

'Volgens Erik was hij nog niet terug in Kaapstad.'

Anneke schudde haar hoofd. 'Je zei dat Suzan schrok toen je zijn naam noemde. Of ze is bang voor hem, of ze is bang dat anderen te weten komen dat ze iets met hem heeft.'

'Iets?' vroeg Joop.

'Ja, ik weet niet wat, maar misschien is het helemaal geen chantage of zo, misschien is ze naar die Leeuwenstein toe.'

Joop keek haar aan. Bepaald niet dom. 'Het telefoonboek,' zei hij. 'De Kaag…'

Er stonden er vier in. Joop sprak als eerste de weduwe Leeuwenstein, die zeer teleurgesteld was dat het niet ging over haar aanleunwoning. Vervolgens waren er twee niet thuis, en ten slotte kreeg Anneke een juffrouw aan de lijn die desgewenst ook wel dames wilde verwennen, maar dan alleen met hulpmiddelen.

'Eén van de twee overgebleven Leeuwensteinen dus,' zei Anneke. 'Wat gaan we doen? Kijken?'

'Dat gaat beter als het licht is,' zei Joop. 'Morgen. Ik heb dan de jongens, maar die dienen als camouflage. En dan zijn ze er ook eens uit. Avifauna na afloop. Zoiets. Ga je mee?'

Anneke knikte. Haar ogen glinsterden nog altijd.

'Die albums moeten snel terug,' zei Anneke. 'Als mijn moeder in dat dressoir kijkt…'

Niet geschoten, altijd mis, dacht Joop.

'Ik wil erg graag de albums bekijken, maar ik heb nog niet gegeten,' zei hij luchtig. 'Ik laat wat komen. Heb jij al…?'

Ze schudde haar hoofd. Joop glimlachte innemend. Na een korte culinaire reis over de halve aardbol werden ze het eens op Koreaans, en pakten in afwachting van de koerier alvast de eerste albums uit de doos. Joop viel onmiddellijk met zijn neus in de jaren zestig. Magere jongens met lang haar, iedereen rookte erop los. Hij zag Bert Zoutkamp, ontdaan van zijn eeuwige fluwelen jasje, voor een huisje in het bos.

'De Wielewaal,' zei Anneke. 'Daar ging hij volgens mij altijd met partijvriendjes naar toe. Daar kon hij nog heel sentimenteel over vertellen.'

Joop bladerde verder, en stuitte op een foto van Hendrikse, Zoutkamp en een derde jongen, die kniezend in de camera tuurde.

'Partijvriendjes? Deze?'

'Nou ja, zei Anneke. 'Ze haalden niet allemaal de top.'

'O, dan is het volgens mij Ruurd Colijn. Niet echt een aanbeveling voor de moderne sociaal-democraat, als ik Polak tenminste goed begrepen heb. Veel te radicaal. Staatsgevaarlijk, zelfs, tenminste in die tijd.'

Anneke keek hem niet-begrijpend aan. Ze was van een generatie die weinig idee meer had van de hartstochten en sentimenten die in de jaren zestig woedden.

'Ruurd schreef van alles op, destijds,' zei Joop. 'Jouw vader heeft onlangs die schriftjes opgehaald, voor zijn autobiografie. Suzan was stomverbaasd toen ik erover begon.'

Anneke sloeg haar ogen neer. 'Ik ben niet degene die je iets moet vragen over mijn vader. Tenminste niet van de afgelopen vijf, zes jaar.'

Ze schaamde zich voor die ruzie, besefte Joop. Natuurlijk. Dat hele conflict was in een keer definitief geworden, vastgelegd door zijn dood. Hij ergerde zich opeens aan Zoutkamp, die zijn kind had laten stikken ter meerdere eer en glorie van carrière en libido. Ook dat was typisch jaren zestig.

'Je moet Onno eens opzoeken. Onno Reuvenhorst.'

Joop keek haar verbaasd aan.

'Mijn vader reed nooit zelf, tenminste, niet meer na dat paaltjesincident. Onno was in Rotterdam al zijn chauffeur, en pa heeft hem gewoon meegenomen naar Den Haag. Als hij ergens is geweest, weet Onno dat.'

Joop zag haar glimlachen.

'Wat is er?'

'Laat maar. Ik dacht aan onze ouwe hond.'

Later die avond, toen de albums verstrooid over het tapijt lagen tussen de piepschuimen bakjes met de resten van de Koreaanse maaltijd, en zij er lui naast, zette Joop even het nieuws aan.

'...voorheen staatssecretaris van BZ, volgt de onlangs overleden Bert Zoutkamp op als minister. Voor de post van staatssecretaris wordt Jeroen Peeters genoemd, nu nog wethouder van financiën in Rotterdam. We praten hierover met politiek correspondent Joris van Diepstraten. Zeg Joris, wie is in vredesnaam Jeroen Peeters?'

Verduyn zette datum, tijd en zijn paraaf op de map voor hij hem openmaakte. Er zat maar één velletje papier in. 'Contact in Zuid-Afrika is Erik van Oosterom. Hij is de broer van Joop Meijers ex-vrouw, Els van Oosterom.'

Verduyn hield zelfs een pokerface als hij alleen was, maar hij was kwaad. Hoe je het ook wendde of keerde, dit soort simpele opzetjes liep altijd fout. Hij pakte de telefoon.

'Ja?'

'Met mij,' zei Verduyn. 'Is Meijer thuis?'

'Ja. En raad 's wie er bij hem is.'

'Anneke Zoutkamp?'

'Ja, één en dezelfde.'

Verduyn legde de hoorn neer. Hendrikse had kennelijk minder macht en zeggenschap over de familie Zoutkamp dan hij veronderstelde. Misschien beschikte die Joop Meijer over speciale gaven. Maar welke?

Caroline Vermeulen had de eerste dag na de dood van Klaas doorgebracht in een vreemde trance, veroorzaakt door de kalmeringspillen die haar moeder haar had toegestopt, 'omdat ze zo geweldig hadden geholpen toen papa me in de steek had gelaten.' Carolines gedempte roes werd alleen verstoord door de onverhoeds opduikende beelden van de schim, de schaduw achter Klaas. En van Klaas, toen hij loskwam van het gebouw.

Vanochtend had ze geen pil genomen, en langzamerhand had ze zich gerealiseerd dat er iets helemaal niet goed zat. Haar vriend was vermoord, en iedereen deed alsof hij zelf naar beneden was gesprongen! Er werd weliswaar decent over gezwegen, maar ze voelde wat mensen dachten.

Tegen de middag gloeide Caroline van wraaklust. Klaas had willen praten. Over financiële manipulaties in het Rotterdamse, over vuile spelletjes en over de machten die die dit verborgen wilden houden. Daarom was hij om zeep geholpen. Maar ze kende Klaas. Als hij met iemand ging praten, had hij iets op papier staan.

Nadat ze vergeefs zijn bureau en nachtkastje overhoop had gehaald, bedacht ze dat Klaas geen colbertje aan had toen hij was gevallen. Ze zag hem weer op straat liggen; het wit van zijn overhemd schemerde voor haar ogen. Dat klopte niet. Meijer zou langskomen, en voor bezoek trok hij altijd een colbertje aan, zo formeel was hij wel. De tranen sprongen haar in de ogen toen ze zijn jasje, dat naast de bank was gegleden, doorzocht.

Papieren zakdoekjes. Een paperclip, een pen, twee lucifers, zijn sleutels. Een oud zakmesje met een plastic tandenstoker, en twee gekopieerde declaratieformulieren.

Ze streek ze glad en las de hanenpoten op de stippellijntjes. Reiskosten, voor de heer en mevrouw Zoutkamp. Met de Concorde naar New York. Klaas had nog iets kunnen redden voor het grote afdekken begon. De tweede was een rekening voor een hotelsuite in Lissabon, ook voor de heer en mevrouw Zoutkamp.

Ze vouwde de beide kopieën op. Klaas had haar verteld wie de schrijver van de anonieme brief was die Joop Meijer had ontvangen. Volgens Klaas was er eigenlijk maar één kandidaat, omdat iedereen in het Gemeentehuis boter op zijn hoofd had. Met één uitzondering. Onno Reuvenhorst hield altijd zijn rug recht, had Klaas gezegd. En hij wist overal van, want hij was chauffeur. Dat zou die journalist ook wel willen weten.

Caroline had de telefoon al in haar hand, toen ze zich met een schok herinnerde dat Klaas misschien wel was gestorven omdat hij dit allemaal wist. Hij had Joop Meijer gebeld. En toen was hij vermoord. Het moest, het kon niet anders.

Ze legde de hoorn neer en vroeg zich af waar ze die vervloekte declaratieformulieren kon verstoppen.

8

ZE WERD WAKKER toen ze zijn hand op haar borst voelde.

'We zijn er.'

'Ik had een nachtmerrie,' begon ze, maar hij had zijn portier al open en stapte uit de auto. Ze zette haar stoel recht en zag een ijzeren hek met erachter een korte oprit naar een door landelijk groen omringde villa. Op het hek zat een bord met het huisnummer. Het geluksgetal zeven gaf haar een vaag gevoel van veiligheid. De luiken waren gesloten. Er waren meer huizen, verderop, de meeste half verborgen achter bomen. De warmte van de nazomer hing tussen de bladeren. De tralies van het hek herinnerden haar aan iets uit haar droom. Nachtmerries waren voor 's nachts, bedacht ze. Ze zag spoken. Met een beetje geluk was dit alleen maar een vakantie die een paar dagen te vroeg begon.

'Waar zijn we?' vroeg ze, toen hij weer naast haar zat en de auto door het geopende hek reed.

'Op een veilige plek. Ver van de Randstad, dat wou je toch zelf?'

'Je hebt gelijk.' Ze zuchtte. 'Ik heb genoeg van plekken die veilig zijn terwijl we elk moment onze koffers moeten pakken. Ik word moe van het over m'n schouder kijken.'

Hij stopte de auto voor het huis en draaide zich naar haar toe. 'Het is bijna voorbij. Dit is volstrekt anoniem, via een vriend. Zijn bedrijf verhuurt dit soort onderkomens aan dure zakenlui uit het buitenland die ongelimiteerd kunnen declareren.'

'Praat me niet van declaraties,' zei ze.

Hij tilde hun koffers uit de achterbak en bracht ze naar

de voordeur. 'De buren zijn gewend aan komen en gaan.'

'Hoe kom je aan die sleutels?'

Hij maakte de deur open. 'Je maakt je te veel zorgen. Ik heb ze een kwartier geleden opgepikt. Je lag te slapen en je zag er sexy uit.' Hij droeg de koffers de hal in en zette ze op het marmer. 'Ik doe het hek dicht en rij de auto achter het huis,' zei hij. 'Als je wilt laten we de luiken aan de voorkant dicht, maar ik zweer je...'

Ze knikte. Ze bleef nerveus, misschien kwam dat door het vreemde huis. Ze liet de koffers staan en liep door de hal naar een ruime woonkamer, waar gefilterde lichtstreepjes door de persianer luiken drongen. De kamer was luxueus en comfortabel, onpersoonlijk, met reproducties van schilderijen en prenten van het soort dat je in hotelketens aantrof. Ze ging op een leren bank zitten, staarde naar de streepjes zonlicht en vocht tegen haar zenuwen. Ze hoorde hem niet binnenkomen over het dikke tapijt, en schrok toen hij tegenover haar stond.

'Goede smaak,' zei hij en hield een fles Gigondas op. 'Dure relaties, de kelder is klein maar fijn, als vanouds.'

'Je bent hier eerder geweest.'

'Eenmaal.' Hij opende een buffetla en vond een kurkentrekker.

Met wie, wilde ze vragen, maar ze hield zich in. Het deed er niet toe. 'Chambreren is nauwelijks nodig,' zei hij. Ze volgde de beweging van zijn handen met de fles en de glazen. Hij had een leven van opwinding en stress achter de rug, van zaken, party's, reizen en vrouwen, maar zijn lichaam zag eruit alsof hij altijd een onthutsend gezonde blonde tennisleraar van veertig was geweest en voor eeuwig zou blijven. Misschien had hij, ergens onderweg, het geheim ontdekt van de perfecte maat van eten, drinken, bewegen, denken en doen, de volmaakte balans.

Hij reikte haar een glas aan. 'Boven heb ik nog een verrassing,' zei hij. 'Heb je ooit op een waterbed geslapen?'

'Nee.' Ze hief vluchtig haar glas naar hem en nam een slokje. De wijn was vol en rijp, kruidige herfsttinten. Het bos uit haar kinderjaren rook zo: vallende bladeren en paddestoelen. Soms verlangde ze daarnaar terug, een tijd zonder die eeuwige jacht. Nu had ze behoefte aan een bad en schone kleren.

Hij zette zijn glas neer, nam zijn zaktelefoon en zag haar vragende gezicht. 'De makelaar,' zei hij.

Ze knikte naar de telefoon. 'Weet je dat zeker?'

Hij keek terug en fronste. 'Je hebt gelijk, we kunnen niet voorzichtig genoeg zijn.' Hij klapte het apparaat dicht, stak het weg en liep naar een toestel op het buffet. 'Deze is gegarandeerd safe.'

Hij nam de hoorn op, toetste een nummer en meldde zich. 'Geef me de baas maar even.'

Ze keek naar zijn handen terwijl hij de hoorn tegen zijn schouder klemde en een van zijn kleine sigaartjes opstak.

'Nog steeds geen koper?' vroeg hij in de hoorn. 'Ik wil er snel vanaf, liever vandaag dan morgen.' Hij blies rook uit en glimlachte naar haar, op zijn jongensachtige manier, die maakte dat allerlei dingen waarmee ze was opgevoed er niet meer toe deden, zoals bijvoorbeeld dat wijn en sigaren eigenlijk niet bij elkaar pasten. 'Het kan me niet schelen als je op een ton minder uitkomt,' zei hij in de hoorn. 'Wat mij betreft ga je in een ruk door naar de notaris. Nee, ik kan daar niet bij zijn, maar je hebt de volmacht en je weet waar het heen moet.'

Hij wreef over zijn wang. Hij had geen tijd gehad om zich te scheren, de stoppels gaven hem iets ruigs. 'Probeer dat maar, je bent niet gek, ik laat het aan je over,' zei hij. 'Desnoods nemen wij ook de kosten. Nee, ik ben weg, je hoeft mij niet te bellen, zorg alleen maar dat ik het kwijt raak.'

Hij legde de hoorn neer en kwam achter haar staan. 'Kruideniers,' zei hij. 'Ze tobben te veel.' Hij imiteerde de makelaar. 'Als je te gauw omlaag gaat denkt de koper dat er verborgen gebreken zijn. Ja, ja. In werkelijkheid gaat het natuurlijk om hun eigen provisie die dan lager wordt.'

'Fuck dat huis,' hoorde ze zichzelf zeggen.

Hij glimlachte. 'Jij tobt ook teveel. Alles komt goed, ze hebben niks, het is waterdicht.' Zijn stem kwam dichterbij toen hij zich over de bank boog en haar schouders begon te masseren. 'Strak,' zei hij. 'Ontspan je. Als je mij niet gelooft hoef je de tv maar aan te zetten om te weten dat ze wel andere dingen aan de kop hebben, en geen tijd om op spoken te jagen.'

Zijn handen schoven in haar bloes en onder haar bh. Er viel wat as van zijn sigaar op haar rok en ze bedacht dat het haar niet kon schelen met wie hij eerder op een waterbed had gelegen.

Milan opende de deur. 'Papa?'

Joop woelde door de haardos van zijn jongste en drukte een kus op de tienjarige bol. 'Max klaar?'

Milan gluurde langs hem heen naar de auto. 'De kale katkrabber,' piepte hij.

'De K's zouden we niet meer doen. Haal hem maar gauw, stante pede.'

'Tante Pede, heet die mevrouw zo?'

'Opschieten!'

Het joch holde terug de gang in en de trap op. Els kwam naar de deur, ze zag er slaperig en onverzorgd uit. Voor hem maakte ze zich al lang niet meer mooi, en hij vond haar ouder en heksiger dan ooit. Haar eigen broer Erik noemde haar een zeikwijf. Joop zag steeds beter wat hij bedoelde, maar misschien kwam dat door zijn huidige vergelijkingsmateriaal.

'Wat sta je voldaan te grijnzen?' vroeg Els. Ze keek langs

hem heen, met volstrekt andere ogen dan Milan. 'Ah,' zei ze. 'Vandaar. Is dat de nieuwe kuttekop?'

Ze moest aangestoken zijn door de jongens. Joop volgde haar blik. Anneke glimlachte door het open raampje naar hen. 'Je hoeft je voor mij niet in te houden,' zei Joop.

'Slaapt ze bij je?'

'Wou je foto's komen maken?'

'Ik hoef geen foto's. Ik wil alleen niet dat mijn kinderen de ene del na de andere aan het ontbijt treffen, dat is alles.'

'In verband met de tere kinderziel?' informeerde hij, terwijl hij bedacht dat de ene na de andere del bij het ontbijt hem lange tijd een aantrekkelijk perspectief had geleken. Hij wierp een blik op de auto en bedacht hoe vreemd het was dat zo'n idee zo plotseling voorbij kon zijn.

'Het is een gevoelige leeftijd.'

'In Afrika en Afghanistan lopen ze met kalashnikovs.'

Els snoof en draaide zich om. Hij hoorde haar tegen Max mopperen toen die achter Milan aan van de trap kwam. Hij liet de jongens langs en sloot de voordeur.

Ze holden voor hem uit naar de auto en bleven abrupt staan, in een ongewoon moment van verlegenheid. Anneke kwam de auto uit om ze een hand te geven.

'Ik ben Anneke, jij moet Max zijn?' Max legde een hand in de hare en ze boog zich naar Milan. 'Dag. Ik ben Anneke.'

'Ik zit altijd voorin,' zei Max.

'Het is niet altijd Kerstmis,' zei Joop. 'Helaas.'

Milan staarde naar Anneke. 'Is jouw vader de minister?'

'Ja,' zei Anneke.

'Hij is doodgeschoten,' zei Max. 'Ik heb het op de tv gezien.'

Anneke keek neutraal naar hem. 'Als je vreselijk graag voorin wilt...'

'Geen sprake van,' zei Joop.

Ze leek nogal geamuseerd door zijn interruptie. Ze bleef naar Max kijken en zei: 'Ik kan prima met Milan op de achterbank, maar het is dan natuurlijk wel zo dat hij en ik samen die hele zak vol minimarsen moeten opeten.'

Joop grinnikte. Ze had zijn hulp niet nodig. Milan zat al achterin. Max volgde. Joop drukte het portier dicht, bukte zich in het raampje en keek naar zijn oudste zoon. 'Als je later journalist wilt worden, zul je beter moeten leren luisteren en kijken. De minister is niet doodgeschoten. Zijn jacht is ontploft, de politie denkt dat het een ongeluk was en dat hij is verdronken.'

'Bedoel je dat jij dat niet denkt?' vroeg Max.

'Niet slecht, voor een twaalfjarige collega,' zei Joop. 'Nou nog een beetje diplomatie. Of gewoon denken: hoe zou ik dit of dat vinden? Bijvoorbeeld als een onbekend joch tegen je zegt: Hé, ben jij de zoon van die man die ze net hebben doodgeschoten?'

Max keek beteuterd terug. Joop liep om de auto heen, opende het portier. Els stond achter een raam op de bovenverdieping. Haar blik kruiste de zijne en ze stak een middelvinger op.

~

Erik van Oosterom legde zijn telefoon neer en keek misnoegd uit het raam van zijn schamele kantoortje. Weer een afgesprongen deal. Misschien moest hij het raam zelf maar een keer schoonmaken. De laatste werkster aan wie hij in een moment van verstandsverbijstering de sleutel van zijn gehuurde kantoortje had toevertrouwd, was met zijn bureaustoel, zijn encyclopedie, de kleine kas alsmede de noorderzon verdwenen. Het uitzendbureau kon hem helaas niet helpen, hij had toch haar naam en haar adres? Ja, als dat het juiste was, ergens in een zwarte woonwijk waar je je als blanke alleen waagde als je krankzinnig was óf met een peloton mariniers. Hij had het slot op zijn kantoordeur veranderd. Meer kon hij niet doen.

Ondanks alle verlokkingen begon Zuid-Afrika hem een beetje op de zenuwen te werken. Je kon de handigste handelaar, of – zoals een koffiekleurige zakenrelatie het noemde – ritselaar in onroerend goed ter wereld zijn, in dit land van overweldigend aanbod en weinig kopers viel nu niet veel meer te verdienen. Vijfenzeventig procent aids in de zwarte wijken. In Kwa Zulu Natal tegen de negentig procent. Statistieken die geen brein meer kon bevatten. Kaapstad was nog een paradijs vergeleken bij de provincies, waar de blanken zich verschansten in huizen en boerderijen die meer op vestingen leken, met complete wapenarsenalen achter onneembare tralies. Sommige van die plaatsen konden zo in sciencefictionfilms. Alles was hier fout gegaan sinds het ANC aan de macht was gekomen, dankzij de onvervulbare belofte van een huis en een baan voor elke zwarte kiezer en het naar binnen halen van nog eens twintig miljoen zwarten uit Zambia en overal elders, die nu ook het metaal van bruggen en telefoonpalen en de isolatie uit solarcellen sloopten en in het algemeen het wonderschone Kaapstad afbraken waar je bij stond. Er zaten soms aardige jongens tussen, maar goed.

Je kon daar niet eens over praten. Als zijn ex-zwager uit Europa belde of mailde, kreeg hij die vraag weer: Hoe gaat het daar nou? We horen weinig. Ze hoorden weinig, want de media hadden Afghanistan en Israël om zich druk over te maken, oorlog en terreur, Zuid-Afrika was toch nog steeds de dynamo van het hele continent? Ze hadden geen notie van sociale onrust. Je hoefde maar naar Zimbabwe te kijken. Misschien moest hij Joop een keer uitnodigen, kon-ie over andere dimensies van corruptie schrijven dan wat knullig gesjoemel met declaraties in Nederland.

De bladen hier deden alsof er niks aan de hand was. Geen paniek. Er lag zo'n tijdschrift op zijn bureau, met Miss Transvaal op de cover, verhalen over de nieuwste sitcom, recepten voor worteltaart en biltong, aanwijzingen voor een gelukkige ouwe dag, en terloops ook nog een kop met: *Waar is al die boere heen? Net 45.000 oor.*

Alsof ze dat niet wisten. Van de honderdduizend waren er nog 45.000 over. Zevenduizend waren er vermoord in Kwa Zulu Natal alleen. De rest was naar Australië en Canada, of ze rentenierden in Engeland of Zuid-Amerika. Het enige bericht dat hier beter was dan daar was het weerbericht.

Erik sloot zijn computer en pakte zijn jasje. Hij opende de deur maar bleef staan toen hij verderop zijn naam hoorde noemen. Hij loerde de gang in en zag de advocaat die het kantoor naast het zijne gebruikte twee zwarte vrouwen uitlaten en intussen een onbekende blanke man de weg wijzen. Erik stapte achteruit, duwde zachtjes de deur dicht en haastte zich terug achter zijn bureau. Hij trok een paar mappen uit de la en deed alsof hij druk was. Imago was het halve werk. Toen er werd geklopt en de onbekende binnenkwam keek hij verstoord op uit zijn studies, stond op, stak een hand uit en zei opgewekt: 'Meneer van Diermen?'

De man bleef staan, negeerde de hand. 'Wie is meneer Van Diermen?'

'Pardon,' zei Erik. 'Ik verwacht een client. Wat kan ik voor u doen?'

'Erik van Oosterom?' De man zag er koel uit, niet onknap, met harde, leigrijze ogen. Geen spoor van Afrikaans in zijn stem.

'En uw naam was?'

'Ik ben verbonden aan het Nederlandse consulaat.'

'Ah. Altijd tijd voor een landgenoot. Gaat u zitten. Nieuw in Kaapstad?'

Erik zakte terug op de wrakke stoel die het gestolen bureau-exemplaar verving. De man bleef staan, een doelbewust vijandig gebaar dat Erik een onbehaaglijk gevoel bezorgde. 'Als u onderdak zoekt bent u aan het goede adres,' zei hij. 'Hoe was de naam ook weer?'

'Ik hoef alleen maar te weten waarom u belang stelt in een bepaalde villa aan de Baairand,' zei de man. 'Camps Bay.'

Shit, zou het gaan om die foto die hij daar achterover had gedrukt? 'Twee keer raden,' zei hij. 'Ik zit in onroerend goed, ik heb een klant die een dergelijke villa zoekt.'

'Dat zou me verbazen.' De man streelde een plek onder zijn sportieve jasje waar behalve zijn hart ook een pistool kon zitten. 'Dat huis is bovendien niet te koop.'

'Dat heb ik gemerkt.' Erik voelde zweetdruppels op zijn bovenlip. Hij probeerde zijn kop in het zand te houden, maar zijn hersens vertelden hem dat dit geen normaal gesprek was. 'Is dat huis eigendom van het consulaat of zo?'

'U heeft contact met een journalist in Nederland, een zekere Joop Meijer,' zei de man rustig.

'M'n ex-zwager, tevens vriend, *so what*?'

'Dat zal ik u uitleggen,' zei de man. 'Ik hoop dat u goed luistert. U steekt uw neus in het verkeerde soort zaak. U mag met uw zwager over uw vriendjes praten of over een cruise naar de zuidpool of over uw zonderlinge beleggingen...' De man trok een bloknootje uit zijn binnenzak, keek erop en schudde zijn hoofd. 'U bent niet de enige die z'n geld naar het buitenland sluist, maar Haïti? Is dat niet van de regen in de drup?'

Erik zweeg drie volle seconden. Hoe wist die klootzak van zijn privé-zaken? De man kon doodvallen. 'Het verschil is dat het hier alleen beroerder kan worden en daar alleen maar beter,' zei hij opstandig.

'Banque Nationale de Crédit,' las de onbekende van zijn boekje. 'In Port au Prince, aan de Rue des Miracles nog wel.' De man glimlachte niet. 'Een toepasselijke naam.'

'Wat wilt u eigenlijk?'

'Dat is eenvoudig. Ik wil dat u die villa uit uw geheugen wist, vergeet wie er woont en daar niet meer in de buurt komt. Ik zou ook uw contacten met die meneer Joop op een laag pitje zetten.'

'Dit is belachelijk.' Erik reikte naar de telefoon op zijn bureau. 'Ik bel het consulaat. Hoe was uw naam?'

De onbekende boog zich naar voren en legde een hand over die van Erik. ‘U heeft hier een paar winstgevende zaakjes gaande,’ zei hij. ‘Zou het niet lastig zijn als u die moest afbreken omdat uw visum niet wordt verlengd?’

Erik voelde zijn wangen rood worden. ‘Ik heb geen visum,’ zei hij. ‘Ik ben verdomme geen toerist, ik woon hier al tijden, op een normale verblijfsvergunning.’

De man trok zijn hand terug, maar bleef over het bureau gebogen staan. Zijn ogen woeien kilte naar Erik. ‘Wat u ook heeft,’ zei hij. ‘Een visum, de zegen van de president, een aangenaam leven, dat kan alles zomaar veranderen. Misschien heeft u ook liever dat uw seksuele praktijken niet aan de openbaarheid worden prijsgegeven, aan toekomstige klanten bijvoorbeeld. Begrijpt u wat ik zeg?’

Je kon niet in Zuid-Afrika wonen zonder een portie risico’s en gevaar op de koop toe te nemen, maar dit was een ander soort gevaar, doelgericht, op hém gericht. Erik voelde het zweet op zijn voorhoofd koud worden. Hij moest verdomme achter die Boere aan. Omdat hij zijn stem niet vertrouwde, knikte hij alleen maar.

Hij wachtte tot de man zijn kantoor had verlaten voordat hij zijn adem liet ontsnappen en zijn zakdoek pakte om zijn hals droog te wrijven. Waar was die verdomde Joop Meijer mee bezig?

~

Het eerste adres was een ruïne, aan de borden te zien kwam hier nieuwbouw. Het tweede bleek een mooie, rietgedekte villa te zijn, maar toen ze aan de overkant stopten zagen ze een groot bord TE KOOP in de voortuin.

‘Shit,’ zei Joop. ‘Dood spoor.’

‘Wacht.’ Anneke raakte zijn arm aan. Ze was bezweet van het roeien. Er parelden minuscule druppeltjes op haar voorhoofd. ‘Er zijn mensen.’

Een zakelijk uitziende jongeman in marineblauw sloot de deur van de villa af en leidde een ouder echtpaar naar het tuinhek.

'Geen bekende gezichten,' zei Joop en opende zijn portier. Anneke voegde zich bij hem. De jongens hingen slaperig achterin, moe van twee uur op de Kaagse plassen en zwaar van pannenkoeken en ijs.

De jongeman zag hen en nam haastig afscheid van het echtpaar, dat naar een donkere Peugeot liep en al begon te ruziën voordat ze erin zaten.

'Bent u de makelaar?' vroeg Joop.

'Ja, Fred Roos.' De man stak een hand uit. 'Heeft het kantoor u hierheen verwezen?'

'Nee, we zijn geen kopers.' Joop glimlachte vriendelijk. 'We zoeken een vroegere kennis, hij zou hier moeten wonen, een meneer Leeuwenstein.'

De makelaar keek een beetje hulpeloos. 'Ik weet niet of ik eh...'

Anneke zei haastig: 'Hij was een jeugdvriend van m'n moeder, hij moet nu tegen de zestig zijn, met kort grijs haar en een baardje?'

'O, nee.' Roos klaarde op, zichtbaar blij dat hij geen indiscreties hoefde te begaan. 'De meneer die hier heeft gewoond is een vlotte zakenman, blond en hoogstens halverwege de veertig. De naam komt natuurlijk meer voor.'

Joop zag Anneke verstrakken. 'Hij heet dus wel Leeuwenstein?' vroeg hij.

'Ja, Rob Leeuwenstein. Hij heeft hier trouwens maar kort gewoond, voorzover ik heb begrepen wil hij terug naar Brazilië, daar kwam hij vandaan.'

'Misschien is het familie,' zei Joop. 'Heeft u een nummer waar we hem kunnen bereiken?'

'Helaas niet,' zei Roos. 'Hij heeft me gisteren gebeld dat hij op zakenreis moest. Wij hebben volmacht om de verkoop voor hem af te handelen. Ik heb geen nummer, hij zal ons later bellen met een adres voor de stukken.'

Joop keek naar Anneke. 'Misschien is het z'n neef.' Hij wendde zich weer naar de makelaar. 'Zijn vrouw is een jaar of veertig, knap, blond haar, klopt dat?'

'Dat zou kunnen, maar ik heb geen echtgenote gezien,' zei Roos. 'Het huis staat alleen op zijn naam. Het spijt me dat ik u niet kan helpen.'

De man knikte en liep naar zijn auto. De Peugeot was al vertrokken. Joop en Anneke staken de laan over en bleven bij Joops Alfa staan. 'Die Rob Leeuwenstein is misschien wel de man die ik in De Doelen heb gezien,' zei Anneke. 'Ik begrijp hier niks van.'

Joop staarde naar de villa. 'We hebben twee Leeuwensteins, met Suzan als extra raadsel,' zei hij. 'Haar foto staat in een villa in Zuid-Afrika. Ze schrikt zich het lazarus als ik haar die laat zien. Ze vlucht naar de Kaag, we denken naar de oude Leeuwenstein, maar de enige die hier is of was, is een jónge Leeuwenstein. Ik dacht dat jouw vader en Suzan het dolverliefde paar waren, dat was toch zo? *Honeymoon* op Schiermonnikoog en zo?'

'Het blijft een VVD-trut,' zei Anneke.

Max stak zijn hoofd uit het achterraampje. 'Blijven we kamperen in de krankzinnige Keutelkaag?'

'Ze zijn wakker,' zei Anneke, die na Joops uitleg inmiddels gewend was aan de k-woorden.

Joop nam haar bij de schouder terwijl ze langs de langs de auto liepen en hield haar staande bij haar portier. 'Ze was toch ook dol op varen? Dolverliefd, dol op varen, en niet mee het zeegat uit met haar geliefde Bert?' Hij keek haar aan. 'Ze voelde zich niet lekker, die middag, maar ging nota bene wel wat drinken met Karel Swart. Dat heeft-ie me zelf verteld.'

Anneke huiverde. 'Ik moet naar Bertje,' zei ze. 'Ik laat hem al veel te vaak alleen.'

'De kleinzoon die je vader nooit heeft gezien.' Een gedachte gonsde door zijn hoofd, zonder dat hij er greep op kreeg.

'Papa Joop!' riep Milan.

Hij bukte zich naar het raam. 'Doe me een lol,' zei hij. 'Papa Joop is als je ook nog een papa Karel en een papa Piet hebt, oké? Je hebt er maar één, dat ben ik. Dus óf papa, óf Joop.'

Milan zat het verward uit te rekenen en hij richtte zich op. Anneke stond nog naast de buitenspiegel. Joop keek in haar ogen en schudde met zijn hoofd, alsof hij iets kwijt moest zien te raken. Twee weken moeder, een paar dagen weduwe. Hij kon diverse scenario's bedenken en ze klonken allemaal even ridicuul.

⁂

'Pannenkoeken?' vroeg Verduyn aan Stokman.

'Ja. Ik heb twee uur aan de walkant gezeten, ik dacht niet dat u zou verwachten dat ik een roeiboot huurde en erachteraan ging. Ze waren gewoon uit, met die zoontjes van hem. Pannenkoeken en ijs. Ze zijn nu allebei thuis, ieder op het eigen adres. Moeten we haar telefoon ook aftappen?'

'Het ijs waar we op schaatsen is al glad genoeg.' Verduyn keek uit het raam. Het begon te schemeren, het gebouw was al zowat verlaten. Hij was nooit jaloers op het andere volk in het ministerie, dat om negen uur 's morgens arriveerde en om vijf uur terug kon naar moeder de vrouw. Verduyn hoefde geen vrouw. Hij had zijn handen al vol aan Speciale Operaties. 'En dat was alles?'

'Nee, meneer.' Stokman had een irritante neiging om het beste voor het laatste te bewaren. Verduyn hield van ordelijke chronologie, in een rapport. 'Ze gingen huizen kijken.'

'Wat is dat voor flauwekul?'

'Dat leek mij ook, meneer, vooral omdat ze allebei al een huis hebben. Maar ze stopten bij een villa en praatten met een makelaar, dus ik heb die man maar even gebeld. Ze waren op zoek naar een kennis die daar zou moeten wonen, maar volgens de makelaar was er sprake van een persoonsverwarring.'

'Ik kan je niet volgen.'

'Ze waren op zoek naar een meneer Leeuwenstein...'

Verduyn schrok op. 'Wát?'

Stokman gebaarde geruststellend. 'Het was de verkeerde, meneer. De verkoper van dat huis is een zekere Rob Leeuwenstein, een zakenman van een jaar of veertig. De man die ze zochten was ouder, ook Leeuwenstein, maar rond de zestig, met kort grijs haar en een baard.'

Verduyn had zichzelf weer onder controle. 'Dank je,' zei hij. 'Heeft De Wit je afgelost?'

Stokman knikte. 'Hij blijft op de journalist.'

Verduyn stuurde hem weg en wachtte tot hij alleen was, voordat hij de telefoon opnam en een nummer toetste.

❧

Joop Meijer liep zijn flat in, het stapeltje post in zijn hand. Het appartement voelde kil aan, een herfstig soort leegte. Hij was gewend geraakt aan alleen zijn, aan het soort sleur dat ontstond als er niets dan werk was. Dit was een nieuw gevoel, hij wist waar het vandaan kwam, wat eraan ontbrak. Toen hij wegreed uit Leiden leek zijn auto even leeg als zijn flat. Er mankeerde niets aan de auto, noch aan de flat, het zat in zijn leven. Er was een element bijgekomen, dat de kleur aan de rest zou blijven ontnemen zolang hij er niet iets mee deed. Het was allesomvattend en tegelijk vluchtig en kwetsbaar. Hij had zich voorgenomen om er voorzichtig mee om te gaan, niet te gehaast, dit was geen simpel avontuurtje. Stap voor stap. Straks weer naar haar toe, een beetje praten, iets drinken, elkaars aanwezigheid voelen, geen overval, niet blijven slapen, terug naar huis. Hij voelde dat het goed zou komen.

Er zat een zwartomrande envelop tussen de post. Joop maakte hem open en vroeg zich af waarom iemand hem zou hem uitnodigen voor de begrafenis van Klaas Lokhof. Toen pas zag hij de tekst die op de achterkant van de rouwkaart was gekrabbeld. Een nerveus, gejaagd handschrift, twee paranoïde regels: 'Ik was de vriendin van Klaas en moet u dringend spreken. Bel me niet op, ik denk dat ze mijn telefoon afluisteren en de uwe misschien ook. Caroline.'

Ze denkt dat iemand hem uit het raam heeft gegooid, had een politieman nog tegen hem opgemerkt, met een veelzeggend knikje naar de hysterische vrouw, die het huis werd binnengeleid, voordat hij haar aan kon klampen. Caroline, dus. Hij keek op de rouwkaart: Caroline Vermeulen.

Joop liep met de kaart in zijn hand naar het raam. Een grijze Volvo die aan de overkant leek weg te smelten in de schemering bezorgde hem een gevoel van déjà vu. Hij had een soortgelijke Volvo aan de waterkant gezien, en misschien in zijn achteruitspiegel. De Zweden verkochten goed, maar zoveel van die auto's waren er nou ook weer niet.

Joop zette zich achter zijn computer en checkte zijn e-mail. Een kwam van Erik, met rood uitroepteken. 'Godsamme, Joop, waar ben je mee bezig? Ik krijg een "medewerker" van het consulaat over de vloer, je weet wat zich volgens de spionageromans schuilhoudt onder de vlag van attachés, dit was er beslist zo een, een erg ijzig type dat me uitlegt dat jij het verkeerde gezelschap bent en me dringend aanraadt uit de buurt van een zekere villa te blijven. Alsof ik hier niet al problemen genoeg heb, nondeju!'

Nog meer ellende, nog meer complicaties.

Joop luisterde naar verraderlijke geluidjes in zijn telefoon, maar hoorde alleen Annekes stem, een anker waaraan hij zich vast wilde leggen. 'Kom je later?' De teleurstelling in haar stem gaf hem een warm gevoel. 'Ik had net bedacht dat we vanavond misschien...'

Hij onderbrak haar, beducht voor de tap op zijn telefoon, ook al hoorde hij niets verdachts. 'Ik moet een klusje afwerken, ik kom zodra ik kan.'

'Ik heb nog iets bedacht, over dat huis in...'

'Niet nu, ik heb geen tijd.' Hij wist hoe afwijzend dat klonk, hij kon daar niets aan doen, maar hij zei snel. 'Later, oké?'

'Oké.'

Midden in haar aarzeling legde Joop neer. Hij trok zijn jas aan, het begon donker en koud te worden. Hij haastte zich zijn flat uit. Hij negeerde de Volvo, stapte in zijn auto en reed rustig weg.

Wie er ook in de Volvo zat verstond zijn vak en wachtte tot er twee andere auto's passeerden voordat hij zijn wagen met alleen stadslichten aan in het verkeer voegde. Joop hield zijn spiegel in de gaten. Hij wist genoeg van politiewerk om te weten dat de Volvo een back-up zou hebben, ergens in de buurt, met radioverbinding. Toen hij bijna de wijk uit was, zag hij de lichten van de Volvo snel naderbij komen.

Joop nam de Utrechtsebaan. Er was veel verkeer, mensen gingen naar huis. Als er een extra volgwagen was kon die weinig anders doen dan ook de snelweg nemen. Joop schoof op de linker weghelft en verhoogde zijn snelheid. De Volvo knipperde met zijn grote lichten een andere auto uit de weg en kwam in volle vaart achter hem aan. Joop nam gas terug toen hij naast een vrachtwagen kwam. Er zat alleen een bestelbusje tussen hem en de Volvo. Joop bleef dralen naast de vrachtwagen, waardoor het verkeer zich achter de Volvo ophoopte. Een halve kilometer verder gaf Joop plotseling plankgas en schoot zonder richting aan te geven rakelings voor de vrachtwagen langs in de afrit naar Voorburg. De Volvo kon hem onmogelijk volgen zonder een kettingbotsing te veroorzaken. Joop hoorde de nijdige claxon van de vrachtwagen, die voorbij de afrit daverde.

Joop reed richting Rijswijk. Ook een tweede wagen maakte hier geen enkele kans, hij was ze kwijt, tenzij ze een zender aan zijn auto hadden geplakt. Ze zouden begrijpen dat hij hen had opgemerkt en opzettelijk geloosd had. Daarmee was hij een voordeel kwijtgeraakt, een kleine troefkaart in een duister pokerspel met erg gewiekste tegenstanders, maar het beschermen van zijn informatie was op dit moment belangrijker. Hij ging ervan uit dat het de BVD was, de mensen van Verduyn. Hij kon alleen maar raden naar wat ze wilden, maar hij raakte er steeds meer van overtuigd dat het om iets ging dat ten koste van alles verborgen moest blijven, iets dat méér was dan alleen maar wat gesjoemel met declaraties en corruptie in het leven van een voormalige minister van Binnenlandse Zaken.

Hij moest op zijn tellen passen. Door zijn research voor de biografie van Zoutkamp had hij zonder het zelf te beseffen aan gegevens gesnuffeld en vragen gesteld die ergens alarmbellen hadden doen rinkelen. Het ging om het verleden van Zoutkamp, daarvan was hij intussen wel overtuigd geraakt. De kans bestond dat de minister helemaal niet was verongelukt, maar vermoord. Als hij ontdekte waar het zat en waarom de man uit de weg moest worden geruimd, had hij geen biografie, maar dé primeur van het jaar. De gedachte alleen al joeg een stoot adrenaline door zijn lichaam.

Via een binnenroute reed hij naar Delft en vandaar naar Rotterdam. Hij bleef zijn spiegel in de gaten houden. Geen verdachte auto's, geen zender. Het was donker toen hij voor het flatgebouw parkeerde. Hij stapte uit en keek omhoog naar het verlichte raam op de derde verdieping, waaruit een hoofdambtenaar van financiën naar zijn verlossing was gesprongen, of naar een onvrijwillige dood was geduwd.

Hij schrok toen hij zijn autotelefoon hoorde. Hij opende het portier en reikte naar binnen. 'Joop Meijer.'

'Hugo. Ik heb een vraag. Weet jij waarom...?'

Op een straathoek stond een zo te zien nog niet gevandaliseerde telefooncel. 'Wacht. Ik bel je terug. Zit je op je werkplek?'

'Ja, maar wat is...?'

'Eén minuut.'

Joop verbrak de verbinding, sloot zijn auto en liep snel naar de verlichte cel. Hij wist niet hoe ver de tentakels van de onbekende pokeraars reikten, maar hij nam geen risico's meer. Hij stapte de cel in, gebruikte zijn kaart en toetste het directe nummer op de redactie.

'De Vries. Wat is dit?'

'Een acute aanval van paranoia. Heb je mij thuis gebeld?'

'Natuurlijk.'

'En een bericht ingesproken?'

'Ik praat niet graag in een machine,' zei Hugo.

Joop deed net of hij de vrouw die voor de telefooncel op haar beurt stond te wachten en haastende gebaren maakte, niet zag. 'Zeg het dan nu maar. Ik heb weinig tijd.'

'Oké. Je hebt me een beetje aangestoken met dat hele Zoutkamp-onderzoek. Ik heb gehoord dat Zoutkamp twee weken voor zijn dood in Krabbendijke is geweest. Wat had-ie daar te zoeken, wat moest-ie daar? Weet jij dat?'

'Ik...eh.' Joop bedacht dat journalistieke solidariteit een groot goed was, maar zijn eerzucht won het deze keer. 'Ik heb geen idee. Misschien was het een soort *sentimental journey*.'

'Naar Krabbendijke?'

'Ja, zou toch kunnen.' Joop hoorde Hugo de Vries verontwaardigd snuiven. 'Ik moet ophangen,' zei Joop.

Hij verliet de cel en de vrouw schoot langs hem heen naar binnen. Hij keek om zich heen. Fluiten in het donker. Hij drukte op de bel naast het naambordje. 'Caroline Vermeulen' stond erop, en ook, nog steeds: 'Klaas Lokhof'.

'Meneer Meijer?' klonk het over de intercom.

'Ja.'

De deur werd opengetrokken.

Toen hij boven was, stond ze in de open deur. 'Godzijdank. Ik wilde u de hele tijd bellen, maar mijn telefoon wordt afgeluisterd, dat weet ik zeker.' Achter het verdriet en de verwaarlozing zat een knappe vrouw verborgen, voor in de veertig. Haar ogen en gezicht zagen eruit alsof ze al dagenlang niets anders deed dan huilen en tobben. 'Klaas wilde u eerst niet spreken. Dat weet u. Te veel ambtenaar, misschien ook bang, te angsthazerig. Ik zei dat hij wel moest praten en toen heeft hij die afspraak gemaakt. Maar hij kreeg geen kans om te vertellen wat hij wist. Hij...'

Joop zag nu dat er meer was dan alleen verdriet. De vrouw was ook doodsbang. De woning was een chaos, aan het huishouden had ze kennelijk evenmin gedacht als aan haar uiterlijk.

'Ik kwam toen het net gebeurd was.' Hij praatte zacht, om haar te kalmeren. 'Volgens een politieman had u gezegd dat uw vriend uit het raam was geduwd.'

Joop vond het moeilijk om naar haar te kijken. Haar vriend zou nu waarschijnlijk nog leven als hij zelf niet die afspraak met hem had gemaakt.

'We hadden het goed.' Caroline fluisterde. 'Hij had geen enkele reden voor zelfmoord. Bovendien... ik kwam aanlopen en ik zag het gebeuren.' Ze sloeg een hand voor haar ogen. 'Er was volgens mij een andere man bij hem, achter hem.'

'Heeft u die gezien?'

'Heel even, in het raam, eigenlijk alleen maar de beweging, een schim. Ik zou hem niet herkennen.' Caroline begon te stamelen. 'Het was... het was zo'n toestand.' Ze schudde haar hoofd. 'Die man kon makkelijk verdwijnen zonder dat iemand hem zag. Maar volgens de politie is er helemaal geen man geweest. Is het een verzinsel van mij, omdat ik... omdat ik...' Ze trok een natgehuilde zakdoek tevoorschijn en veegde ermee over haar gezicht. 'Omdat ik niet tegen het idee van zelfmoord zou kunnen, dat ik me schuldig zou voelen. Ze hebben zelfs een psycholoog op m'n dak gestuurd.' Ze schudde even haar hoofd. Toen reikte ze onder de lage salontafel en nam een paar vellen die op de stapel tijdschriften lagen. 'Dit wilde hij u geven, ik vond ze in zijn binnenzak. Ik weet zeker dat dit allemaal te maken heeft met het stadhuis, met Zoutkamp. Daar worden mensen om vermoord...'

Joop nam de stukken papier aan. Oude declaraties, uit Zoutkamps tijd als burgemeester van Rotterdam. Veel stelde het niet voor, het ging niet om miljoenen, zelfs niet om tonnen. Als wat gesjoemel met duizendjes een reden werd om politici te vermoorden stond hij elke week met zijn blocnote bij een officiële begrafenis.

'Ik kreeg een anonieme brief, ik denk dat hij van uw vriend kwam,' zei Joop. 'Hij schreef dat hij nog veel meer kon vertellen, behalve over valse declaraties.'

'Die brief kwam niet van Klaas,' zei Caroline.

'Hoe weet u dat?'

'Klaas had voor mij geen geheimen.' Ze haperde weer even en bracht haar zakdoek naar haar ogen. 'Neem me niet kwalijk.' Ze snoot haar neus. 'Ik zie er niet uit.'

Joop onderdrukte zijn ongeduld. 'Hij wist dus van die brief?'

Ze knikte.

'En ook van wie hij wél kwam?'

‘Van Onno. Die is meeverhuisd naar Den Haag, maar ze zagen elkaar geregeld, hij zit nog bij dezelfde biljartclub.’

Joop kon haar niet volgen. Ze zag zijn gezicht. ‘Ik bedoel Onno Reuvenhorst,’ zei ze. ‘De chauffeur van Zoutkamp.’

‘De chauffeur?’

‘Ja, die wist misschien nog meer over Bert Zoutkamp dan zijn eigen vrouw.’

Joop vroeg zich af welke van de twee ze bedoelde, maar dat deed er nu niet toe. Hij kreeg een ingeving. ‘Zegt Krabbendijke in Zeeland u iets?’

Ze schudde haar hoofd. ‘Wat zou daar moeten zijn?’

Hij stak de papieren in zijn binnenzak en zei ontwijkend: ‘Ik ben blij dat u me dit allemaal verteld heeft, dank u wel.’ Het was niet genoeg en hij bleef staan, zoekend naar woorden. ‘Het spijt me van uw vriend,’ zei hij. ‘U heeft niks aan mijn meeleven, maar ik denk dat Klaas Lokhof een eerlijk mens was en dat hij dit niet verdiende.’

Ze knikte dankbaar en begon toen weer te huilen. Joop dacht even dat ze zich in zijn armen ging werpen, maar ze zei bitter: ‘Dit is politiek op hoog niveau en daarom zal de politie niet verder zoeken, maar ik hoop dat u zijn moordenaar vindt en die hele rotzooi in de publiciteit brengt.’

~

‘Het spijt me dat je hebt moeten wachten,’ zei Hendrikse. ‘Ik had kabinet en kon daarna Peeters niet weg krijgen. Ik heb hem tien keer gezegd dat hij bij z’n ambtenaren moet zijn, niet bij mij. Hij is een oen.’

‘Maar de Rotterdamse lobby heeft het voor elkaar.’

‘Ik geef de hond een biefstuk om te voorkomen dat hij aan de verkeerde dingen snuffelt. Geen probleem.’ Hendrikse leunde achteruit. Verduyn zag dat hij nerveus was. ‘Jouw ontdekking dat de naam Leeuwenstein kennelijk niet uit de lucht gegrepen is, dat is wél een probleem,’ vervolgde hij. 'Ik heb geen tijd voor deze flauwekul, ik probeer een land te regeren.'

'Met alle respect, maar u bent binnenkort van díe zorg af, als wij die zogenaamde flauwekul niet onder controle houden,' waagde Verduyn.

Hendrikse kneep zijn ogen samen en tuurde door de spleetjes naar de kleine Indische man. Soms vroeg hij zich af of hij hem kon vertrouwen. Kennis is macht. Verduyn had macht over hem, door wat hij wist. Misschien kwam er een dag waarop hij die macht zou willen gebruiken. Er was niets ter wereld dat zo corrumpeerde als macht, dat wist Hendrikse beter dan wie ook. Hij wendde zijn gezicht naar het raam. De nacht hing donker over het Binnenhof. 'Wat is jouw conclusie?' vroeg hij tenslotte.

'Dat het probleem bij Suzan Venema zit.'

De telefoon rinkelde en Hendrikse nam op. Hij luisterde, zei alleen maar: 'Ja.' Zijn gezicht verstrakte. Hij legde neer. 'Ziezo,' mompelde hij, leunde naar voren en wreef met zijn handen over zijn wangen.

'Nog meer problemen?'

Hendrikse hield zijn handen stil en knikte. 'Een dag of wat geleden is er blijkbaar een totaal verminkt lijk gevonden op de treinrails in de buurt van de Kaag...'

'De Kaag?' vroeg Verduyn, gealarmeerd.

'Het is geïdentificeerd als zijnde Bert Zoutkamp.'

'Verdomme.' De plaats kon nauwelijks toeval zijn.

Even zweeg Hendrikse terwijl hij het nieuwe gegeven in een logisch geheel probeerde te passen. Het lukte hem niet. Alles was klaar en helder geweest, een deal, meer niet. 'Bert Zoutkamp had naar zijn vrouw moeten luisteren, en ik bedoel zijn eerste,' zei hij wrevelig. 'Die wist wat loyaliteit is. Hij zou er nooit aan begonnen zijn als dat mens van Venema hem niet het hoofd op hol had gebracht omdat ze winst rook.'

De moord op Zoutkamp was een complicatie, dacht

Verduyn. Of een logisch gevolg? 'Misschien zag Zoutkamp er uiteindelijk zelf ook een aardige vorm van wisselgeld in,' zei hij. 'Niet dat dat er nog toe doet, hij is net zo voor de gek gehouden als wij. Waar we nu mee zitten zijn de fratsen van de dame.'

'Dat verdomde wijf,' viel Hendrikse uit. 'Al dat gekloot op Schiermonnikoog was dus zinloze flauwekul.'

Zelf was Verduyn zeer formeel opgevoed. Volgens hem hoorde een minister-president zelfs binnenskamers in het Torentje niet zo te praten. Hij glimlachte vaag. Tijdens het gedwongen wachten in de antichambre had hij de geruststellende conclusie getrokken dat hém niets kon overkomen, wat er ook gebeurde. 'Cherchez la femme,' mompelde hij.

'Wat hebben we?' vroeg Hendrikse kortaf.

'We hebben dus ook een jónge Leeuwenstein, en de hele zaak begint erg op doorgestoken kaart te lijken. Ik denk dat de dame vanaf het begin haar eigen spelletje heeft gespeeld en dat de oude én de jonge alleen maar hulpmiddelen waren of zijn, van het soort dat kan worden afgedankt. Ik ben de jonge Leeuwenstein aan het natrekken. Hij is een zakenman, met een familiebedrijf in Brazilië. Dat is een klein jaar geleden failliet gegaan. Hij is sinds kort in Nederland, reist veel. Geen idee waar ze elkaar hebben ontmoet, maar Venema speelt kennelijk met hem onder één hoedje. Ze zijn allebei spoorloos. Leeuwenstein heeft zijn huis in de Kaag te koop gezet. Van onze mensen in Kaapstad weten we al enige tijd dat de villa daar ook verlaten is.'

'Wat stel je voor?'

'Ik wil een opsporingsbericht laten uitgaan voor zowel Rob Leeuwenstein als Suzan Venema,' zei Verduyn.

Hendrikse schrok. 'Dat is link.'

Verduyn schudde zijn hoofd. 'Absoluut niet. We geven een andere reden voor de opsporing. Ik bedenk wel iets. Maar bovendien kunnen ze het zich niet veroorloven om tegenover de pers of de politie iets over de zaak los te laten, dan hangen ze gegarandeerd.'

'Zij niet alleen.'

'We laten ze aanhouden met een smoes, voor informatie, wat dan ook. Ik hang een code aan het opsporingsbevel, zodat we het onmiddellijk horen als ze ergens worden opgebracht. Dan nemen wij het geruisloos over.'

Hendrikse knikte. 'Het woord "pers" doet me trouwens aan Joop Meijer denken.'

'Vanavond zijn we hem kwijtgeraakt. We pikken hem wel weer op, maar hij is ergens geweest en heeft ons doelbewust geloosd. Hij weet dus dat we hem volgen en aftappen.'

De premier keek naar de BVD-man. 'Misschien moeten we hem stoppen.'

'Dat zou pas écht link zijn. Meijer werkt niet alleen. Zodra hij verdwijnt storten anderen zich als bloedhonden op de zaak, ze laten ze geen steen op de andere.' Verduyn schudde zijn hoofd. 'Ik zet hem liever op een dwaalspoor.'

'Laat hem maar denken dat er terroristen achter zitten,' opperde Hendrikse. 'Daar zijn journalisten dol op.'

Verduyn keek meewarig terug. Hendrikse was zijn baas, en een prima staatsman met een kerngezond stel hersens, maar soms kon hij je totaal onverwacht tot wanhoop drijven met de meest infantiele kleuterideeën.

ೋ

'Heb je gegeten?' vroeg Anneke.

'Daar was weinig tijd voor.'

'Ik heb een biefstuk en een glas wijn. Je was akelig kort aan de telefoon.'

Hij knikte. 'Ik word afgeluisterd en gevolgd, ik denk door mensen van de BVD. Dat maakt het werken lastig, maar het bewijst dat we iets op het spoor zijn.'

Anneke gaf geen commentaar, maar hij zag dat het 'we' haar beviel. Ze verdween in de open keuken en even later drong de geur van bradend vlees tot hem door. Hij drentelde door de flat. De foto van Chris was van haar bureau verdwenen. Hij probeerde te bedenken wat dat kon betekenen. Ze was een weduwe, met een baby. Ze had volle borsten van de melk, die Bertje niet kon verdragen. Bertje sliep in zijn kamer. Een vrouw met een baby. Hij besefte dat zijn brein aan de logistiek werkte. Niet hier, in het domein van haar verleden, en ook niet in zijn flat. Ergens nieuw, zonder herinneringen. Ze zou naar Den Haag moeten verhuizen. Hij had een foto gezien van een huis dat te koop stond aan het Smidswater, dat was een sjieke, erg ideale en erg dure buurt. Iets voor bestsellerauteurs met biografieën waarvan tweehonderdduizend exemplaren de winkels uitvlogen.

Kalm aan, maar.

'Wat sta je te grijnzen?' Anneke stond voor hem, een bord met een door slablaadjes en schijfjes tomaat omringde biefstuk in de ene hand, een fles wijn in de andere.

'Het lijkt net of ik je al heel lang ken,' zei hij.

'Is dat een leuke gedachte?'

'Ja, voorlopig wel, tenminste.'

Ze wendde zich af, om het bord op de eettafel te zetten. Ze kwam tegenover hem zitten, met een tweede glas. 'Laten we daar dan maar op proosten,' zei ze.

'En op nieuwe dingen,' antwoordde hij.

'Ik heb op eigen houtje iets gedaan,' zei ze. 'Ik hoop dat je niet boos wordt.'

'Waarom zou ik kwaad op je worden?'

Ze trok een gezicht, wuifde dat weg. 'Ik heb die makelaar in de Kaag gebeld, als zijnde mevrouw Josien Wieldraaijer.' Het lachje stond haar goed. 'Dat is de meisjesnaam van mijn moeder, maar dat wist je natuurlijk al. Ik heb gezegd dat ik een huis zoek en belangstelling heb voor die villa aan de Kaag.' Ze zag zijn opgetrokken wenkbrauw. 'Ik zou daar wel een beetje willen rondsnuffelen.'

Het leek een goed idee, ook al had hij het zelf verworpen omdat inbraak op klaarlichte dag hem de enige mogelijkheid leek. 'Het probleem is dat die makelaar je kent als een dame die geen huis zoekt.'

Ze grinnikte. 'Daarom heb ik hem uitgehoord over wanneer hij absoluut niet kon, en dat is dus morgenmiddag. Aangezien dat het enige moment in deze eeuw is waarop ik wél kan, stuurt hij een assistente, Bianca zus of zo. Biefstuk goed?'

'Ik zou je graag als kok willen. Je kunt ook zo de journalistiek in.' Hij at van zijn biefstuk. 'Het zou iets op kunnen leveren. Heb jij overigens enig idee waarom je vader twee weken voor zijn dood naar Krabbendijke in Zeeland is geweest?'

Het blonde haar danste om haar hoofd. 'Hoe zou ik dat kunnen weten? Ik sprak m'n vader toch niet meer.'

'Voorzover ik weet, ging hij op bezoek bij de moeder van een jeugdvriend, Ruurd Colijn.'

'Misschien heeft Onno hem gereden, je zou het hem kunnen vragen.'

'Hij is ook waarschijnlijk onze anonieme briefschrijver,' zei Joop, die tevreden vaststelde dat er eindelijk eens een paar draadjes bij elkaar kwamen.

Anneke fronste. 'Onno?'

'Ja. Misschien praat hij liever met jou en mij samen dan alleen met een journalist,' zei Joop. 'Maar ik wil je niet misbruiken.'

Ze glimlachte zonnig. 'Ik weet niet hoe erg dat is.'

Merde, dacht Joop.

Ze genoot van zijn verwarring. 'Als ik hem vroeg bel, kunnen we er morgenochtend direct heen. Om een uur of tien?'

Joop knikte. 'Waar woont hij?'

'In de Haagse Vruchtenbuurt.'

'Kun je met de auto naar Den Haag komen?'

'Ja, waarom?'

'Ik moet de BVD afschudden. Ik zet mijn auto in de Torengarage en probeer ze daar kwijt te raken. Ik kom lopend of met een taxi, maar laten we afspreken dat je mij om tien uur oppikt voor die bioscoop aan de Laan van Meerdervoort.'

'Als je er niet bent kom ik met getrokken nagels en tanden naar de Torengarage,' zei ze. 'Of ik bel oom Wout om de landmacht te sturen.' Het 'oom Wout' klonk een beetje ironisch.

'Bedoel je Wouter Hendrikse?'

'Ja.' Anneke glimlachte. 'Vroeger moest ik oom tegen hem zeggen, maar dat ging me slecht af. Toen was hij nog geen premier.'

'Ik zou hem erbuiten laten,' zei Joop.

Ze keek verbaasd. 'Hoezo? Hij was een dikke vriend van m'n vader.'

'Hij is ook de hoogste baas van de BVD.'

Anneke betrok en schudde haar hoofd. 'Hij heeft hier niks mee te maken...'

'Dat hoop ik ook, maar laten we hem erbuiten houden zolang we niet precies weten wat hier aan de hand is.'

Joop dronk van de Zuid-Afrikaanse wijn, die hem aan Erik deed denken. Hij zag dat zijn opmerking over Hendrikse haar had gekwetst en dat de stemming een beetje was veranderd. 'Vertrouw je Onno Reuvenhorst?' vroeg hij.

Ze klaarde op. 'Onno is een vriend, hij zal tegen mij niet liegen.'

'Hij kan ons helpen,' zei Joop.

Ze knikte. 'Ik zal Bertje meenemen,' zei ze. 'Als hij het kleinkind van z'n baas ziet...' Ze zweeg en hij zag haar gezicht versomberen.

'Mis je hem?' vroeg hij.

'Soms,' zei ze. 'Heel erg.'
Hij reikte over de tafel en legde zijn hand op de hare.

Reuvenhorst had geen oog voor Joop. De waterige ogen onder zijn witte wenkbrauwen begonnen te stralen toen ze de baby zagen. 'O boy, is dat...'

'Bert junior,' zei Anneke.

'Mag ik hem even vasthouden?'

Hij nam de baby voorzichtig in zijn grote handen. Reuvenhorst was een reus, zwaargebouwd, gespierd, in goede conditie. Hij zou ondanks zijn onschuldige gezicht en ondanks zijn leeftijd behalve chauffeur een geduchte lijfwacht zijn, bedacht Joop.

Reuvenhorst tilde de baby tot vlak voor zijn gezicht. 'Hij lijkt op de baas,' fluisterde hij. 'De ogen...' Hij zette de baby op zijn arm en liep zijn huis in.

Joop verbaasde zich altijd over wat mensen in baby's meenden te herkennen. Voor hem leken ze allemaal op verschrompelde aapjes. Annekes hand raakte de zijne toen ze achter de chauffeur aan door de gang liepen. Ze giechelde zachtjes. 'Wat ik je zei,' fluisterde ze. 'Hij is als was.'

Joop bracht de draagwieg de woonkamer in en zette hem op een met gebloemde chintz beklede bank. 'Ik denk dat hij hier in moet,' zei hij.

Anneke hield het dekje terug terwijl Reuvenhorst voorzichtig de baby in de draagwieg installeerde. Toen legde hij zijn zware handen op Annekes schouder. 'Ankie...'

Ze kuste hem op de wangen. 'Zeg maar niks.'

'Ik heb je niet eens kunnen condoleren.'

Ze knikte, liet hem los. 'Dit is Joop Meijer, een vriend. Hij is journalist, hij gaat een boek schrijven over mijn vader.'

Joop zag de chauffeur reageren op zijn naam. De blauwe

ogen kwamen weer tot rust en bestudeerden de journalist. 'Een mooi boek, dat verdient hij. Mijn baas heeft de laatste tijd van zijn leven veel pech gehad, een paar beroerde lotnummers getrokken, en het meest beroerde van al die nummers was Suzan Venema.' Hij keek droevig naar Anneke. 'Je vader was een goed mens, en ik zou altijd voor hem door het vuur gaan, dat is nooit veranderd. Dat-ie mij als een voetveeg begon te behandelen kwam alleen maar door die vrouw. Die keer bijvoorbeeld dat ik verdomme een hele voorstelling van Youp van 't Hek beneden heb zitten wachten in een of ander stom koffiekamertje, waar het nog stervenskoud was ook, en dat ik ze toen na afloop zo'n vijfhonderd meter verder moest rijden. Ik heb een keer ruzie met hem gemaakt, weet je...' Hij zweeg en besefte dat ze alledrie nog stonden. 'Ik vergeet m'n plichten. Jannie zou me uitfoeteren.'

'Ik zal koffie zetten,' zei Anneke. 'Ik denk dat ik de weg nog wel weet.'

'Het staat klaar in de keuken, je hoeft maar in te schenken.'

Anneke verdween. Reuvenhorst gebaarde naar een stoel en ging zelf op de bank naast de draagwieg zitten. Hij trok met een vinger aan het dekje, om het gezichtje van de baby te kunnen zien. 'Het is een wonder,' zei hij. 'Ik wou dat Jannie dit had meegemaakt.'

'Was Jannie uw vrouw?' vroeg Joop.

'Ze is vier jaar geleden gestorven. Sindsdien zorg ik in m'n eentje voor het huishouden. Ik heb nog niks officieels gehoord, maar ik denk dat ik met pensioen ben.'

Joop wachtte even en zei toen: 'U heeft mijn naam eerder gehoord, nietwaar? En u wist dat ik een boek over uw baas ging schrijven.'

Reuvenhorst knikte. 'Ik hoorde dat van een journalist van het *Algemeen Dagblad*, die me na zijn dood kwam interviewen.'

'Hugo de Vries.'

'Ja, dat kan zijn.'

Zo was Hugo de Vries waarschijnlijk ook te weten gekomen dat Zoutkamp een paar weken voor zijn dood naar Krabbendijke was geweest. Maar hij had kennelijk niet doorgevraagd.

De chauffeur tuttelde geluidjes tegen de baby. Het huis zag er brandschoon uit, pijnlijk opgeruimd, een keurig onderhouden tuintje achter de gewassen ramen. Foto's van de minister met buitenlandse collega's en van de burgemeester met zijn collega's van Parijs of Detroit, met Onno Reuvenhorst in pet en uniform, die het portier openhield op de achtergrond. Weinig boeken, kranten en tijdschriften op nette stapels. Een met kinderhand geborduurde spreuk aan de wand, *Eigen Haard is Goud Waard.* Zoutkamp Liep tegen de Lamp, bedacht Joop. Zoutkamp is een Ramp. Kon ook nog.

Anneke zette een blad met kopjes op de lage tafel en nam de leunstoel die haaks op de zijne stond.

'Ik heb hem een keer gezegd, dat-ie zijn vrouw Josien en Anneke zomaar liet zitten...' Reuvenhorst keek naar Anneke. 'Toch? Hij nam het niet goed op. Ik dacht erover om het bijltje erbij neer te leggen, maar ik had wel twee studerende kinderen.'

'Dat snap ik best,' zei Anneke. 'En het is goed dat je bleef. Mijn vader had je nodig, ook al zou hij dat misschien niet toegeven, want daar was hij niet goed in, in toegeven.'

'Heeft u me daarom die anonieme brief geschreven?' vroeg Joop abrupt.

'Anonieme brief?'

'Ja,' zei Joop. 'Caroline Vermeulen vertelde het me.' Uit zijn hoofd citeerde hij het begin van de eerste zin. 'Ik acht het mijn plicht als burger van de gemeente Rotterdam om u op de hoogte te stellen...'

Reuvenhorst boog zijn hoofd.

'En u bent zelfs geen burger van Rotterdam meer.'

Reuvenhorst zweeg. Ten slotte zei hij: 'Ik was kwaad...'

'Ik neem je niks kwalijk,' zei Anneke. 'Ik was het ook niet altijd eens met wat hij deed, om het zachtjes uit te drukken. Wat mij betreft moet Joop een eerlijk boek schrijven en je mag alles vertellen wat je weet. Voor mij blijf je toch altijd oom Onno.'

'Als dat boek er moet komen dan denk ik wel dat ik nuttige informatie heb,' zei Reuvenhorst met iets plechtigs in zijn stem.

'Daar trek ik graag een avond voor uit,' zei Joop.

'Wanneer u maar wilt.'

Anneke wisselde een blik met Joop en vroeg: 'Heb jij mijn vader trouwens een paar weken voor zijn dood naar Krabbendijke in Zeeland gereden?'

Reuvenhorst trok diepe rimpels in zijn voorhoofd. 'Waarom vraag je dat?'

'Het kwam op toen ik informatie zocht naar de periode vlak voor z'n dood,' zei Joop. 'In Krabbendijke woont de moeder van een jeugdvriend van hem. Die vriend is al lang dood en ik vroeg me af waarom de minister die vrouw nu nog zou opzoeken. Misschien om sentimentele redenen, jeugdherinneringen?'

'Dat kan best zijn,' zei Reuvenhorst. 'Ik heb hem inderdaad naar Zeeland gereden, naar een zekere mevrouw Colijn.'

'Dat is de moeder,' zei Anneke. 'Wat ging hij daar doen?'

Reuvenhorst bewoog zijn schouders. 'Je vader was de laatste tijd niet erg spraakzaam, tegen mij tenminste. Vroeger kwam hij voor dat soort trips voorin zitten en praatten we overal over.' Hij schudde zijn hoofd. Joop kon zien dat hij zich nog altijd gekrenkt voelde. 'Ik heb in de auto gewacht, het duurde niet lang, een half uur of zo. Hij kwam terug met een doos met papieren en leek nogal opgewonden.'

'Weet u wat voor papieren?' vroeg Joop.

'Hij hield ze bij zich achterin, maar volgens mij waren het oude schriften en zo. Dingen van vroeger, denk ik. Hij had het raam omhoog maar ik zag dat hij er onderweg in zat te lezen. Ik zag dat hij nog meer opgewonden raakte en toen zat hij een tijdje te telefoneren. Meteen daarna deed hij het raam omlaag. We moesten direct naar Bielefeld. Eerst naar zijn vrouw, want die ging mee.'

'Suzan Venema,' zei Anneke overbodig.

'Ja, natuurlijk. Helaas.'

Joop vroeg: 'Bielefeld, in Duitsland? Waarom?'

'Dat hingen ze mij niet aan m'n neus. Ik weet alleen dat ze daar iemand hebben opgezocht en dat ze er erg tevreden van terugkwamen, ze keken tenminste alsof ze de loterij hadden gewonnen.'

Ze waren iets op het spoor. Joop kon het ruiken. Schoolschriften, jeugdvrienden. Duitsland, de verhalen uit het onuitputtelijke archief van Polak. Meer dan alleen maar geflirt met ultralinks? Misschien moest er een spoor worden uitgewist en was dat ook gelukt. Anders was die opgetogenheid niet te verklaren.

'Herinnert u zich het adres nog?' vroeg Joop.

'Toevallig wel,' zei Reuvenhorst met een halve glimlach op zijn gezicht. 'Eigenlijk alleen maar omdat ik er een boete kreeg voor fout parkeren. De straatnaam staat op het procesverbaal, ik heb het nog wel ergens, het was de Anne Frankstrasse. Ik stond tegenover nummer vierentwintig. Dat was het huis waar ze op bezoek gingen.'

9

NOG VÓÓR HIJ wakker was, had hij de telefoon al opgepakt.

'Joop Meijer.' En toen wás hij wakker. Hoe kon je aan degene die je opbelde onopvallend laten weten dat je lijn werd afgetapt?

Maar het was Milan maar. En Max, die klaarblijkelijk de hoorn van zijn broertje probeerde af te pakken.

'We weten wie het gedaan heeft, pap! Die minister vermoord! De vader van Anneke. Toch?'

'Het was een ongeluk,' zei Joop, op zijn hoede. Hoe kwamen die jongens erbij?

'Luister eens, jongens.' Zijn vaderlijk gezag leek tot een minimum teruggebracht. 'Het is veel te vroeg voor zulke dingen. Jullie moeten naar school. En ik moet aan het werk. Ik heb de telefoon nodig.'

'Nee...' zei Milan weifelend, kennelijk tot ergernis van Max want meteen kwam zijn stem: 'Maar we weten wie het gedáán heeft!'

'Nou, dat is knap,' zei Joop geïrriteerd. 'Dat jullie een moord hebben opgelost die helemaal niet gepleegd is. Ik stel voor dat jullie de politie bellen. Misschien is er wel een tipgeld. Dan kunnen jullie straks zelf *Doom IV* kopen voor de computer.' Hij vroeg zich af wat er na de *final demolition* nog kon komen. 'En nou opgesodemieterd, ik moet zelf bellen.'

Hij kwam uit bed, stak een sigaret op en gooide koud water tegen zijn gezicht. Keek kritisch in de spiegel. Dat hier ooit nog een vrouw op zou vallen was misschien niet zo waarschijnlijk. Het leven boven de veertig moest verboden worden. Zijn borst piepte, maar na een paar trekken was dat weg. Hij pakte de telefoon weer, die nog op het bed lag, en zocht tussen de papiertjes in zijn portefeuille naar het nummer van John Polak. Hij was halverwege het nummer, toen hij zich realiseerde wat hij aan het doen was.

Oké dan. Het zou ontbijten worden, heel verantwoord buiten de deur, met sinaasappelsap en een bruin bolletje brie. Aan douchen, scheren en aankleden moest weer enige zorg besteed worden. Het leven bestond niet langer uit werken en dierentuinbezoekjes alleen. Bielefeld. Waarom Bielefeld? Zoutkamp en Venema waren opgewonden geweest toen ze daarvandaan kwamen. Opgetogen, misschien ook wel gerustgesteld.

In het 'petit grand café' waar ze een aparte telefooncel hadden, bestelde hij bij nader inzien een uitsmijter kaas én rosbief zonder rauwkost, en een espresso. Daarna sloot hij zich op achter de bruine deur en belde de internationale inlichtingen. Boven het metalen toestel was met blauwe pen in de verweerde planken gekrast: 'Fuck Joop!!!' 'In zijn reet,' had iemand anders eronder gezet. Een mooi begin van de dag. Als om dat te illustreren gaf Beverley van de inlichtingen hem nul op zijn rekest.

Polak sliep nog. Joop liet de telefoon overgaan tot de bezettoon en probeerde het opnieuw.

'Polak.' Het was een zware avond geweest, zo te horen.

'Met Joop Meijer, goeiemorgen.'

'Hoe laat is het?'

'De scholen zijn begonnen, het arbeidzame deel van de natie staat in de file, behalve het contingent dat al aan zijn eerste koffiepauze toe is.' Hij herinnerde zich dat hij Polaks medewerking nodig had. 'Sorry dat ik je wakker maak. Maar het is nogal dringend.'

'Zoutkamp?' Polak geeuwde.

'Inderdaad. Ik heb een adres. Bielefeld, in Duitsland. Weet

jij iets van een connectie tussen Ruurd Colijn en Bielefeld?'

'Hoezo?'

Joop duwde met zijn schouder de deur op een kier en zag dat zijn uitsmijter al op de toog stond. Hij liet de deur weer dichtvallen.

'Nadat Zoutkamp bij de weduwe was geweest, reed hij linea recta naar Bielefeld.'

'Dus?' Het was niet dat Polak traag was. Hij schepte er gewoon plezier in meer los te krijgen dan hij prijsgaf.

'Dus moet er een link zijn. Hij haalde zijn vrouw op en scheurde naar Duitsland. Iets in die paperassen van Ruurd moet hem op die gedachte hebben gebracht.'

'Tja. Heb je het de Venema-truus gevraagd?'

Joop besloot die vraag te negeren. 'Anne Frankstrasse in Bielefeld, zegt jou dat wat?'

'Nee, niks. Heb je geen naam?'

'*Nope*. Het adres heeft een geheim telefoonnummer.'

'Aha!'

'Wat aha?'

'Gebruik je hersens, Meijer. Duitsland. Ruurd Colijn en zijn radicale sympathieën. Als jij uit die hoek kwam, zou je toch ook een geheim nummer nemen.'

Nu was het Joop die 'tja' zei. Het leek vergezocht. Er waren veel mogelijke redenen om niet in het telefoonboek te willen staan. 'Kun je niet eens in je aantekeningen zoeken?'

'Dat is een hoop werk. Ik heb geen systeemkaartje met Bielefeld erop, dat weet ik zeker. Ik zou alles moeten doorvlooien. Ontzettend veel werk.'

'Snap ik. Ik zou je erg dankbaar zijn. Tot wederdienst bereid en zo.'

Hij werkte de koud geworden en enigszins uitgedroogde uitsmijter weg, terwijl hij aan de Krabbendijke-connectie dacht. Weer eens wat anders dan de *French connection*. Gene Hackman met dat rare hoedje op, die bloedstollende achtervolging. Daarbij vergeleken was dit armzalig Hollands poldergedoe.

Hij was nog niet thuis, of de telefoon ging. Er stonden al dertien boodschappen op het antwoordapparaat. Els natuurlijk ook. Hij belde haar terug.

'Wat ben je toch een druiloor, waarom neem je niet op?'

'Heb ik mijn redenen voor', zei hij afgemeten.

'Ja, nou. Ten eerste wil ik niet hebben dat je voor schooltijd de kinderen belt. Punt twee...'

'Ze belden mij.'

'Kan me niet schelen. Punt twee: dit is de derde keer dat ik hun toelage niet op tijd binnen heb. Ik kan...'

Toelage? Echt een Els-vondst.

'Sorry,' zei hij.

'Van sorry kan ik de fietsenmaker niet betalen,' zei Els. 'En de contributie voor de voetbalclub en de nieuwe gymkleren en het busabonnement en het overblijfgeld en...'

'Doe me een lol, Els.' Om wat voor bedragen ging het nou helemaal?

'Nee,' zei ze, bijna tevreden. 'Nee, dat is mijn taak niet meer. Dat valt onder die nieuwe vriendin van je.' Ze zweeg even, om een andere stem op te zetten, waarmee ze overdreven lief zei: 'Anneketje. Daar heb je nu Anne-kutje voor, hè, voor dat soort klusjes. Het pijpcorvee is voor Anne-kutje. Ik was de vuile voetbalbroeken wel.'

'Ik maak het meteen over,' zei Joop gelaten. Hij had verdomme zelfs nog nooit een echte, diepe, natte zoen met haar gewisseld. Wat was dat voor jaloers gelul?

'Doe dat,' zei Els. 'En doe de groeten aan Anne-kutje. Hopelijk maak je haar niet zwanger. Het arme kind. Met de nadruk op...'

Joop hoefde het einde van die zin niet te horen.

Pijpcorvee. Ergens zat een politieman hem uit te lachen.

~

'Leuk hè,' zei Anneke vrolijk, 'zomaar een hele dag met mama op stap.' Ze schakelde en keek even opzij. Bertje lag haar in zijn achterstevoren slaapstoeltje aan te kijken, of zo leek het althans. 'Mama heeft je een beetje verwaarloosd, hè knul. Niet omdat ze niet van je houdt hoor. Mama is dól op jou.' De gedachte dat ze misschien een genetisch defect had, was nauwelijks te onderdrukken. Erfelijk belast door haar vader. Die was tenslotte ook zelden thuis geweest. Soms zag ze hem dagen achter elkaar niet: afspraken, vergaderingen, diners, commissies en uiteraard de noodzakelijke buitenlandse reizen. 'En papa was ook dol op jou,' ging ze door. 'Maar mama heeft zelf ook een papa gehad, zie je, en met haar papa is iets naars gebeurd. En daarom...' Ze hield abrupt haar mond, met het voorwendsel dat ze de weg moest zoeken. In feite had de schaamte toegeslagen, omdat ze op het punt had gestaan zich omstandig te gaan verontschuldigen. Tegen een zuigeling.

Zou hij later ook zo geobsedeerd worden door de dood van zijn vader? De verdwaalde kogel willen traceren, de schutter ter verantwoording roepen? Maar voor hem was het anders. Chris zou voor hem niet meer dan de naam van een verwekker zijn en een foto natuurlijk. Bertjes eigenlijke vader zou degene zijn die hem opvoedde. Als ze tenminste ooit nog eens... Mannen hadden over het algemeen weinig op met een vrouw met kind, wist ze uit haar omgeving.

'En daar is mama nou even in aan het investeren, zie je.' Ze had het gezegd, ze had het echt gezegd. Met een kop als een boei parkeerde ze de auto tegenover het bord TE KOOP. Voor het huis drentelde de assistente van de makelaar al heen en weer. Anneke stapte uit, zwaaide, en liep toen om de auto heen om Bertje-en-toebehoren uit te laden. Ze was er al behoorlijk handig in geworden.

'Wat een snoepie. Hoe heet ze?'

Het meisje, een jong ding met een fikse bril en rossig haar, was naast haar komen staan en keek toe hoe Anneke de baby in de reiswieg legde.

'Bertje. Geeft niet hoor. Gebeurt mij ook altijd.' Ze kwam overeind.

'Bianca. Leuk je te ontmoeten.' Ze hing alweer over de wieg, bleef naar Bertje kijken terwijl ze de straat overstaken en babbelde tegen hem. Aardig kind. En tenminste een wier huid zo wit was als haar naam suggereerde.

'Ik ben er zelf ook aan toe,' zei Bianca. 'Aan een kind, bedoel ik. Maar ja, je hebt er een vader bij nodig, hè.' Ze stak een blauwgelabelde sleutel in het slot.

'Ach,' zei Anneke. 'Bertje heeft ook geen vader. Meer. Zijn vader moest zo nodig de held uit gaan hangen in Kosovo.'

'Oo!' Bianca keek haar aan met een vurig blosje op elke wang. 'Het spijt me vreselijk!'

'Geeft niet,' zei Anneke voor de tweede keer binnen twee minuten. 'Je moet alleen geen militair trouwen. Ik zou zelf opteren voor een zaaddonor.' Ze had spijt dat ze erover begonnen was. Zou deze aanminnige Bianca geen argwaan krijgen? De meeste jonge weduwen zouden niet op zoek zijn naar een grotere behuizing.

Want groot was het. En leeg. Vitrage voor de ramen, en één sanseveria tegen krakers of zo. Een bankstel met katoenen bekleding, zó van Ikea. Een tafel met plastic stoeltjes, twee staande lampen van hetzelfde woonwarenhuis, de snoeren in een kluwen op de grond, en twee bijzettafeltjes. Nog niet eens een televisie was er. Hoe groot zou de kans zijn dat ze hier persoonlijke bezittingen zou aantreffen? Onderweg had ze nog overspannen fantasieën gehad over geheimzinnige codes in adresboekjes.

Ze zette Bertje met wieg en al op de eetbar en keek om

zich heen. Bianca stond vlak bij haar. Anneke deed een paar stappen in de richting van een uitbouw aan de achterkant, waar mogelijk een werkkamer was, en Bianca schuifelde mee. Ze kon toch niet snuffelen met dat meisje op haar hielen?

Ze keek quasi-bezorgd achterom.

'Zou je het erg vinden om even een oogje op Bertje te houden? Hij schijnt je nogal te mogen. Ik wil even rondlopen. Een indruk krijgen van de maten.'

'Natuurlijk,' zei Bianca. Ze ging bijna huppelend terug naar de ontbijtbar. 'Dat vindt Bianca helemáál niet erg, hè Bertje!'

In de achterkamer stond inderdaad een goedkoop houten bureau, met een kantoorstoel en een rieten fauteuil het enige meubilair. Anneke schoof laden open en dicht, proberend geen geluid te maken. Bianca zou zéker argwanend worden als ze merkte dat Anneke ook de binnenmaten van de meubelen scheen te willen meten.

De laden waren leeg, op een prijskaartje van iets uit een lingeriewinkel en een bonnetje van een benzinepomp na. Anneke pakte beide op. Een nachthemd van Hunkemöller. Sterke aanwijzing. En Euro loodvrij van Shell. Nog veelzeggender.

De trap naar boven begon in de woonkamer. Bianca stond over de wieg gebogen proestgeluidjes te maken. Bertje murmelde licht protesterend terug. Anneke kon het opeens niet hebben. Ze kende zélf dat kind nog amper! Ze ging ernaar toe en nam hem uit zijn wiegje.

'Jij hebt honger, hè Bertje?'

Bianca's mobieltje ging en ze wendde zich af om een gesprek te voeren. Anneke grabbelde met één hand in de luiertas naar de flessenwarmer en een van de flessen die ze thuis had klaargemaakt. Met Bertje op haar linkerarm zocht ze naar een stopcontact.

'Hier, geef mij hem maar,' zei Bianca. Ze legde het

mobieltje op de bar. Met een klein beetje tegenzin legde Anneke Bertje weer in haar armen en warmde de fles op. Maar toen hij warm genoeg was, gaf ze hem toch in een vlaag van gulheid aan het meisje.

'Wil jij...? Vind je dat leuk?'

'O ja!' zei Bianca gretig. 'Het is zo'n heerlijk gevoel, als zo'n klein hoopje mens...' Ze wilde op een van de Ikea-bankjes gaan zitten.

'Die hebben geen leuningen. Daar krijg je een lamme arm van...' Anneke keek ook rond. 'In de achterkamer staat een leunstoel. Die kun je beter nemen.'

Bianca verdween. Wat geef ik mijn kind makkelijk uit handen, dacht Anneke.

Ze wilde net naar boven gaan, toen Bianca's mobieltje op de ontbijtbar begon te zoemen. Anneke had geen zin om met het irritant aanzwellende geluid Bertje aan het schrikken te maken. Ze keek naar het nummer in het display. Geen lokaal nummer. Het kon belangrijk zijn. Ze nam op.

'Met makelaardij Roos,' zei ze, min of meer tot haar eigen verbazing.

'Ja, met Leeuwenstein.'

'Goedemiddag,' zei Anneke in een vlaag van paniek. Het was ochtend. Ze keek weer naar het nummer, dat nog steeds op het schermpje stond. Hoeveel Leeuwensteins bevatte het bestand van de enige makelaar in deze wereldstad?

'Zijn er al serieuze kopers? Ik heb haast met de afwikkeling, zoals u weet.'

'Nee, eigenlijk niet,' zei Anneke nerveus. Nachtelijke fantasieën bevatten nooit zenuwen. 'Ik ben toevallig net in het pand, met een kijker die geïnteresseerd lijkt. Nog niets definitiefs,' voegde ze er snel aan toe. 'Misschien kunt u het later nog eens proberen.'

'Doe ik. Maar ik heb het al eerder gezegd tegen meneer Roos: ik wil graag tempo.' De stem klonk ongeduldig.

'Liever vandaag voor een lager bedrag dan een week wachten.' Leeuwenstein verbrak de verbinding zonder te bedanken of gedag te zeggen.

Anneke ging met trillende knieën naar boven. Maar als er op de bovenverdieping belangrijke aanwijzingen te vinden waren, dan had zij er geen oog voor.

'Werd er gebeld?' vroeg Bianca toen ze met een lodderige Bertje weer te voorschijn kwam. Anneke nam hem haastig over en legde hem terug in zijn mandje.

'Ja, ik heb maar even opgenomen. Het was een klant, ik heb gevraagd of hij het later nog eens kon proberen. Het nummer staat nog in het geheugen van je mobieltje.' En inmiddels ook op de achterkant van een Hunkemöller-prijskaartje. Ze wachtte gespannen Bianca's reactie af.

'Wat een dotje,' zei Bianca. 'Hij viel zowat op mijn arm in slaap. Alsof hij niet doorhad dat ik zijn moeder niet ben.'

Voorzover hij weet wie zijn moeder is, dacht Anneke, zal hij Josien daarvoor aanzien. Maar ze zei niets, probeerde de gedachte ook te onderdrukken. Eerst moest ze nog zien uit te vinden wie die man was die foto's van Bertje en haar had gemaakt en die het kennelijk op hen beiden had voorzien, en daarna zou ze zich fulltime aan het moederschap wijden. O nee, die vertaling van Ulrike Schnellendorf, daar moest ze nu ook fors in gaan investeren, vooral tijdens de slaapuurtjes van Bertje. Maar nu eerst dat telefoontje: 0543-664191. Ze vroeg zich af waar dat het netnummer van was. Ergens in het oosten van het land moest het zijn.

~

'Ze belazert ons,' zei Hendrikse. Hij stond voor het raam, met zijn rug naar Verduyn, en keek door een spleet tussen de lamellen. Het kwam bijna nooit voor dat de premier hém opzocht. Hendrikse begon onkarakteristiek gedrag te vertonen.

'Suzan Venema?' vroeg Verduyn. Hij krabbelde verwoed op zijn vloeiblad. Zijn kriebels kregen altijd de vorm van een primitief gebouwde muur: grote platte stenen, kleinere stenen, en kiezels om de kieren op de vullen. Iemand had hem eens verteld dat de oudste muren ter wereld, die van de koningsveste Zimbabwe, zo gebouwd waren. 'Ze kan er toch best een paar dagen tussenuit zijn, zoals mijn mensen rapporteren. Je weet hoe dat gaat: begrafenis, een zee van post, en dan droogt het op. De telefoon gaat niet meer, iedereen schijnt je plotseling te mijden... Mijn moeder boekte een cruise in dezelfde omstandigheden. Werd haar nog nagedragen ook, trouwens.'

'Zwam niet.'

Verduyn schrok. Dat Hendrikse zoiets zei, duidde op stress. Dat hij zelf zwamde trouwens ook.

'Ze belazert óns,' zei Hendrikse nog eens. 'Volgens het draaiboek zou Rob Leeuwenstein veilig in Zuid-Afrika moeten zitten.' Hij tekende aanhalingstekens in de lucht bij de naam, op z'n Amerikaans. 'En nou vertel je mij dat de weduwe – terwijl nota bene haar laatste tranen nauwelijks zijn opgedroogd – hier kennis heeft aan een vent met dezelfde naam. Een jóngere wel te verstaan. En als ik het me goed herinner, kwam die naam "Leeuwenstein" bij haar vandaan, was het haar idee.'

'Klopt,' zei Verduyn.

'En nu scharrelen die twee bij de Kagerplassen rond. Daar heb jij toch zelf ook wel je conclusies uit getrokken. Waarom bel je me anders?'

Verduyn knikte en drukte harder op zijn ballpoint.

'En dan krijgen we tot overmaat van misère een zootje losse onderdelen op ons dak die we niet anders kunnen benoemen dan de stoffelijke resten van collega Zoutkamp, met de nadruk op resten.'

Verduyn knikte weer.

'Twee dingen,' zei Hendrikse.

Verduyn zag de sociaal-democratische voorganger van Hendrikse voor zich (licht gebogen over een tafel terwijl hij een vraag in een tv-interview ging beantwoorden), de naamgever van Zoutkamps motorjacht.

'Eén: ze belazert ons niet alleen, ze houdt zich ook niet aan de afspraken. Twee: daar moet ze een reden voor hebben. Ik kan maar één reden bedenken. En die kun jij ook bedenken.'

Verduyn bedacht hem. 'Ze heeft nog wat achtergehouden. Er is nog wat anders. Ze heeft aanvullende eisen.'

Hendrikse wreef met zijn voorhoofd tegen de lamellen, die licht ritselden. 'Juist. En daar had jij je voorzorgsmaatregelen tegen moeten nemen.'

Verduyn schudde zijn hoofd. De essentie van chantage werd de meeste mensen die zich lieten chanteren nooit duidelijk. Hoe hoog de prijs ook was die je betaalde, de chanteur zou altijd terug blijven komen. Wanneer begrepen politici dat nu eens? Een NSB-verleden, fraude, handelen met voorkennis, een valse academische titel – wat het ook was, ze zouden er steeds opnieuw voor boeten.

'Er zijn geen voorzorgsmaatregelen. Je had maar één ding kunnen doen. Lang geleden.'

Hendrikses zwijgen had de temperatuur van bevroren stikstof. De stilte werd verbroken door de telefoon.

'Even.'

Het gesprek was kort. Het nieuws was slecht. Verduyn stond op, liep om het bureau heen, en steunde er met zijn handen op.

'Ik krijg net bericht. Anneke Zoutkamp is opnieuw bij die lege villa bij de Kaag geweest. Deed zich voor als koper.'

Hendrikse had zich ook omgedraaid. Zijn ademhaling ging gejaagd. Zijn das zat scheef.

'En de betrekkingen van Anneke Zoutkamp met de pers zijn tegenwoordig nogal hecht, begrijp ik?'

Als de minister-president al een poging deed tot sarcasme, dan was die mislukt. Het klonk regelrecht angstig. Hij rukte zijn das op zijn plaats.

'Doe er wat aan, Verduyn. Nu.'

Hij beende de kamer door en smeet nog net niet met de deur.

'Mijn mannetje rijdt op dit moment achter haar aan,' zei Verduyn. 'We doen wat we kunnen, meneer.' Dichte deuren waren geduldig.

Hij rukte het bovenste blad van zijn vloeiblok en scheurde nijdig zijn koningsweste aan repen.

*

Joop had haar gewaarschuwd vaak in haar spiegel te kijken, dus dat deed ze. Er reed telkens een andere auto achter haar. Natuurlijk.

Ze had Joop nog net thuis getroffen. Hij stond op het punt naar Duitsland te vertrekken. Anneke had het gevoel dat ze hem een cadeautje gaf toen ze hem het telefoonnummer van Leeuwenstein liet zien. Joop was net zo opgewonden geraakt als zij. Ze hadden het netnummer opgezocht: Winterswijk.

'Dan kunnen we samen gaan!' had Anneke gezegd. Winterswijk lag zo ongeveer in Duitsland. Maar Joop vond dat niet handig. Hij wilde de A1 pakken en volle kracht vooruit naar het oosten stomen, richting Osnabrück. Winterswijk lag in een warnet van kleine weggetjes, dat hield te veel op. Anneke was teleurgesteld. Hij zat kennelijk niet om haar gezelschap te springen. Maar toen Joop had geopperd dat zij naar de Achterhoek zou gaan om Leeuwenstein te zoeken, had ze er weer zin in gekregen. Het was toch een project van hen beiden. Joop zou op de terugweg Winterswijk aandoen. Ze hadden afgesproken bij het VVV-kantoor.

Anneke was veel later vertrokken dan hij. Bertje moest zijn middagdutje doen en daarna in de schone kleren voor een verblijf bij haar moeder. Josien had hem van harte verwelkomd, maar wel even haar wenkbrauwen opgetrokken.

'Wéér weg?' Het was geen vraag, eerder kritiek.

'Er moet wel brood op de plank komen, Josien. Ik heb een aantal vragen voor Ulrike Schnellendorf, en ik kan haar moeilijk verplichten hierheen te komen.'

'Telefoon? E-mail?' had haar moeder gevraagd. De kritische toon was scherper geworden.

'Dat werkt niet. Ik wil zo'n schrijver een beetje leren kennen. Ik moet contact hebben met een mens van vlees en bloed, dan gaat het vertalen veel beter. Maar als je het vervelend vindt, dan...' Ze liet haar zin in de lucht hangen. Dan wat?

'O nee, dáár gaat het niet om. Hier is hij zeker welkom.'

Het had tot de brug bij Westervoort geduurd voor ze het schuldgevoel van zich af had gezet. Ze hoopte dat zij later niet op die manier met Bertje om zou gaan.

Ze keek weer in haar spiegel. Geen enkele auto die haar bekend voorkwam. Hoewel... sommige leken wel verdomd veel op elkaar.

Het viel te verwachten dat de Anne Frankstrasse niet in een van de welgestelde buurten van de stad lag. Eengezinswoningen van het bouwpakkettensoort, verveloos houtwerk, roestige hekjes en hier en daar zelfs afval op straat. Parkeren mocht in parkeerhavens, die vol waren; Joop maakte niet dezelfde fout als Zoutkamps chauffeur en sloeg een paar hoeken om tot hij een lege plek gevonden had. Hij liep terug en volgde de straat langs de oneven kant. Nummer 24 leek erger vervallen dan de andere huizen. Hij zag alleen de ramen van de eerste verdieping en het dak; het onderste deel van het huis werd verborgen door een nogal dominante ligusterhaag, hoger dan in Nederland gebruikelijk, en al zeker een jaar niet gesnoeid. Hij liep naar het tuinpad, ondertussen Duitse zinnetjes bedenkend.

Hij schrok even toen hij, op weg naar de voordeur, een imposant vrouwmens in de gaten kreeg dat voor het raam op een schommelbank zat, of bijna lag. Ze bracht juist een kopje naar haar mond en keek hem over de rand venijnig aan.

'Sind Sie die Bewohnerin?' vroeg hij, in de war gebracht. Het was waarschijnlijk Duits van likmevestje, maar daar was nu niets meer aan te doen.

'Jawohl. Kohler. Und Sie sind...?' Het koffiekopje was gedaald tot op haar boezem, maar stond nog steeds overeind. Ze droeg de legging en het wijde sweatshirt dat kennelijk ook hier het huistenue was van oudere vrouwen.

Hij liep naar haar toe en stak zijn hand uit. Het kon geen kwaad zijn echte naam te noemen.

'Holländer?' vroeg ze argwanend. Tja, het had weinig zin het te ontkennen. Hij zou toch moeten vertellen wat hij kwam doen.

Terwijl hij vertelde: journalist, bezig met biografie... werd haar wantrouwen zichtbaar groter. Ze vergat zelfs van haar koffie te drinken, die nog steeds op haar postmenopauzale borst rustte. Joop zelf stond er ongemakkelijk bij.

'Hoe heet die minister van u dan?' vroeg ze.

'Zoutkamp,' zei Joop. De koffie golfde over de rand van het kopje over het sweatshirt. Het lichtbruine vocht werd gretig opgezogen. Het kopje schokte terwijl zij het op het tafeltje naast zich zette.

'Hoe zegt u?' vroeg ze, maar daar trapte hij niet in.

'Volgens mijn informatie heeft Zoutkamp u onlangs nog bezocht, samen met zijn vrouw. En zijn bezoek stond in verband met een overleden vriend van hem. Colijn. U kent hem, geloof ik...' Het was een gokje, maar hij moest het bij het rechte eind hebben. 'U kende hem als Ruurd, denk ik.'

Ze hoefde het niet te beamen. De koffievlek deinde in een schielijk ritme, haar ogen, die ze even had opengesperd, werden tot spleetjes geknepen.

'Hij hield een dagboek bij. In die tijd... vroeger.'

Ze hijgde nu bijna, maar ze praatte nog altijd niet. Misschien was het beter om haar de ernst van de zaak goed duidelijk te maken.

'Ik ben niet gevolgd hierheen,' zei hij. 'Maar ik weet honderd procent zeker dat de veiligheidsdienst mij in de gaten houdt. De Nederlandse veiligheidsdienst. En het is ook meer dan waarschijnlijk dat de dood van Zoutkamp geen ongeluk was. Ik denk dat er een paar vragen zijn die onze BVD liever niet zou beantwoorden over die explosie.'

'Zijn ze hier?' vroeg ze. Ze scheen door de heg heen te willen turen, stond op, liep naar het pad, maar bedacht zich kennelijk. Ze schoot de openstaande voordeur in, wilde hem buitensluiten, maar wenkte hem toen toch. Achter hem schoof ze een grendel op de deur, en daarna begon ze luxaflex neer te laten. Het werd schemerdonker in huis. Het leek wel alsof ze bang was voor sluipschutters.

'Het spijt me, ik ben uw naam vergeten,' zei Joop, terwijl hij ongemakkelijk ging zitten op de versleten bank die ze hem aanwees.

Toen barstte ze los.

'Eisler,' zei ze. Hij was er zeker van dat ze net een andere naam had genoemd. 'Birgit Eisler was ik. Die naam kent u vast wel uit Ruurd z'n schriftjes. U wist de hele tijd wie ik was.'

Het begon eindelijk op te schieten.

Ze trok onverhoeds haar vieze sweatshirt uit, zodat hij even zicht had op een volle, maar opmerkelijk stevige buik en bijpassende borsten, voor ze een T-shirt aantrok dat over de rugleuning van de bank lag. Ze ging tegenover hem zitten, stond weer op, begon heen en weer te lopen.

‘U moet me niet verraden,’ zei ze. ‘Frau Kohler is een constructie die veel tijd en energie heeft gekost. Dat mag u niet verzieken! Ik maak mezelf dood als u dat doet! Liever dát, dan dat zíj me te pakken krijgen!’

Haar stem klonk niet hysterisch. Opmerkelijk laag. En vastberaden. Maar ze was nu doodsbleek en haar ademhaling was nog gejaagder geworden. Godsallemachtig, hij was ergens op gestuit waar hij niet om had gevraagd. Birgit Eisler? Moest hij die naam kennen?

‘We zouden... samen kunnen werken,’ zei hij behoedzaam. ‘Ik ben er niet op uit u kwaad te berokkenen.’ *Leit zu berocknen*: als dat Duits was, was hij de bondskanselier. Rudi Carrell zou het hem in ieder geval niet kunnen verbeteren. ‘U vertelt mij wat u weet en ik vertel u wat ik weet. En ik zal alles doen wat ik kan om u te beschermen.’

Meijer de held, dacht hij: het sloeg nergens op. Maar hij meende het wel.

‘Eisler en Spitznagel – we waren bijna zo bekend als Baader en Meinhof. We werkten altijd samen. Willy Spitznagel was ook ondergedoken, tot zijn dood een paar jaar geleden. Mijn man en hij gingen nog wel eens vissen.’

Baader, Meinhof? Dat betekende dat deze matrone een gewezen RAF-activiste was, een terroriste in ruste. Dan had Polak misschien nog meer gelijk dan hij zelf besefte.

‘Dat fascistische zwijn verdiende niet beter,’ zei Eisler, die nog steeds ijsbeerde. ‘Daar bij jullie lopen ook fascisten rond, al gedragen jullie je als de vermoorde onschuld. De rechercheur, die nazi... hij had twee van onze mensen gearresteerd en leverde ze met het grootste plezier uit. Ze zijn gestorven in hun cel. Zelfmoord, mishandeling, kies maar, voor ons was het moord.’

'Maar u en... Spitznagel hebben destijds dus die politieman geliquideerd?' vroeg Joop. Was dat echt wat ze bedoelde? In een recent overzicht over West-Europees terrorisme had hij laatst nog iets gelezen over die zaak. Was nooit opgelost, voorzover hij wist. Ja, wel verdachten, maar de dader of daders waren nooit gevonden.

'Hij verdiende niet beter,' zei ze nogmaals. Daarna viel ze stil, op haar gestamp na.

'Als u me verraadt...' zei ze.

'Dat doe ik niet. Ik heb alleen informatie nodig. Ruurd Colijn? Wat had hij ermee te maken?'

Plotseling ging ze zitten, op de dichtstbijzijnde plek, wat dezelfde bank was als waarop Joop zat. Hij schoof in de hoek om haar aan te kunnen kijken.

'Ach, *der Ruurd*...' Ze schudde even haar hoofd. 'Aardige jongen. Hij heeft ons toen dat zomerhuisje aan de hand gedaan, het was van een vriend van hem.'

Ze glimlachte. Een mooie romance na een vuile moord? Waarom niet.

'En Zoutkamp?'

'*Der Schweinhund!* Hij kwam me hier in mijn eigen huis bedreigen. Ik kende hem niet eens! Zei dat hij me aan zou geven als ik niet met hem zou... hij gebruikte hetzelfde woord als u... samenwerken. Hij wilde alles horen over dat zomerhuisje.'

'Hoe wist hij u te vinden?'

'Ik had Ruurd geschreven... Na de dood van mijn man... dan doe je gekke dingen. Domme dingen. Zijn moeder schreef me terug.' Ze lachte even. 'Wouter, die van het huisje, heeft het tot minister-president geschopt, schreef ze, maar dat wist ik natuurlijk al. Minister-president! Dat is nog eens wat anders dan dit hier.' Ze wees om zich heen.

Het bloed trok uit Joops gezicht weg, om met een felle uitbarsting weer terug te keren. Hij had van het ene op het andere ogenblik een barstende koppijn. Anneke! Hij had haar nietsvermoedend uit boevenvangen gestuurd! Terwijl de BVD een héél goede reden had om hen af te stoppen. Hij moest hier als de sodemieter weg!

'Het spijt me,' zei hij, met zijn handen op zijn knieën om duidelijk te maken dat hij op het punt stond te vertrekken. 'Het is vast niet makkelijk voor u. Uw man overleden en dan uw jeugdliefde ook nog. Maar ik zal...'

Ze viel hem in de rede: 'Mijn jeugdliefde? Nee... Hoe komt u daarbij? O, u dacht dat ik met Ruurd... Nee, het was Wouter. Willy was al weg en wij... nou ja, wij zijn nog gebleven, *der Wout und ich*.'

~

Anneke wist niet goed wat ze doen moest, in dit groot uitgevallen Achterhoekse dorp, dat – voorzover zij wist – als enige verdienste had dat Gerrit Komrij, onlangs ook al aangekocht door Remmerstraat van PP, er was geboren en getogen. Bij elke passerende buggy of kinderwagen of ouder met een kind voorop de fiets dacht ze aan Bertje en voelde ze een pijnscheut. Na Winterswijk zou ze dagen, weken, maanden thuisblijven. Het duurde zeker nog een paar uur voordat Joop terug zou komen. Ze had al koffie gedronken in een non-descripte broodjeszaak in een non-descript winkelcentrum en weer goed opgelet of er geen non-descripte BVD-achtige figuren in haar buurt rondhingen. Niet dus. Nou ja, ze hád ook een paar omwegen genomen voordat ze de plaats binnenreed, dus wie weet had dat zijn nut gehad. Ze was een stukje gaan lopen om de VVV te zoeken. En daar stond ze nu.

En verder? Ze haalde haar mobieltje uit haar tas, en het prijskaartje. Bellen? Maar wat als ze hem echt aan de telefoon kreeg? Ze durfde niet, op geen stukken na. Zij was geen gehaaide journalist. Maar ze moest toch íets doen! Om tijd te winnen belde ze eerst met Josien. Ja, met Bertje ging alles prima. Josien en hij hadden samen veel lol. Zij wel.

Ze toetste het nummer.

'Ja?' zei een mannenstem.

Anneke slikte.

'Ja, hallo?' Het leek wel dezelfde stem, maar ze was er niet zeker van. Waarom zei hij niet gewoon netjes zijn naam?

'Eh... spreek ik... eh, met de vvv?' stamelde ze.

Meteen daarop klonk de bezettoon. Leeuwenstein of niet, een lomperik was het in elk geval. En wijzer was ze niet geworden. Ze kon niet met zekerheid zeggen of het dezelfde stem was. Hetzelfde sóórt stem, dat wel. Van een veertiger. Niet van een oudere man.

Ze draaide zich om en liep het vvv-kantoortje binnen. Ze moest even wachten tot ze aan de beurt was, wat haar de gelegenheid gaf haar vraag goed voor te bereiden. Een afspraak. Ze had een afspraak met haar stiefbroer Leeuwenstein die hier in de buurt bivakkeerde, en hij nam zijn telefoon niet op.

'Ik ben mijn agenda vergeten,' zei ze op een wanhopige toon en ze voelde werkelijk de tranen achter haar ogen branden. 'Daar staat het adres in.'

De vvv-medewerker, duidelijk een herintreedster, was een en al behulpzaamheid. 'Lastig, zoiets. U bent zeker bang dat er iets gebeurd is?'

'Ja', zei Anneke dankbaar. 'Hij rekende al een uur geleden op me. En hij heeft míj ook niet gebeld. Ik weet niet meer wat ik moet doen.'

'Eens denken...' Tijdens het denken hielp de vrouw een paar klanten weg en rommelde ze wat op haar computer. Daarna wenkte ze Anneke dichterbij.

'Als u het tegen niemand zegt,' zei ze. 'Anders krijgt hij er last mee.'

Anneke knikte.

'Mijn zoon Niels komt zo even langs, ik heb hem gemaild. Hij werkt bij...' Ze dempte haar stem. 'Bij de politie hier. Het mag dus absoluut niet, hè...' Anneke schudde geruststellend haar hoofd. 'Hij heeft het nummer even door de computer gehaald. Hij durft het niet te mailen. Maar hij komt zo.'

Even later kwam er inderdaad een jonge agent in uniform binnen, die rechtstreeks naar de balie liep zonder naar Anneke te kijken, een papiertje neerlegde en alleen 'Aju' zei voor hij weer naar buiten stormde. Anneke wilde het papiertje wel uit de handen van de dame rukken, maar moest wachten totdat deze het bestudeerd had.

'Ah!' zei ze eindelijk. 'Riggeling en Liemers Vastgoed. Dat zijn die dure vakantiehuizen.' Ze wierp een snelle blik op Annekes bescheiden kledij.

Shit, dacht Anneke. Het nummer stond op naam van een beheersmaatschappij. Maar de VVV-dame pakte met een tevreden blik de telefoon.

'Ja, met Joke Hupkes. Hoe is 't? Jaap ook? Mooi. Nee, ik heb een adres van je nodig. Er is hier even iets mis gegaan... ik heb alleen een telefoonnummer.' Ze las het op. 'Dat is toch van...? Juist.' Ze schreef iets op. 'Leeuweriklaan zeuven. Oké... nee, dan klopt dat. Oké meid, dan zie ik je wel weer hè. Ja, bij Roosmarijn toch, vrijdag. Doe ik. Doe ik. Ja, aju!'

Anneke bedankte haar omstandig. Ze reed de bebouwde kom uit, keerde, en stopte bij een informatiebord. De Leeuweriklaan lag aan de oostkant van het dorp, vlak bij waar de kaart groen gekleurd was. Het zou niet moeilijk te vinden zijn.

Ze keerde opnieuw. Ze zou een stukje rondrijden, tot vier uur. Dan zouden Joops hypothetische achtervolgers nog meer in de war raken.

~

'Wat moet ze nou in Bredevoort?' bromde Stokman voor zich uit. Hij had zwaar het gevoel dat hij tijd verspilde, maar ja, een dienstopdracht was een dienstopdracht. Dat mens reed maar wat. Eerst de VVV, nu deze idiote, lukrake route. Of had ze hem in de gaten en probeerde ze hem af te schudden?

Even later had hij zekerheid, toen hij voor de derde keer de grens passeerde, opnieuw in de richting van het buurland. Ze had hem gespot en probeerde hem kwijt te raken. Wat wilde ze in Duitsland? Hij belde Verduyn.

'Ik zit vlak achter haar. Ze rijdt Duitsland in.'

'Oké, bel me als ze ergens stopt.'

'Het is hier nogal een negorij. Kleine weggetjes, de Achterhoek is verder rijden dan je denkt. Die naam, Achterhoek, klopt in ieder geval wel.'

'Oké, ik kom eraan. Je hebt het nummer van mijn gsm. Hou me op de hoogte.'

'Doen ik,' zei Stokman.

~

'Ik snap er niks van,' zei Anneke. 'Vertel het nou nog eens rustig. En wie is Irene in godsnaam?'

Ze hadden elkaar op de afgesproken plek getroffen en Anneke had Joop meegenomen naar het terras van een café dat wanhopig probeerde grootsteeds te zijn. Hij glimlachte. Ze reageerde al geprikkeld op vrouwennamen.

'Irene is een collega bij de krant. Parlementaire redactie. Zij heeft Wouterse daar een keer geïnterviewd, in dat zomerhuisje. Hij komt er nog steeds, nu met zijn vrouw.'

'En vroeger dus met...?' Hij moest het echt te snel verteld hebben. Hij was opgelucht geweest toen hij haar heelhuids terugzag, maar daarna had hij meteen het hele verhaal eruitgegooid. Hij wenkte om een tweede whisky. Anneke had nog.

'Met Birgit Eisler, een soort Ulrike Meinhof. Ze hadden een Nederlandse politieman uit de weg geruimd, geliquideerd, zij en een kompaan. Of een kameraad, zo noemden ze dat toen. Dus ze duiken onder, Ruurd Colijn brengt ze in contact met Wouter Hendrikse, Wouter wordt verliefd op haar. Tenminste, ze hadden iets met elkaar.'

'De premier met een RAF-terroriste?' vroeg Anneke ongelovig. 'Bestaat niet.'

'Zo móet het gegaan zijn. Je vader moet ervan geweten hebben, want hij zat ook in die groep. Je hebt me zelf foto's laten zien. En zodra hij zelf die schriftjes van Ruurd had ingekeken, had hij het bewijs in handen. Je vader, én zijn... en Suzan, want ze zijn samen in Bielefeld geweest.'

'Moest hij daarom dood?' vroeg Anneke.

Hield ze zich zo dom, of gunde ze hem de heldenrol? Hij haalde zijn schouders op.

'En wat heeft dat allemaal met die Leeuwenstein te maken? Die twéé Leeuwensteinen? Of staat dat erbuiten?'

'Dat gaan we nu uitzoeken,' zei hij. Hij nam een fikse slok. 'Leeuwensteinlaan, nee, Leeuweriklaan dus.'

❧

Zodra hij de supermarkt uitkwam, had hij haar herkend. Hij was voortdurend op zijn qui-vive tegenwoordig. Het leven kende weinig ontspannen momenten meer. Wat deed Zoutkamps dochter hier in Winterswijk? En wie was die kerel bij haar? Misschien was dat dezelfde die zijn geliefde was komen lastigvallen, die verdomde journalist.

Het stel ging staan en maakte zich op om te vertrekken. Er was geen moment te verliezen. Hij liep haastig naar het parkeerterrein, smeet de plastic tassen op de achterbank en maakte dat hij wegkwam. Je zou toch verdomme mogen verwachten dat je in de Achterhoek geen pottenkijkers op je dak kreeg!

~

Ze hadden de mosgroene Alfa van Meijer genomen, en daardoor was hij even in de war geraakt. Maar hij zat op tijd weer achter ze om ze een woonwijk te zien in draaien. Geen punt; overdag was het lastig maar nu, aan het eind van de werkdag, reden er genoeg terugkerende kostwinners door de straatjes. Ze reden een laan aan de rand van het dorp door, langzaam, alsof ze een bepaald huis zochten. Deze straat was verder verlaten. Hij viel veel te veel op, vooral als zij hem al eerder op de dag had opgemerkt. Stokman reed een oprijlaan op en zakte onderuit. Meijers auto vertraagde nog meer, stond bijna stil. Even later reed hij achteruit en parkeerde. Stokman probeerde te zien voor welk huis ze zo'n belangstelling hadden.

~

'Ze zijn er echt niet. Kom op nou, Joop.'

Joop wist wat er met haar aan de hand was. Bang was ze niet. Het was gêne. Ze schaamde zich in deze nette buurt, omdat ze zo openlijk naar dat huis zaten te staren. Niet dat er iets te zien viel. Zelfs de luiken waren dicht.

'Ik bel toch even aan.' Hij was de auto al uit, het pad van grindtegels op. De deur was breed en van een eerbiedwaardige houtsoort. De bel was een ding-dong-geval. Hij galmde lang na. In een zo te horen behoorlijk karig ingerichte ruimte. Hij liet hem nog eens flink dingdongen. Niets. Hij aarzelde even, maakte toen een geruststellend gebaar naar de straatkant en liep om het huis heen. Overal die geblindeerde ramen. Hij gluurde door een kier van de luiken. Aan de binnenkant zaten lamellen. Ook dichtgedraaid. Geen halve maatregelen. De huurders moesten het huis verlaten hebben. Misschien meteen na dat ondoordachte telefoontje van Anneke vanochtend. Hij zou het haar niet voor de voeten werpen.

Goed. Tot zover Winterswijk. Gelukkig had Bielefeld wel wat opgeleverd.

~

'Hij loopt om het huis heen!'

'Sst. Alles zit potdicht.'

'Maar als hij een loper heeft, of een koevoet of iets dergelijks!'

Hij schudde zijn hoofd, zijn vinger op zijn lippen. Maar hij kneep hem ook. Hoe wisten die journalist en Anneke Zoutkamp waar ze zaten? Straks, bij Albert Heijn, had hij nog kunnen denken dat het toeval was. Nu was er geen twijfel meer mogelijk. Godgloeiende... Nog twee dagen. Nog twee dagen waren ze verwijderd van de voltooiing van hun operatie. Weg. Voorgoed rust aan zijn kop. Daiquiri's aan een zwembad, voor altijd.

En nou kwam die lul de behanger van een journalist hem hier lastigvallen met die jankedoos. Pappie was dood. Waarom nog spitten in het graf? Ga de erfenis opmaken, stomme kut.

Hij luisterde, zijn oor tegen de zware deur. De voetstappen kwamen terug, langs de voorgevel, en werden onhoorbaar op het tegelpad. Even later werd een motor gestart.

'Wat moeten we doen?' gilde ze. Hij legde achterlangs zijn hand over haar mond, wat hem een prettige sensatie gaf. Alsof hij de zaken onder controle had.

Wat niet zo was. Wat helemaal niet meer zo was. Dit ging goed verkeerd.

Het was Joop. Joop had haar overtuigd. Zij had niet willen blijven. Ze had linea recta naar huis willen rijden, Bertje oppikken, hem zelf zijn laatste voeding willen geven, hem in zijn eigen bedje willen leggen. En dan de politie bellen. Als Joop gelijk had, dan werd hier een ontzettend goor zaakje onder de zoden gemoffeld. En als haar vader was vermoord om de premier te beschermen, dan liepen zij ook gevaar. Ze wilde naar huis! Ze was móeder!

Maar nee, had Joop gezegd, juist ter wille van haar veiligheid konden ze beter hier blijven. Niemand wist dat ze hier waren. Zelfs Josien niet. Onderduiken in Winterswijk was de beste optie. Alles even laten betijen, even rustig nadenken. Morgen, als ze de zaken op een rijtje hadden, konden ze altijd nog naar huis. 's Nachts miste Bertje haar niet. Maar zij hem wel!

Toch had ze Josien gebeld met een domme smoes over autopech, een overwerkte wegenwacht en een gedwongen overnachting in Krefeld. Haar moeder had het geen enkel probleem gevonden om een dag langer voor Bertje te zorgen.

Anneke draaide zich voor de zoveelste keer om. Het dekbed was te kort, óf haar schouders, óf haar voeten lagen bloot, wat maakte dat ze zich onveilig voelde.

Er werd aan de deur getikt. Joop? Ze stond op, schoot iets aan. Bij de deur hield ze in.

'Wie is daar?' Het klonk banger dan ze bedoeld had.

'Ik. Met een slaapmutsje.'

Godzijdank. Er was tenminste een man in de buurt. Een man die ze wel kon vertrouwen en die zich niet op een Kosovaarse latrine overhoop liet schieten.

Het was een halve fles calvados later toen ze op het bed terechtkwamen. Dat wil zeggen, Joop zat er toen zij terugkwam van de badkamer. En zij ging er toen maar naast liggen. Ze was al heel lang niet aangeraakt. Behalve door Mieke, en hoewel dat ook zijn erotische kanten had, was het niet hetzelfde.

Hij kwam naast haar liggen, met zijn hand onder haar hoofd, en streelde haar voorhoofd. Anneke begon bijna onmiddellijk te huilen. Onbedaarlijk te huilen. Om Chris, om haar vader, om Bertje. Omdat ze alleen was in een vijandige wereld. Maar hij troostte haar, langdurig, ging niet meteen zoenen en grabbelen zoals Chris, zelfs als ze verdriet had. Pas veel later, wel een uur, werden zijn gebaren anders. Hij streelde haar bovenbenen, haar kuiten, haar billen, en Anneke merkte tot haar verbazing dat dat erogene zones waren. Haar onderrug. Haar rug spande zich, trok hol. Bloed begon zich te verzamelen tussen haar liezen. Zijn lippen in haar nek. En toen, nog deugdzaam ingepakt, zijn erectie tussen haar billen. Zijn vingers kropen van haar schouders naar opzij, wriemelden tussen haar borsten en het dekbed. Ze probeerde ruimte te maken voor de hand die omlaag kroop. Hij had nog al zijn kleren aan, maar hij lag boven op haar, en hij rook nadrukkelijk, heerlijk, overtuigend naar man. Vingers drukten op haar schaamheuvel, haar schaamlippen... zodra ze zich ertussen wrongen, kwam ze klaar.

Ze liet haar gezicht in het kussen zakken. Ze schaamde zich. Maar Joop draaide haar om, kuste haar gezicht, haar hals, tot ze hem weer aan durfde te kijken.

'Het was ook al zo lang geleden,' zei ze.

Hij stond op en kleedde zich uit. Zijn blik liet haar niet los. En zij keek ook toe, zonder schaamte, zonder angst. Inderdaad, een man van begin veertig, dat kon je zien, maar wat was er tegen een man van begin veertig? Toen hij op zijn zij naast haar kwam liggen, en haar hand zijn lid greep alsof ze daar al jaren vertrouwd mee was, toen hij zijn lippen over haar borsten liet gaan en terwijl zij haar lippen vast natlikte om een vervolg te geven aan het werk van haar handen, op het moment dat hij een tepel in zijn mond nam, kwam opeens het schuldgevoel opzetten. In een golf.

Bertje. Haar kind, haar zoontje. Híj was het die het verdiende aan haar borst te liggen. Ze had trouwens nog melk.

Ze kwam overeind. Dit kon ze niet maken. Toch zei ze het: 'Sorry. Bertje...'

Hij zat onmiddellijk op de rand van het bed.

'Sorry. Mijn fout. Ik had niet... En trouwens, ik ben toch te moe. Te veel gezopen.'

Hij keek haar niet aan. Maar hij wist zijn frustratie goed te verbergen. Waarschijnlijk was ze hem daar nog wel het meest dankbaar voor.

'Misschien als het allemaal voorbij is,' zei ze. 'Goed?'

'Sorry,' zei hij nog eens.

Deze man was oké.

Hij raapte zijn kleren bij elkaar en ging in zijn onderbroek de gang op. Het Winterswijkse fatsoen diende te worden gerespecteerd. Toen er twee minuten later gebeld werd, was ze niet verbaasd. Joop wist heel goed dat ze zich zorgen zou beginnen te maken zodra hij de kamer uit was gegaan.

'Met de receptie. Sorry, het is laat, maar ik heb een dame voor u aan de lijn. Wilt u dat ik haar doorverbind?'

'Ja...' Josien! Bertje! Wiegendood! 'Met Anneke...' hijgde ze.

Het was een vreemde stem, een omfloerste vrouwenstem.

'Luister, Anneke. Leg niet neer. Ben je alleen?'

'Ja', fluisterde Anneke.

'Niet neerleggen, niemand roepen. Je spreekt met Suzan Venema. Je vader leeft nog. Hij wil je spreken.'

Ze kon niet antwoorden.

De barman droogde zijn laatste glas, met zijn blik dwingend op hen gevestigd.

'We gaan naar bed,' zei Verduyn. 'Meneer Leeuwenstein heeft toch zijn biezen gepakt. Niet jouw schuld, Fred. Je hebt er goed aan gedaan even bij die Riggeling en Liemers langs te gaan. Rob Leeuwenstein, héél interessant. Maar weg is weg. En onze twee vogeltjes liggen al hoog en breed in hun nestje. Eén en hetzelfde nestje, waarschijnlijk.'

'Kan ik de pay-tv declareren?' vroeg Stokman.

'Alleen als je niet voor de porno kiest.'

10

IN ZIJN ONDERBROEK zat hij zeker nog een minuut of vijf roerloos op de rand van het bed in de kleine hotelkamer. Hoewel zijn opwinding was weggeëbd, hield hij zijn blik toch hoopvol op de deur gericht, zijn oren gespinst op elk geluid dat op haar komst kon duiden. Het was hopen tegen beter weten in, dat wist hij ook wel. Ze moest doodmoe zijn van alle emoties en opwinding. Opwinding! Ha! Joop luisterde naar een hoestbui ergens beneden in het hotel. Een reutelende waterleiding in de kamer boven hem, twee schoenen die werden neergekwakt, het kraken van springveren. Onder zijn raam gelach, dan portieren die dicht werden geklapt, een auto die startte en wegreed. Ruisende stilte op het zachte gezoem van de wekkerradio na.

Een stekende pijn in zijn liezen. Brandend zaad? Hij grijnsde mismoedig omdat Anneke Grönloh in zijn hoofd begon te zingen: 'Brandend zaad en een verloren daad en een apparaat dat staat...'

Dat laatste was dus niet meer het geval. Joop vloekte zachtjes. Nog erger dan niet neuken was het onvoltooid neuken, maar hij kon moeilijk hier in een anonieme hotelkamer de hand aan zichzelf slaan. In Winterswijk, *of all places*. En stel dat ze toch nog kwam! Hij nipte van de Calvados en glimlachte getroffen omdat een gedicht van Zoutkamps favoriete auteur hem te binnen schoot: 'Wijn, bioscopen, masturbatie, schreef Céline al. De wijn is op, bioscopen zijn hier niet, het leven wordt wel eentonig.'

Zoutkamp. Joop huiverde even vanwege de kilte in de

kamer. Moe als hij was van de afgelopen dag, voelde hij zich toch verrassend energiek en helder, geen enkele aandrang om te slapen. Hij kwam overeind, trok zijn T-shirt aan en wilde al naar het kleine bureautje lopen toen hij stokstijf bleef staan. Waren dat voetstappen op de gang? Op zijn tenen haastte hij zich naar de deur en hield er een oor tegenaan, maar hoorde niets behalve het gesuis van het bloed in dat oor. Natuurlijk niet. Anneke zou allang slapen. Uitgeteld en klaargekomen. Zij wel. Waarom hij niet? Schuldgevoelens, omdat hij de jonge, wanhopige weduwe en moeder in haar zwakste momenten had overweldigd? Sodemieter op, Meijer, als ze het niet gewild had, had ze het toch nooit toegelaten. Hij had gewoon niet zo stom moeten zijn om aan haar borsten te gaan lebberen.

Hij prikte de lamp aan, ging aan het tafeltje zitten en haalde uit het laatje een ballpoint en bloknootje, beide met opdruk van het hotel. Melle Hamer zou hem zo eens moeten zien zitten. De auteur aan het werk. Maar niet heus. Hamer kon wachten, net als de door hem bestelde biografie. Er was te veel gebeurd de afgelopen weken; er denderden beelden en stemmen door zijn kop die niet bepaald bijdroegen aan de vereiste concentratie of motivatie om nu in alle rust aan Zoutkamps levensverhaal te werken. Integendeel. Zoutkamp was vermoord, daar was hij inmiddels zo goed als zeker van. Opgeblazen op zee. Verduyn van de BVD die een koffertje, zogenaamd met belangrijke politieke documenten, had gebracht. Zoutkamp zou geloofd hebben dat het inderdaad ministeriële stukken bevatte, maar ongetwijfeld waren het explosieven geweest, een bom.

Het leek absurd, maar was tegelijkertijd onloochenbaar. En ook de reden was wel duidelijk: Zoutkamp had Hendrikse willen chanteren, of had dat misschien al gedaan, met diens besmette verleden. Brigit Eisler. Rote Armee Fraktion. Hij was er te jong voor geweest om het bewust te hebben meegemaakt maar herinnerde zich wel de woede van zijn vader na de dodelijke aanslag op een rechercheur in het voorjaar van '67.

'Moffen! Altijd weer moffen! Facsisten!'

Joop glimlachte. Zijn vader had het, hoe vaak ook gecorrigeerd, steevast over 'facsisten'gehad.

1967. Zoutkamp student in Nijmegen. Waar hij Hendrikse goed had gekend. En Ruurd Colijn, beiden met linkse sympathieën volgens Polak, wat gebruikelijk was, daar en toen. Eisler en Spitznagel hadden er uit wraak een rechercheur geliquideerd en een schuilplaats gevonden in een zomerhuisje van de ouders van Wouter Hendrikse en Hendrikse had iets met Eisler gehad. Joop nam een slokje Calvados. Hij zag het zomerhuisje voor zich op een van de zwart-wit kiekjes die Anneke hem in de familiealbums had laten zien.

Wist hij nu genoeg om te publiceren? Niet in boekvorm, natuurlijk niet. In de krant. Niet 'De Dood van een Kroonprins', maar 'De Moord op een Kroonprins'. Jezus, dat werd de primeur van de nieuwe eeuw! Als hij het verhaal rond zou kunnen krijgen, want er was nog een hele serie onbeantwoorde vragen.

Hij dronk en staarde voor zich uit. Ten eerste: waarom had Zoutkamp Hendrikse dan willen chanteren? De woorden van Hugo de Vries schoten hem te binnen. Zoutkamp zou kort voor zijn dood een aanvaring hebben gehad met Hendrikse in het Torentje. Dat zou ermee te maken kunnen hebben. Wie chanteert, die wil iets. Geld was onzin. Misschien had Zoutkamp Hendrikse willen dwingen af te treden te zijner gunste. Waanzin. Zoutkamp was immers Hendrikses gedoodverfde opvolger, de kroonprins waarvan de zieltogende sociaal-democraten alle winst verwachtten. Of was juist intern besloten dat hij dat niet meer was? Ze hadden Zoutkamp willen laten vallen en hij had zich ingedekt met de schriftjes van Ruurd

Colijn. Foute declaraties waren geen reden om een minister op te blazen, maar een fout verleden van een minister-president was dat wel. De vraag was waar de belastende schriftjes van Ruurd Colijn nu waren. Snippers op de Noordzee of in het bezit van Venema?

Hij zat stil. Het klopte niet, want die visser op Schier, die Tjibbe, was er zeker van dat hij even voor de explosie een bootje bij het Uyltje had gezien. Als dat klopte en het geen alcoholische luchtspiegelingen waren, dan begreep hij niet waarom. Je stuurde immers niet iemand naar een jachtje toe waar een bom lag te tikken. Toch dagjesmensen?

Verward schudde hij zijn hoofd en dronk weer van de Calvados. Er was nog iets wat niet paste. Leeuwenstein. De oudere een schakel met Anneke, de jongere met Suzan Venema. Wat was hun rol dan? Werktuigelijk krabbelde hij de naam 'Leeuwenstein' neer. Wie was de oude Leeuwenstein? Want de jongere viel nog te verklaren. Misschien had Suzan Venema al een verhouding met hem gehad tijdens Zoutkamps leven en hield ze dat nu nog een tijdje verborgen vanwege het verplichte imago van de rouwende weduwe.

VVD-snol. Het kon en het verklaarde meteen haar nervositeit en vluchtgedrag. Maar de vraag was hoe haar foto dan terechtkwam in een villa in Kaapstad waarvan zijn exzwager had uitgevogeld dat die bewoond werd door een oudere man met dezelfde naam. Vermoedelijk dezelfde man die heimelijk foto's had staan maken van Anneke met kleine Bertje. En het was dan ook wel verdomd toevallig dat beide Leeuwensteinen in hetzelfde hotel in Leiden waren geweest.

Zijn ogen begonnen te prikken van de Calvados en hij zag dat hij de naam 'Leeuwenstein' had geschreven als 'Leejestein'. Hij schoof zijn stoel achteruit, toch weer aarzelend of hij niet alsnog naar Anneke toe zou gaan. Klop, klop. Wie is daar? Kabouter Plop. Het was beter als hij zich beheerste en trouwens, waarschijnlijk was hij tot niets meer in staat.

Hij grinnikte somber, vloekte omdat hij zich vast moest grijpen om niet te vallen, was nog wel zo helder om de gangdeur op slot te doen, verdomde het om zijn tanden te poetsen, hield zijn T-shirt en onderbroek aan vanwege het kille dekbed en kroop in bed.

En zat bijna meteen weer rechtop.

Als het geen dagjesmensen op dat bootje waren geweest, had iemand Zoutkamp dan van boord willen halen?

~

'Niet opleggen. Niemand roepen. Je spreekt met Suzan Venema. Je vader leeft nog. Hij wil je spreken!'

Als geëlektrificeerd had ze geluisterd, haar mond een spons die alle geluid opzoog.

'Anneke?'

O ja, het was Suzan, geen twijfel mogelijk.

'Waar is Meijer?'

Eindelijk had ze geluid kunnen produceren, een soort hees gepiep achter uit haar keel. 'Slaapt.'

'Laat hem slapen. Je vader wil niet dat hij of iemand anders hiervan af weet. Kom hiernaartoe, wil je? De villa waar je vanmiddag was in de Leeuweriklaan.'

'Ik... ik snap het niet! Wat is er aan de hand?'

'Begrijp ik, liefje, begrijp ik. We hadden het ook liever anders gedaan, maar...'

'Hoe kan hij nog leven?'

'Anneke, vertrouw me. Je hebt toch die foto's gezien die van jou en Bertje zijn gemaakt? Hij was het, hij was die fotograaf.'

De tintels weer over haar schouderbladen, benen als water, de man aan de overkant van de Oude Vest die haar en Bertje had gefotografeerd. Geen stalker of zo, maar hij was het geweest, haar vader! Ze had het zelfs toen even gedacht, het toegeschreven aan haar verdriet dat hij dood was en misschien ook wel haar schuldgevoel omdat ze het nooit goed met hem had gemaakt. 'Hij is dus Leeuwenstein,' zei ze schor.

'Heel goed. Kom hiernaartoe. Hij wil je zo graag zien.'

'Laat me met hem praten!'

'Nu niet. Vertrouw me! Hij heeft zijn leven geriskeerd om hier naar toe te komen, om jou en Bertje te zien. Weet je dat de Binnenlandse Veiligheidsdienst je in de gaten houdt?'

Dus dat wist ze ook.

'Ja'.

'Ze willen hem vermoorden!'

De paniek golfde weer omhoog. 'Waarom?'

'Straks, liefje. We weten niet of ze hier zijn, maar neem geen enkel risico. Laat je auto dus daar staan. Je kunt het beste aan de achterkant naar buiten gaan, waar je een brede straatweg neemt...'

Die liep ze nu af, huiverend in haar dunne lakjas, maar niet vanwege de kille motregen. En met bonkend hart en bonkende slapen. Ze was er zeker van dat niemand haar het hotel had zien verlaten. Provinciehotel met weinig gasten, wandelaars al vroeg op een oor. Ze was de gang op gegaan met haar schoenen in de hand, langs Joops deur aan de achterkant. Toch in verwarring, aarzelend of ze het hem niet zou zeggen. Joop. Zijn handen, zijn mond, het hemelse gevoel toen ze klaarkwam! Een echt orgasme, in plaats van maar wat stompzinnig te zuchten en te piepen wanneer Chris boven haar hoorbaar aan zijn gerief kwam.

'Roep niemand,' had Suzan Venema gezegd.

Ze was de schemerig verlichte trap afgedaald, halverwege had ze al zicht op het kantoortje van de nachtreceptie, een man met de rug naar haar toe achter een computer. De gang beneden genomen naar de tuindeur. 'Voor de hoofdingang heeft u deze sleutel, maar mocht u nog op het terras in de tuin willen zitten, dan kunt u uw kamersleutel gebruiken. Denkt u er wel om dat we om twaalf uur afsluiten?'

Het was bijna half een toen ze buiten het schijnsel van de buitenlampen door de lange tuin was gelopen die aan de achterzijde werd begrensd door hekwerk. Erachter schitterde de neonlettering op de contouren van een winkelcentrum. Spookachtig, crimineel. In Leiden zou ze zich op dit uur nooit op zo'n plaats hebben durven wagen. Ze was zich doodgeschrokken van een hoge, schorre kreet uit het duister, gevolgd door een luid gefladder, zodat ze als een gek op het hek was toe gehold. Op van de zenuwen verdomme haar nieuwe lakjas gescheurd aan een van de ijzeren punten.

Ondanks de steken in haar borsten begon ze weer te hollen, zoveel mogelijk in de schaduw van de statige huizen. Leeuwenstein. De oudere man. God nog aan toe! Daarom had hij daar gestaan, doodgewaand maar wel grootvader van een naamgenoot. Dat had hij dus geweten. De BVD, papa's eigen dienst! Niet dood, maar waarom niet? Haar vader leefde en zij vroeg zich af waarom hij niet dood was. Het was een raadsel hoe dat allemaal mogelijk was.

Terwijl ze hijgend verder rende, herinnerde ze zich hoe Josien gezegd had dat de RVD de familie had afgeraden het lichaam, of wat er van over was, nog te bekijken. Natuurlijk, want er was niets geweest om te bekijken. Zo was het haar ook gezegd. Er is vrijwel niets teruggevonden behalve een horloge, zijn ring, iets van verbrande kledingresten. Waarom? Omdat hij weg had gewild. Naar Kaapstad, natuurlijk. Daarom had die ex-zwager van Joop Suzans foto daar in die villa aangetroffen. Leeuwenstein. En dus teruggekomen als Leeuwenstein vanwege Bertje. Het moest wel, hield ze zich voor. Verdomme, waarom was ze toen niet gewoon op hem afgestapt? Maar dan begreep ze weer niet wie die jongere man was die zich ook zo noemde. Iemand die hij kende? In elk geval kende Suzan hem. De grote vraag was waarom haar vader zijn eigen dood in scène had gezet.

Ze aarzelde even, herkende toen het plantsoen waar ze met Joop in de auto langs was gereden en stond stil omdat onverwacht een auto opdoemde. Ze herademde toen ze zag dat het een taxi was, wachtte tot de rode achterlichten waren verdwenen en stak de weg over.

Waarom zou haar vader zich verbergen? Mogelijk had het te maken met die Duitse vrouw die Joop in Bielefeld had ontmoet, met terrorisme en omdat hij minister van Binnenlandse Zaken was. Wat was er dan met de BVD? Met een schok drong het tot haar door dat hij daarom zichzelf dood had laten verklaren, om te ontkomen aan zijn moordenaars. En omdat hij voor haar en Bertje terug was gekomen, liep hij nu kennelijk wéér gevaar.

Rillend sloeg ze de hoek om en zag het puntdak van de villa tegenover zich, haarscherp afgetekend tegen de nachthemel, het licht van een ouderwetse straatlantaarn spookachtig op de gesloten luiken, de aangrenzende huizen donker. Kilometers erboven de knipperende lichtjes van een vliegtuig. God, wat zou ze daar nu graag in willen zitten, vrolijk, zorgeloos naar een of ander zonnig oord, ver van alles vandaan. Met Bertje. En met Joop.

Heel even bekroop haar het verontrustende gevoel dat er iets niet goed zat, maar ze vermande zich geïrriteerd. Doe niet zo bang, trut! Je vader is daar, je bloedeigen vader!

Ze deed het tuinhekje open en liep met kloppend hart het pad op toen de voordeur open werd getrokken. Op een kier. Maar voldoende om in het flauwe licht Suzan te herkennen die haar wenkte. 'Snel!'

Ze knikte en holde al terwijl Suzan de deur verder open hield en zich vervolgens omdraaide.

'Bert? Anneke is er.'

Anneke struikelde bijna van opwinding en liep naar binnen. De hal was leeg. Er hing een weeïge geur, als in een ziekenhuis.

'Waar is hij?'

'Achter je, liefje.'

Ze hoorde de deur in het slot vallen en toen ze zich omdraaide zag ze de schim van een man op zich afkomen, een hand over haar mond voor ze kon schreeuwen, een vochtige doek tegen haar neus en de lucht van ether nu overweldigend in haar neusgaten. Omdat iemand schreeuwde, wist ze dat ze gebeten had. Toen wist ze niets meer.

~

Het liep uit de hand, dacht Verduyn somber. Als er niet snel werd ingegrepen, liep de hele zaak verdomme gierend uit de klauwen. En dat terwijl alles er zo gunstig uit had gezien. Voor Hendrikse, voor Zoutkamp en voor hemzelf. Een mooie deal, alles goed geregeld, een waterdichte afspraak.

Hij schakelde zijn telefoon uit en liep nog duizelig van de slaap naar de badcel. Geen spoor van die Leeuwenstein en Suzan Venema. Op zich geen ramp, want Venema had geen belastend materiaal meer, daar was hij zeker van, en als ze het risico nam om het geld op te halen, stonden de collegae van de Zuid-Afrikaanse veiligheidsdienst BOSS paraat in Kaapstad. Natuurlijk. Want al begreep hij niet het Hoe en Waarom, Venema belazerde de kluit, zoveel was ook zeker.

Voornaamste probleem was nu even Meijer. Joop Meijer, die zich ingelikt had bij Zoutkamps dochter. Misschien wel letterlijk, als hij zijn naaste assistent, Fred Stokman, moest geloven.

Terwijl hij plaste, herinnerde hij zich dat hij gedroomd had van ingroene sawa's, karbouwen, dessa's en klapperbomen. De laatste tijd droomde hij steeds vaker van Indië. Niet zo gek, want hoe ouder een mens, hoe vaker, bewust of onbewust, diens verleden de neiging had om als bedorven vis omhoog te komen. Wel gek dat hij van z'n leven nog nooit een voet in de Gordel van Smaragd had gezet. Maar dat zou ook juist de oorzaak van die dromen kunnen zijn, projectie van een diepgeworteld, onbewust verlangen. De gesublimeerde frustratie dat iedereen, al sinds zijn vroegste jeugd hem voor Pinda, Blauwe, Pelopper, Indo of Katjang versleet terwijl hij geboren en getogen Hagenaar was, net als zijn ouders. Het was zoiets, dacht Verduyn terwijl hij zijn gulp behoedzaam dicht ritste, als het zelf gecreëerde syndroom van sommige vijftigers die weliswaar in de late oorlogsjaren waren geboren, maar geen enkele herinnering aan die oorlog hadden en er juist daarom meer over ouwehoerden dan alle steuntrekkers van de Stichting '40-'45 bij elkaar. Wouter Hendrikse was er zo een. Altijd pochen over zijn bonkaart, de tulpenbollen of de jodenrazzia's in de ouderlijke buurt, terwijl hij nota bene in juli '43 was geboren. Als verkiezingspraatje werkte dat prima naar 'de mensen in het land', maar Hendrikse was er zelf in gaan geloven. Het voorbeeld van een pathologisch leugenaar. Verduyns ruime ervaring met ministers en andere politici had hem geleerd dat de meesten dat waren, wat hem in zijn functie bij de BVD overigens geen windeieren had gelegd. Hij had inmiddels genoeg dossiers in zijn bezit om over enkele jaren zijn pensioen flink bij te spijkeren. Zo ook een over Wouter Hendrikse, waarin onder meer een saillante en ook pikante briefwisseling zat tussen de premier en Birgit Eisler uit 1967. Voor het materiaal had Verduyn een flinke som gelds aan Spitznagel betaald, maar hij was er zeker van dat het hem veel meer zou opleveren. Althans, dat had hij tot voor kort gedacht. Zoutkamp, goddomme! Of beter, dat mens van Venema.

Hij schoor zijn snorretje zorgvuldig bij en staarde somber in zijn Katjang-ogen. Zoutkamp had het vermoedelijk altijd al geweten van Hendrikse; linkse, langharige studievriendjes, dus bedekt met de bekende mantel. Het was ook waarschijnlijk dat Zoutkamp mede vanwege die kennis zijn briljante carrière had kunnen opbouwen. Maar 'weten' was nog geen 'bewijzen'. Wie had ook kunnen denken dat zo'n oetlul van een Ruurd Colijn alles indertijd nauwgezet als een Zeeuwse Che Guevara in dagboekjes had genoteerd?

Zoutkamp dus.

Zoutkamp moest ze bij die weduwe in Krabbendijke hebben gehaald nadat Hendrikse hem diezelfde mantel in het Torentje had uitgeveegd. Frauduleuze declaraties en niet voor een Delftsblauw bordje, maar voor tonnen en tonnen. Door hem, Cor Verduyn persoonlijk, geconstateerd op aangifte van Zoutkamps voormalige wethouder Peeters. Die was braaf komen melden dat het uit de hand liep, dat hij er niet meer in slaagde alles toe te blijven dekken.

Hij grijnsde wrang naar zijn spiegelbeeld. Je bent een eikel, Verduyn, een ongelooflijke eikel!

Natuurlijk. Want als hij het niet aan Hendrikse had gerapporteerd, zou Zoutkamp nooit in paniek zijn geraakt, nooit op het idee zijn gekomen om Hendrikse te chanteren met die dagboekjes. En dus zou zijn gedacht riant extra inkomen straks nog steeds gegarandeerd zijn geweest.

Dat kón toch nog. Had hij bedacht.

Dus had hij de deal voorgesteld aan Hendrikse, die in dolle paniek had verkeerd. De Vader des Vaderlands had zowat de gordijnen voor het raam van zijn werkkamer opgevreten van ellende. 'Bert Zoutkamp dreigt alles te onthullen als we die fraude niet in de doofpot stoppen!' 'En die Peeters dan? En zijn financiële man, Lokhof?' had hij zelf gezegd. 'Wordt wel een hele grote doofpot, niet?' Hendrikse had hem aangekeken met de verwilderde blik van een man die van het Hilton gaat springen. 'Wat dan, verdomme?' Een perfecte deal, bedacht Verduyn bitter terwijl hij zijn kamer afsloot en de gang inliep naar de ontbijtzaal. Ook al omdat niemand er iets van had geweten, niemand behalve Zoutkamp en Venema, Hendrikse en hij.

En toen was die vervloekte Meijer op het toneel verschenen. Een biografie. Niets op tegen. Ook niet dat hij Anneke Zoutkamp benaderde, want het wicht wist van niets. Dus hoe in jezusnaam was hij erachter gekomen? Want dat stond wel vast, Meijer wist ervan, anders zat hij nu niet hier op tweehonderd meter hemelsbreed verwijderd in een ander hotel met die Anneke. En tot overmaat van ramp nog geen kilometer van de villa waarin Venema met een vent had gezeten die werkelijk Rob Leeuwenstein heette. Een Nederlands zakenman die volgens de informatie van de dienst een tijd in Brazilië had gescharreld, maar failliet was gegaan en sinds enkele maanden een huis bij de Kaag bewoond had dat nu weer te koop stond. Dat laatste feit kenden ze, net als ze alles wisten over die Leeuwenstein, alleen maar omdat ze Meijer hadden gevolgd. Hij begreep niet hoe die ervan wist en hoe hij achter het bestaan van de villa in Kaapstad was gekomen. Want uit de inbraak in zijn appartement – Verduyn gaf eigenlijk de voorkeur aan de term 'stille huiszoeking' – was dat niet gebleken. Evenmin hoe Suzan Venema die echte Leeuwenstein kende, maar dat ze een intieme relatie met elkaar hadden, stond als een paal boven water.

Verduyn koos wit brood en een gebakken ei met bacon. Op dit onzalig vroege uur was hij de enige gast, zodat hij een plaatsje bij het raam nam. Winterswijk. Je zou er nog niet dood willen worden gevonden.

Het raadsel bleef waarom Zoutkamp was teruggekomen. Hendrikse had gesuggereerd dat hij zijn pasgeboren kleinkind had willen zien. Sentimentele onzin, maar het kon. Evengoed kon hij onenigheid hebben gekregen met Venema. Misschien wel over het geld. Aannemelijker leek het hem dat het om die Leeuwenstein was gegaan. Spoorde ook meteen heel aardig, die gedachte, want volgens Zoutkamp had Suzan Venema dat alias van Rob en Monique Leeuwenstein voorgesteld.

Hij begon te eten en dacht weer aan Meijer. Pers. *NRC Handelsblad*. Rotkrant. Altijd hetzelfde gelazer met die persmuskieten. Meijer moest afgestopt worden, dat was een ding dat zeker was, maar wel zó dat hij geen poot had om op te staan want – om in de beeldspraak te blijven – zodra een persmuskiet stront rook, zwermden de anderen in grote getale toe.

Hij keek op omdat hij de deur hoorde. Zijn assistent Stokman kwam binnen, zichtbaar opgewonden. '*What's wrong*?'

'Die dochter van Zoutkamp, die is weg!'

~

Joop was wakkergeschrokken door een hoog, akelig soort schreeuwen dat afkomstig bleek van twee pauwen die statig beneden hem in de hoteltuin paradeerden. Tot zijn verbazing voelde hij zich ondanks alles kwiek en uitgerust, alsof hij hier allang op vakantie was. Op de wekkerradio was het net zes uur geweest, maar de zon hing al krachtig en optimistisch boven het winkelcentrum aan het eind van de aangelegde tuin. Zes uur, dat was hem sinds Max en Milan nog peuters waren nooit meer gebeurd, ook niet voor de krant. Hij zag het Calvados-glas en de blocnote, fronste vanwege de naam 'Leejestein' en herinnerde zich toen de gedachte waarmee hij in slaap was gevallen. Een bootje dat nog bij het Uyltje was gesignaleerd. Om Zoutkamp op te pikken. Wie dan? Geen idee, maar wel over die oudere man die zo heimelijk Anneke met Bertje had staan fotograferen. Leeuwenstein. Zoutkamp die als Leeuwenstein naar Kaapstad was gegaan? Het verklaarde hoe dan ook Venema's foto die Erik er had gevonden, dat wel, maar wie was die jongere vent dan met wie ze scharrelde?

Opgewonden trok hij zijn kleren aan zonder er acht op te slaan hoe verfomfaaid ze waren. Anneke. Misschien sliep ze nog. Hij kon wel even wachten, al was het maar om de zaak goed te overdenken. Bijna halfzeven. Zijn maag rommelde.

Hij liep de doodstille gang in op weg naar het trappenhuis, aarzelde even en liep toen toch verder naar Annekes deur. Wilde er al aan luisteren toen hij verrast zag dat de deur aan stond.

'Anneke?'

Hij duwde de deur wat verder open en keek geschrokken in het gezicht van een kale man, in wie hij seconden later de hotelreceptionist herkende.

De man lachte een beetje schaapachtig en hield een sleutel op. 'Uw… eh, vriendin is misschien al op een vroege tocht, meneer?'

De kamer zag er niet naar uit alsof Anneke eropuit was, het bed een rommeltje, haar koffer open, haar make-uptasje op het schrijftafeltje.

'Ik vond daarnet namelijk haar kamersleutel in de tuindeur beneden, ziet u, dus ik dacht dat ze die misschien was vergeten.'

'Aha.'

Toch vreemd, bedacht Joop. Hij had haar daarnet niet in de tuin gezien, maar misschien was ze al aan een vroeg ontbijt.

'En omdat ze ook niet in de ontbijtzaal was, dacht ik dus, laat ik toch maar even kijken. Maar goed, ze zal wel een ommetje zijn gaan maken. Joggen misschien? Dat doen ze tegenwoordig allemaal, toch?'

Joop knikte wat verward. Waarom zou ze? Ze was doodmoe geweest. Maar misschien was ze wel vroeg wakker geworden van alle opwinding. Nou, dan had hij nog wat voor haar.

De receptionist kwam de gang op en sloot de kamerdeur af. 'Ik hang de sleutel wel beneden,' zei hij terwijl ze de trap afliepen.

De ontbijtzaal was open, maar er zat niemand. Een oudere serveerster vroeg of hij koffie wilde. 'Graag,' zei Joop. 'Heeft u misschien een vrouw van een jaar of dertig hier of in de tuin gezien?'

Alsof hij iets onzedelijks had gevraagd, schudde ze haar hoofd en ze trok een pruimenmondje, dat hem aan buurvrouw Broere deed denken. 'U bent de eerste.'

Hij liep naar de open tuindeuren. De pauwen keken hem aan alsof ze vast van plan waren hun territorium tot het uiterste te verdedigen. Van Anneke geen spoor. Was ze misschien door de voordeur gegaan, het stadje in? Nonsens, leek hem, alles was nog potdicht en doodstil. Zelfs de weg die hij achter het hek aan de achterkant van de tuin kon zien, lag erbij als op een autoloze zondag.

Hij stond even stil, liep toen de tuin in, zijn ogen gefixeerd op een lap of doek die als een vlaggetje aan een punt van het hek hing. Felrood. Glimmend in het zonlicht. En nog voor hij het met een schok herkende, had hij instinctief al geweten wat het was.

Annekes lakjas! Althans, een stukje ervan, afgescheurd als zeildoek. Waar was ze dan? Over het hek geklommen, dat was wel duidelijk. Wanneer? Niet nu of even geleden, want dan zou ze hier zijn. Geen vrouw gaat 's morgens vroeg met een kapotte jas zomaar uit wandelen. Ze zou op z'n minst terug zijn gekomen om...

Hij stond als bevroren. Denk na, klootzak! Waarom zou

ze sowieso over dat hek klimmen? Hij voelde de paniek in zich omhoog golven. Dit was nooit vrijwillig gebeurd. Iemand moest haar naar buiten hebben gelokt. Misschien was ze overmeesterd en hadden ze haar over het hek getild en meegenomen.

Hij rende terug naar het hotel. Met trillende knieën en een maag als gelei.

Bertje! dacht Anneke glimlachend in haar halfslaap. Fantastisch dat het ventje nog sliep! Wat was het toch een heerlijk manneke, zo makkelijk afgezien dan van het eczeem op zijn beentjes. Ze wilde zich behaaglijk omdraaien maar merkte dat iets haar tegenhield. Iemand of iets hield haar pols vast. Joop, schoot het door haar heen en ze glimlachte weer, haar ogen nog dicht. Joop. De geur van zijn lichaam, zijn handen die haar tergend langzaam steeds lager hadden gestreeld en ten slotte datgene hadden losgemaakt waarvan ze bij Chris gedacht had dat ze het was verloren. Opeens was ze bijna wakker. Bertje was hier helemaal niet, Bertje was bij Josien. Ze moest bellen. Zou Josien er wel aan denken om zemelen in het badje te doen vanwege zijn dauwwurm? En zijn beentjes in te smeren met olie? En niet vergeten om hem vooral zijn flanellen hemdje aan te trekken? En…?

Vaag drong motorgeluid tot haar door, zodat ze verbaasd haar ogen opende. Meteen was ze zich ervan bewust dat ze niet in staat was zich te bewegen omdat haar polsen met een koord aan haar enkels waren gebonden, haar neus zowat tegen haar opgetrokken knieën. Verbijsterd zag ze grijzige hoge gebouwen achter het autoraampje tegenover haar voorbij flitsen. Waar was ze? Ze zat in een auto, nee, ze lág in een auto, op de achterbank. Haar lakjas beneden haar, met een grote winkelhaak alsof er met een mes in was gestoken.

Een stem die van ver leek te komen, zei een paar woorden in een vreemde taal, die haar Spaans toescheen. Iemand anders antwoordde in het Nederlands dat hij daar niet over moest praten. De stem van Suzan Venema. En opeens trokken de nevels weg van haar brein, als het gordijn voor een bioscoopscherm. Het nachtelijk telefoontje in haar hotelkamer. De donkere tuin, de verregende donkere straten, Suzan Venema in de deuropening. 'Bert? Anneke is er!'

De schim die op haar was toegesprongen, de allesdoordringende lucht van ether.

Ze had er geen benul van waar ze was.

'Ze is wakker.'

Het leek de stem van de man die ze aan de telefoon had gekregen toen ze naar die villa belde. Vaag kon ze nu de geur van aftershave ruiken. Ogen in de achteruitkijkspiegel even op haar gericht.

'Mooi op tijd dan.' De hoge, lachende stem van Suzan Venema. Haar gezicht naast de hoofdsteun, nog steeds lachende mond, spottende ogen. 'Dag Anneke. Geloof je me als ik je zeg dat het me spijt?'

Ze zweeg.

'Maak je geen zorgen, liefje. Als alles meezit, zie je je kindje en dat nieuwe vriendje van je heel snel weer terug en...'

De rest van haar woorden ging verloren in aanzwellend gebulder en toen Anneke verschrikt opzij keek, zag ze een groot vliegtuig parallel aan de auto vliegen, het landingsgestel uit tot het achter kolossen van kantoorgebouwen verdween.

'We parkeren de wagen hier ergens. En dan bellen we. Ze zullen we blij zijn met een telefoontje. Ongerust natuurlijk.' De man lachte.

'Mijn naam is Verduyn, ambtenaar bij de Binnenlandse Veiligheidsdienst, maar dat is u vanzelfsprekend bekend sinds u mij daar probeerde te bereiken.'

Verduyn keek naar de journalist tegenover zich en vroeg zich af wat Zoutkamps dochter in hem zag. Ogen, zei zijn vrouw altijd, ogen en handen, daar vallen vrouwen voor. 'Ogen geven de ziel weer, handen de emoties.' Meijers ogen leken Verduyn meer te passen bij de kop van een treurende spaniel die de weg kwijt was en z'n handen waren smal en vrouwelijk, niet wat je noemt die van een kerel. Maar misschien hielden vrouwen daar tegenwoordig van.

'Ik zou graag willen dat u me bijpraat, meneer Meijer. Dat we de rollen dus een keertje omdraaien. Ik stel u wat vragen en u geeft daar antwoord op.'

'Jezus Christus!' Meijer keek hem woedend aan. 'Hebben jullie niks anders te doen? Ze is weg, man! Ze hebben haar verdomme ontvoerd. Wie weet wat ze met haar uitvreten! Ga zoeken, zet die hele dienst van je in, de politie, het leger! Doe eindelijk 's wat!'

De scheefbrandende sigaret tussen zijn vingers trilde, evenals zijn lippen waar hij hem driftig tussen stak. De derde al, sinds hij een kwartier geleden door Verduyn en diens medewerker in het hotel was gevraagd mee te komen. Ongetwijfeld had de politie nadat de receptionist voor hem naar het hoofdbureau had gebeld, onmiddellijk die Verduyn ingelicht. Want zoveel wist hij wel van de BVD, die had bij elk korps zijn contacten.

Verduyn glimlachte. Althans zijn mond, zag Joop, want de donkerbruine oogjes stonden steenhard.

'Dat hebben we ook, meneer Meijer, voorzover dat binnen de mogelijkheden ligt. We weten inmiddels dat er vanochtend vroeg een donkerblauwe BMW bij de villa vertrok. Auto is eigendom van ene Rob Leeuwenstein. Met zeer grote waarschijnlijkheid zitten hij en mevrouw Suzan Venema daarin. En even waarschijnlijk ook Anneke Geerlings. Of, als u dat liever heeft, Anneke Zoutkamp.'

Joop kneep zijn ogen samen, maar zweeg.

'Ze is vannacht inderdaad via de hoteltuin naar de villa gegaan, waar mevrouw Venema en haar partner Rob Leeuwenstein nog waren.'

'Vannacht?'

'Ja. We weten inmiddels namelijk ook dat zij even na middernacht in haar kamer een telefoontje heeft gekregen dat uit dat huis afkomstig was. Dat betekent dat we ons vergisten toen we aannamen dat zij daar niet meer waren. Vermoedelijk hebben ze u gistermiddag gezien en zich schuilgehouden en vervolgens de hotels hier in de buurt afgebeld met uw namen.'

'Waarom zou ze daar dan in 's hemelsnaam naar toe zijn gegaan?' En zonder hem te waarschuwen, bedacht Joop. Zelfs geen briefje of wat dan ook.

'Geen idee,' zei Verduyn. 'Het gaat wat ver om te veronderstellen dat zij erbij is betrokken, maar...'

'Waarbij betrokken?'

Verduyns dikke lippen krulden zich weer tot een glimlach. 'Ik meende dat we afspraken dat ik de vragen zou stellen en u zou antwoorden, meneer Meijer.'

'Ik kan me niet herinneren ook maar iets met u te hebben afgesproken.'

Verduyn zuchtte. 'Ik begrijp uw zorgen, meneer Meijer. Ten eerste, we leven nu...' Hij keek op zijn horloge. 'Om acht uur. Dat wil zeggen dat mevrouw Venema en de heer Leeuwenstein waarschijnlijk een voorsprong hebben van tenminste enkele uren. Ze kunnen overal naartoe zijn, maar om u wat gerust te stellen, hun signalement en dat van de auto is doorgegeven, ook aan onze Duitse, Belgische en Franse collegae.'

Joop zweeg gefrustreerd. Dat zou verdomme helpen! De grenzen stonden wagenwijd open. Leve het inter-Europees verkeer, leve het Schengen-akkoord!

'We zijn dus helaas gedwongen te wachten. Ten tweede. Om u wat op gang te helpen, zal ik u wat vertellen, maar op de voorwaarde dat u mij eerst belooft geen woord daarvan te publiceren.'

Met een ruk keek Joop op. 'Wat?'

Verduyns wat spottende glimlach leek rond zijn lippen bevroren. Hij keek even naar zijn medewerker die aan de andere kant van het bureau in het kamertje van het politiebureau zat. Boven hem keek een jonge koningin Beatrix met samengeknepen lippen toe uit een vergulde lijst; voor hem stond een kleine cassetterecorder waarvan het rode lampje flikkerde.

'Ik beloof niets,' zei Joop langzaam. 'Volgens mij weten jullie nog minder dan ik. Jullie zijn hier alleen maar omdat Anneke en ik dus meer weten. *So you owe me something*. Ik zou me hoogstens een ruil kunnen voorstellen.' Hij voelde een kortstondige triomf omdat hij in Verduyns ogen zijn gelijk las. Hij doofde de sigaret en leunde opeens wat rustiger achterover. 'Zo noemen jullie dat toch bij geheime diensten? Een informatieruil?'

De medewerker grinnikte wat verbaasd. Toen Verduyn wat wilde zeggen, ging de deur van het vertrek open. 'Het spijt me,' zei een nerveuze politievrouw in uniform, 'maar we hebben ze aan de lijn.' Ze lachte wat hulpeloos en bleef staan terwijl Verduyn een kort knikje naar Joop gaf. Joop rende al.

In de zonnige hal van het bureau stond een brigadier achter de balie en hield onderdanig de hoorn van een telefoon op.

'Volume,' zei Verduyn alleen maar en bracht de hoorn aan een oor. De brigadier bukte zich. 'Verduyn hier.'

Suzan Venema's stem kwam luid en duidelijk door. Joop verstrakte.

'Met Suzan Venema. Ik houd het kort. U zult begrijpen waarom. Ik wil dat u straks uw collegae op de luchthaven van Frankfurt instrueert om de heer Leeuwenstein en mijzelf geen strobreed in de weg te leggen om de Lufthansavlucht van 13.45 uur naar Johannesburg te nemen. Dat ten eerste. Ten tweede ben ik van plan om onze afspraak in Kaapstad na te komen. Binnen twee dagen zullen de heer Leeuwenstein en ik ons derhalve vervoegen bij de ABN/AMRO-bank in Kaapstad om het overeengekomen bedrag te innen. Ook daar wens ik geen enkel probleem. Ik neem aan dat u begrijpt wat ik bedoel.'

'Anneke Zoutkamp,' zei Verduyn.

'Heel goed, meneer Verduyn. Bert gaf niet voor niets hoog op van uw capaciteiten.' Ze lachte even. Joop balde zijn vuisten. 'Maandag aanstaande zult u op dit nummer horen waar zij zich bevindt, mits u zich aan de voorwaarden houdt. Maar ik ben er zeker van dat u dat zult. U in uw vak kent immers de consequenties wanneer afspraken niet worden nagekomen.'

'Teringwijf!' schreeuwde Joop met overslaande stem. Hij sprong op Verduyn toe en graaide naar de hoorn.

'Verdomme, als je haar ook maar iets doet, dan...'

Er klonk een hoog spottend lachje uit de speaker.

'Tut, tut, meneer Meijer. En dat voor een journalist van een kwaliteitskrant!'

Meteen daarop werd de verbinding verbroken.

~

Ruim achtenveertig uur later, op een zonnige maandagochtend, vonden ze Anneke. Ze lag, met één hand aan de enkels gebonden, in een afgesloten container vlak bij het vliegveld van Frankfurt. Ze had geen stem meer over van het schreeuwen om hulp, maar niemand had haar gehoord om de simpele reden dat het een weekeinde was en de container bovendien in een half gesloopte hangar achter aan een startbaan stond. Met haar vrije hand had ze zich gevoed met koude hamburgers en gelaafd aan Cola, maar natuurlijk hadden ze haar geen vuur toegestaan, zodat het tweede waar ze naar vroeg een sigaret was. Het eerste was Bertje. Joop wees lachend, een arm om haar heen, naar een van de twee politiewagens waaruit Josien met de baby stapte. Hij moest de sigaret voor haar aansteken omdat ze zelf te stijf en te uitgeput was om zelfs die vast te houden. Ze verstond ook niets, haar trommelvliezen waren de afgelopen etmalen murw gebeukt door stijgende en landende vliegtuigen.

Verduyn liep met de Duitse recherche de hangar in. Twee broeders brachten Anneke op een brancard naar een gereedstaande ambulance en knepen een oogje toe vanwege de sigaret. Joop ging naast haar zitten en probeerde haar duidelijk te maken dat ze eerst een medisch onderzoek diende te ondergaan.

'Maar ik voel me goed. Nu wel,' schreeuwde ze, zoals alle dove mensen. Hij glimlachte en trok haar tegen zich aan. Ze moest eens weten hoe ze eruitzag. Een levend lijk. Het werd trouwens tijd dat hij haar vertelde wat hij allemaal bedacht en gefantaseerd had over hun tweeën.

Afgezien van een bedorven maag bleek Anneke noch psychisch noch fysiek iets te mankeren. Haar trommelvliezen waren niet blijvend beschadigd, zodat haar gehoor binnen een dag of wat weer normaal zou functioneren. Volgens de artsen was het een wonder dat ze geen symptomen van shock vertoonde, al zei een van hen apart tegen Joop en Josien dat hij er rekening mee moest houden dat 'Ihre Frau' later mogelijk last zou kunnen krijgen van nachtmerries en stress. Josien knikte wat zuur, maar Joop straalde.

Terug op het vliegveld voor de vlucht naar Schiphol, stelde Verduyn Anneke enkele vragen in de VIP-room, waarbij hij tot Joops verrassing meer weg had van een bezorgde vader dan van een inlichtingenman. Hij wilde vooral weten of ze zich iets van gesprekken tussen Rob Leeuwenstein en Suzan Venema kon herinneren. 'Nee,' zei ze twijfelend, 'ze verdoofden me toen ik daar kwam en toen ik weer bijkwam waren we al in de buurt van het vliegveld.'

'En toen? Denkt u goed na, mevrouw Geerlings.'

'Zoutkamp.' Ze hield Bertje tegen zich aan. 'God, ik droomde van Bertje en...' Ze keek glimlachend naar Joop. 'En van jou. En toen herinnerde ik me nota bene in mijn droom dat Bertje bij mamma was en ik vroeg me af of ze er wel aan zou denken om zemelen in zijn badje te doen vanwege zijn dauwwurm en...'

Ze haperde en kneep haar ogen nadenkend samen.

'Wat?' Verduyn keek gespannen.

'Een man zei iets in een taal die me Spaans leek of misschien Portugees. Ik weet niet.'

'Niet in uw droom?' vroeg Verduyn.

'Ik... nee, ik geloof het niet, want ik hoorde toen al vliegtuigen.'

'Leeuwenstein?'

'Ik... ik geloof het wel. Want Suzan zei dat hij dat niet moest zeggen, of zoiets.' Ze keek wat hulpeloos naar Joop, die haar hand vastpakte.

'Probeert u zich dat alstublieft te herinneren, mevrouw Zoutkamp. Ik weet dat ik veel vraag, maar doet u uw ogen eens dicht, wilt u? En probeert u zich weer voor te stellen dat u daar achter in die auto ligt... en u denkt aan Bertje en aan de zemelen...'

Ze knikte, kneep haar ogen dicht, kneep ook in Joops hand. Afgezien van het continue geronk van vliegtuigen was het doodstil in het vertrek. Zelfs Bertje maakte geen enkel geluid, alsof hij zich bewust was van de ernst van de situatie.

Na wat Joop uren toescheen, zei ze: 'Iets als Ribera of Ribreia Peto.'

‘Ribreiao Petro?’ vroeg Verduyn schor, maar wel duidelijk articulerend.

Ze opende haar ogen en staarde hem verbaasd aan. ‘Ja, zou kunnen.’

Een brede glimlach trok over het olijfkleurige gezicht. ‘Heel goed, mevrouw Zoutkamp, heel goed! U heeft er in aanzienlijke mate toe bijgedragen dat we de moordenaar van uw vader waarschijnlijk alsnog kunnen arresteren.’ Hij kwam gehaast overeind. ‘Het spijt me, maar ik moet als de sodemieter maatregelen nemen. Ik zie u later.’

‘Wat is dat Ribre en nog wat?’ vroeg Joop.

Verduyn was al bij de deur. ‘Ribreiao Petro. De voormalige woonplaats van de heer Rob Leeuwenstein in Brazilië, meneer Meijer. Waarschijnlijk gokken ze erop dat wij denken dat ze daar nooit naartoe zouden gaan en ik moet u zeggen, ik zou dat ook niet hebben gedacht. Excuseert u me, ik...’

Hij zweeg even en opnieuw trok een glimlach rond zijn mond. En opnieuw zag Joop dat de ogen niet meededen.

‘Ik wil u nog even herinneren aan onze afspraak, meneer Meijer. Ik zie u later nog wel.’ Hij knikte naar Anneke en verdween de gang op.

Ze keek verbaasd naar Joop. ‘Welke afspraak?’

Hij maakte een grimas en stak een sigaret aan. ‘Ze willen niet dat ik erover publiceer.’

‘Wat?’

Hij knikte, zuchtte en blies een wolk rook naar het plafond. Door de speaker in de hoek klonk een metaalachtige stem die passagiers voor vlucht 645 van Lufthansa naar Schiphol opriep om te ‘boarden’.

‘Maar dat ga je wel doen,’ zei Anneke.

Langzaam draaide hij zijn hoofd naar haar toe. ‘Denk je?’

Ze knikte, aaide met een hand over Bertjes pluizige lokken.

'Voor hem.' Ze spitste haar lippen en boog zich naar Joop toe. Zoende. 'En voor ons.'

Het was niet de eerste keer dat Joop in het Torentje was, maar wel dat hij zich in het Heilige der Heiligen bevond, de kleine, gelambrizeerde werkkamer van de minister-president. De sobere inrichting verried de zuinige geest waar Hendrikse bekend om stond en even graag prat op ging: een bureau, een zitje, een schemerlamp. Afgezien van het portret van Koningin en de Prins Gemaal, enkele ingelijste foto's, waaronder een van Willem Drees en een boeket wat verlepte rozen was er geen enkele decoratie of opsmuk. Zelfs geen asbak, zag Joop. En voelde de honger in zijn longen. Hij zat wat ongemakkelijk in een lederen fauteuiltje, Verduyn tegenover zich. Een ondoorgrondelijke blik op een onbestemd punt.

Hendrikse stond met de rug naar hen toe voor een van de hoge ramen, waarachter de zon zich spiegelde in de Hofvijver. Van ver weg drong het geluid van verkeer door. Op het tafeltje voor hem stond een kopje thee naast een trommeltje met koekjes. Zoals Zoutkamp had gedweept met Joop den Uyl, zo hield Hendrikse zich de oude Drees ten voorbeeld, wist Joop, tot aan diens consumpties toe. Ex-RAF-sympathisant vergast zijn bezoek op mariakaakjes. God nog aan toe!

'Meneer Meijer, ik stel het bijzonder op prijs dat u in bent gegaan op mijn uitnodiging,' zei Hendrikse. 'U had nog altijd een gesprek tegoed over mijn voormalige vriend en collega Bert Zoutkamp. Maar eerst wil ik graag weten of nog steeds van plan bent zijn biografie te schrijven.'

'Nee,' zei Joop.

Verduyn knipperde met een ooglid maar dat kon evengoed door het zonlicht komen.

Hendrikse zweeg enkele seconden. 'Want?'

'Ik vermoed dat ik niet meer de benodigde distantie zou kunnen opbrengen.'

Verduyn glimlachte en knipte een denkbeeldig pluisje van zijn broek.

Hendrikse knikte en vouwde zijn handen voor zich op zijn bureau. 'Juist ja. Bent u wel van zins over de... eh, gebeurtenissen van de afgelopen periode in uw krant te publiceren?'

'Dat hangt ervan af.'

'Waarvan als ik vragen mag?'

'Of ik over voldoende feiten kan beschikken.'

Het leek zowaar of Hendrikse even lachte. '*Facts are sacred*, bedoelt u.'

'Zeker'.

'En wat denkt u? Kent u de feiten?'

Joop nam een slokje van zijn thee. 'Ik vermoed van wel.' Hij glimlachte naar Verduyn, die hem uitdrukkingloos opnam. 'Het zou natuurlijk helpen wanneer ik alle direct betrokkenen zou kunnen horen.'

'Zoals de heer Verduyn en mijn persoon, bedoelt u?'

'Onder anderen.' Joop voelde zich plotseling een stuk zekerder worden, al was het maar door de onzekerheid die de premier zichtbaar uitstraalde. Hij leunde achterover. 'Zou ik mogen roken?'

'Pardon?' Hendrikse draaide zich om. 'Zeker... zeker.' Hij knikte naar Verduyn die overeind kwam, naar de tussendeur liep en erachter verdween. Secretariaat van de MP, wist Joop, juffrouw Tellegen, ook wel de Raspoetin van het Binnenhof genoemd. Hendrikse wreef over zijn ogen en ging aan het bureau zitten. Verduyn kwam terug met een grote stenen witte asbak waarop in sierlijke gouden lettertjes 'Je Maintiendrai' onder de Nederlandse leeuw stond geschreven.

'Onder anderen, zei u.'

Hendrikse hield zijn ogen strak op de oude Drees gericht, als een gelovige die opkijkt naar een Mariabeeld.

Joop knikte en stak een sigaret op.

'Bijvoorbeeld?'

Joop inhaleerde diep en blies de rook naar het balken plafond. 'Bijvoorbeeld de heer Karel Swart op Schiermonnikoog, die de heer Verduyn hier een koffertje zag afleveren op het motorjacht van Zoutkamp. Bijvoorbeeld mevrouw Caroline Vermeulen, de vriendin van wijlen de heer Lokhof. De moeder van uw jeugdvriend Ruurd Colijn in Krabbendijke. De chauffeur van de heer Zoutkamp. Misschien ook zijn ex-vrouw.'

Uit zijn ooghoek zag hij Verduyn even verstrakken. Hendrikse trok zijn wenkbrauwen op.

'En last but not least een zekere Birgit Eisler in Duitsland,' zei hij. 'Al zal zij op anonimiteit staan, bepaalde foto's in mijn bezit van een zeker zomerhuisje onderstrepen de authenticiteit van haar verhaal.' Dat van Eisler blufte hij en waarschijnlijk wist Verduyn dat ook, maar hij zag aan beider gezicht dat de referentie aan de foto's doel trof.

Hij inhaleerde opnieuw. 'Foto's die overigens niet bij mij thuis, noch bij Anneke Zoutkamp of haar moeder liggen. Dit even voor alle duidelijkheid, zodat er geen huizen overhoop te hoeven worden gehaald door de ambtenaren van meneer Verduyn.'

Het was even doodstil op het getingel van een tram na.

Verduyn stak een kaakje in zijn mond.

Hendrikse zuchtte. 'En wat, meneer Meijer, zou de strekking zijn van uw verhaal?'

Joop glimlachte. De oude truc van de ervaren politicus. De rollen om willen draaien. Prima, als de oude vos het zo wilde spelen. 'De strekking zou allereerst zijn dat u wilde dat Bert Zoutkamp zich uit zijn functie en de partij zou terugtrekken.'

'Waarom?'

‘Ik denk vanwege gesjoemel met declaraties en overheidsgelden.’

Hendrikse knikte. Bevestiging of aanmoediging dat hij door zou praten?

‘Vermoedelijk legde de heer Zoutkamp zich daar niet bij neer. Hij kende uw verleden als linkse student in Nijmegen.’

Joop tipte zijn as af. Wie zwijgt stemt toe, bedacht hij. Want dat deden zowel Hendrikse als Verduyn. Wassen beelden.

‘Een tijdlang dacht ik dat Zoutkamp daarom om het leven werd gebracht, op zijn boot. Later begreep ik dat een aantal zaken niet klopte. In de eerste plaats was daar een oudere man die doelbewust Anneke en haar baby fotografeerde. Die man deed haar wat denken aan haar vader, maar dat weet ze aan de shock die ze net had ondergaan. Deze man noemde zich Leeuwenstein. Vervolgens kreeg ik een foto van Suzan Venema doorgemaild uit een villa in Kaapstad die onder die naam was gehuurd.’

Verduyn keek op. ‘Hoe kwam u achter Kaapstad?’

Joop voelde voldoening. Bingo! ‘Omdat die Leeuwenstein foto’s van die villa op zijn rolletje had.’

Hendrikse fronste, maar Verduyn knikte. ‘Gaat u verder, alstublieft.’

‘Pas veel later combineerde ik dat met een verhaal dat ik op Schier had gehoord, namelijk dat er vlak vóór de explosie mensen in een bootje bij het jachtje waren gesignaleerd. Dat konden natuurlijk toeristen zijn geweest die de minister hadden herkend, maar dan zouden ze toch ooggetuigen moeten zijn geweest van de klap die volgde.’

Verduyn noch Hendrikse reageerde. Joop doorbrak de stilte. ‘Zou ik misschien een borrel mogen?’

Hendrikse leek nog meer te versomberen, maar Verduyn kwam overeind.

‘Whisky, wodka, jenever?’

'Als het kan oude jenever, graag'.

Ditmaal stak de BVD-man alleen zijn hoofd om de tussendeur. 'Juffrouw Tellegen? Mogen wij twee oude jenever en een Spa?'

Joop leunde bijna triomfantelijk achterover. Hoe moe hij ook was, het idee dat hij het bij het rechte eind leek te hebben gaf hem nieuwe energie.

Verduyn ging weer zitten. 'U denkt dus dat Zoutkamp van boord werd gehaald en onder de naam Leeuwenstein naar Kaapstad ging?'

'Ja, door uw mensen. Waarschijnlijk werd daar in Zuid Afrika aan de verandering van zijn uiterlijk gewerkt. Dat regelde u ook, net als die villa via het Nederlands consulaat ter plekke.'

'En waarom zouden wij dat doen, meneer Meijer?'

'Dat begreep ik pas toen Suzan Venema naar het politiebureau in Winterswijk belde. Ze had het over geld dat zij en die Rob Leeuwenstein in Kaapstad bij de ABN/AMRO-bank wilden incasseren. Pas als dat een feit was, zou ons meegedeeld worden waar Anneke was.' Joop keek naar Hendrikse. 'Ik denk dus dat u Zoutkamp en haar af wilde kopen. U de schriftjes van Ruurd Colijn, zij het geld en onder een andere naam ver weg. En omdat het wel duidelijk was dat Zoutkamps fraude niet lang meer viel weg te moffelen, werd er gekozen voor een dodelijk ongeluk. Van de doden niets dan goeds, immers?'

Bij Hendrikses mond trilde een spiertje, zijn handen lagen verkrampt op het bureaublad.

'Wethouder Peeters wist ervan, en werd voor zijn zwijgen beloond met een staatssecretariaat. Maar Lokhof was een risico.' Joop wist dat hij met die speculaties hoog spel speelde. Hij draaide zich naar Verduyn. 'Werd hij in uw opdracht vermoord?'

Rond Verduyns dikke lippen speelde een vage glimlach. Op dat moment ging de tussendeur open. Een bode zette zwijgend een flesje mineraalwater en een glas neer voor Hendrikse en twee gevulde kelkjes voor Joop en Verduyn.

Toen de bode even geruisloos was verdwenen als hij was gekomen, nam Verduyn zijn glaasje op. 'Laten we het erop houden dat de heer Lokhof ongelukkig ten val kwam. Proost.'

Shit, dacht Joop, ijskoud! De jenever was dat ook, tot zijn verrassing.

'En de andere Leeuwenstein?' vroeg Verduyn zacht.

Joop zette zijn glaasje neer en pakte een verse sigaret. 'Geen idee. Ik kan maar op één verklaring komen, en dat is dat Suzan Venema al eerder een verhouding met hem had...' Perplex keek hij op boven het vlammetje uit zijn aansteker.' Godverdomme,' zei hij langzaam. 'Natuurlijk! Het idee van die naam Leeuwenstein is waarschijnlijk van haar. Want onder die naam stond het geld in Kaapstad gereserveerd. Venema kon gewoon verder gaan met die andere Leeuwenstein.'

Verduyns donkerbruine ogen namen hem uitdrukkingloos op, maar hij voelde dat hij gelijk had.

'Wat ik niet begrijp,' zei Joop, 'is waarom ze alletwee dat in hetzelfde hotel in Leiden waren. Ik volgde Zoutkamp daarheen en wat later die dag, 's nachts geloof ik, zag Anneke die Rob Leeuwenstein daar afrekenen.'

Hendrikse keek aarzelend naar Verduyn. Die dronk van zijn jenever, zo te zien onverstoorbaar.

'Waar is Zoutkamp?' vroeg Joop.

'Dood,' zei Verduyn. En weer speelde de vage glimlach rond zijn mond. 'Wat dat betreft, is er dus niets veranderd, meneer Meijer.'

'Hoezo dood? Ik bedoel...'

'We weten dat niet met zekerheid, maar het ligt voor de hand dat Leeuwenstein hem heeft vermoord, al dan niet samen met Venema. Tenslotte wilden ze sowieso van hem af om dat geld te kunnen innen. Ik neem aan dat Bert

Zoutkamp tegen de afspraken met de heer Hendrikse en mij terug wilde komen, omdat zijn kleinkind werd geboren. Waarschijnlijk hebben Leeuwenstein en Venema die gelegenheid te baat genomen. Het lichaam van minister Zoutkamp werd vorige week aangetroffen op de spoorlijn tussen Leiden en Schiphol.'

'Jezus!' Joop herinnerde zich het bericht. 'Zijn Venema en Leeuwenstein al gearresteerd?'

Verduyn schudde zijn hoofd.

'U weet toch waar ze zijn.'

Verduyn knikte.

'Wij kunnen hen niet arresteren, meneer Meijer,' zei Hendrikse bijna fluisterend, alsof het zo minder erg was.

'Niet arresteren? Ze hebben verdomme...!' Joop zweeg verbluft. 'De schriftjes,' zei hij toen toonloos. 'Suzan Venema heeft zeker die schriftjes van Ruurd Colijn nog.'

'Niet allemaal,' zei Hendrikse. Hij stond op, zijn schouders gebogen als een oude man. Even viel Joop de gelijkenis op met de foto van de oude Drees aan de muur achter hem.

'Maar u heeft gelijk. Ze heeft iets achtergehouden waarvoor wij helaas inderdaad moeten zwichten. Mag ik u verzoeken uw jenever op te drinken en uw sigaret niet meer aan te steken, aangezien ik zo meteen mijn wekelijks interview dien te ondergaan.'

Joop knikte wezenloos.

'Mijn laatste vraag is dezelfde als mijn eerste, meneer Meijer. Bent u van plan hierover te publiceren?'

Joop kwam overeind en stak de sigaretten in zijn zak. 'Mijn antwoord daarop is hetzelfde als wat ik u toen gaf, meneer Hendrikse.'

Precies een week later reed Joop met Anneke en Bertje naar het kantoor van de krant. Op het schijfje dat hij bij zich had, stond de tekst van zijn verhaal rond de dood van de minister van Binnenlandse Zaken, dr. Bert Zoutkamp, met alle namen en toenamen en met inderdaad als kop 'De Moord op een Kroonprins.' Hij had het lange artikel bewust niet per e-mail gestuurd: hij wilde het eigenhandig aan zijn chef brengen. Achter in de kofferbak lagen twee koffers, een van Anneke, een van hem. In zijn binnenzak zaten twee vliegtickets, retourvluchten naar het zonnige Barbados. Tot Joops opluchting was Els zo toegeeflijk geweest Max en Milan die periode te nemen, al was het op voorwaarde dat zij er drie weken voor terug zou krijgen.

'Zo terug,' zei Joop, kuste haar, pakte zijn aktetas, stapte uit en liep het gebouw binnen.

Anneke zette de radio aan en luisterde naar het klarinetconcert van Brahms. Bertje kraaide achterin in zijn reiswieg. 'Mooi hè, Bertje?'

Ze realiseerde zich pas dat het Verduyn was toen hij haar portier opende.

'Mevrouw Zoutkamp. Is de heer Meijer naar binnen?'

Ze knikte verbluft. 'Wat doet u hier?'

Maar voor hij kon antwoorden, kwam Joop alweer naar buiten. De lach bevroor rond zijn lippen toen hij Verduyn herkende.

Verduyn nam hem uitdrukkingloos op. 'Ik neem aan, meneer Meijer, dat u zojuist uw verhaal bij de redactie heeft ingeleverd?'

'Inderdaad,' zei Joop. Hij glimlachte. 'En voorzover ik het zo snel kon beoordelen, is mijn chef razend enthousiast om het aanstaande zaterdag in *Z* te publiceren, en de krant opent er natuurlijk mee op de voorpagina. Als u nu zo goed wilt zijn het portier te sluiten, dan kunnen mevrouw Zoutkamp en ik weg. We willen voor geen goud het vliegtuig missen.'

Verduyn glimlachte terug. Tot Joops stomme verbazing liep hij niet naar zijn eigen geparkeerde Volvo, maar daarentegen naar de ingang van de krant.

'Wat ga je doen, Verduyn? Er bestaat zoiets als persvrijheid in dit land, hoor!'

Verduyn draaide zich om, nog steeds met diezelfde vage glimlach. 'Absoluut, meneer Meijer. Maar elke chef heeft weer een chef, nietwaar? Ik zal u bij gelegenheid nog wel eens iets vertellen over hem. Mag ik u en mevrouw Zoutkamp overigens een prettige vakantie toewensen?'

Hij draaide zich weer om en verdween achter de glazen deuren.

Joop stond roerloos, koud tot in zijn botten hoewel de zon pal boven hem hing.

'Wat gaat hij doen?' vroeg Anneke.

Joop zweeg, schudde zijn hoofd en stapte in.

'Geen idee,' zei hij grimmig. 'Maar wat het ook is, het zal hem niet lukken.'

Hij kuste haar, startte en zag tot zijn opluchting dat ze hem geloofde.

'Tata!' zei Bertje.